0~4歳
わが子の発達に
合わせた

1日
30分間

「語りかけ」育児

サリー・ウォード★著
汐見稔幸★監修　槙 朝子★訳

小学館

0歳〜4歳　わが子の発達に合わせた

1日
30分間

「語りかけ育児」

読者のみなさまへ

語りかけ育児は、「自分が大好き」と言える子を育てます

汐見稔幸◎教育学者

本書はイギリスの言語治療士、サリー・ウォードさんの『Baby《ベビー》 Talk《トーク》』という本を翻訳したものです。原書はイギリスで刊行後、短い期間に評判になったものですが、なるほど、うわさにたがわぬ良書で、日本の育児中の親にも、また言語発達を手助けする仕事に携わっている人にも、大いに参考になるといってまちがいありません。

この本には、子どものことばや行動の発達についてのていねいな知識だけでなく、発達の各時期の遊びの特徴やおもちゃ・絵本選びへのアドバイスなどが細やかに書かれていて、それだけでも育児にたいへん参考になります。しかし、この本の神髄というか、ウォードさんが読者にどうしてもこれだけは伝えたいと考えているのは、次のことだといってよいでしょう。それは、赤ちゃんが誕生したら、毎日、静かな環境で、赤ちゃんと二人きりになり、向き合って、30分だけ、自分のことばで、語りかけよう、

ということです。「毎日30分の語りかけ」、です。30分という時間を長いと思うか、短いと感じるか、私たちの側の条件や性格にもよると思いますが、ウォードさんは、ともかく一日30分、子どもと向き合って、ことばでコミュニケーションをすれば、子どもの育ちは、ことばはもちろん、知能や情動、社会性などの面でも、うんとよくなるということを、長年のことばの治療その他の経験から導いたのです。

この意識的なことばによる働きかけをウォードさんは「Baby《ベビー》 Talk《トーク》」と名づけています。私たちはこれを「語りかけ育児」と呼ぶ（訳す）ことにしました。

赤ちゃんが喜んで大人とかかわりたいと思うことが大切です

「語りかけ育児」の基本は、ともかく、一日30分、赤ちゃんや幼児にことばで優しく語りかけるということなのですが、誤解しないでいただきたいことがあります。それは、赤ちゃんや幼児に、何かをことばでともかく言わせようとすることが、ここで言っている「語りかけ育児」の目的ではない、ということです。大切なのは大人の方が、子どもの目を見て、ゆっくりと、心を込めて、ことばで語りかけること、あるいは赤ちゃんや幼児が、喜びをもって大人とコミュニケーションしようという気になるように、大人と子どものかかわりの質を整えることだと、ウォードさんは言います。

本書のあちこちで、ウォードさんは「大切な原則は、赤ちゃんを無理に集中させようとしないことです」「赤ちゃんにことばを言わせるために質問するのは、絶対にやめてください」「赤ちゃんがいくつかの単語を言えるようになったからといって、無理に言わせようとしないで下さい。……話すようにと圧力をかけないほうが、ずっと早く準備が整うのです」「ベビートーク・プログラムの原則のひとつは、完全に話しかけに徹するのみで、絶対に赤ちゃんに言わせようとしないことです」等々と、何度も言葉を変えながら、このことをはっきりさせようとしています。

　どうしてでしょうか。ウォードさんは、赤ちゃんの発達についてのこの間の研究で明らかになってきたことと、彼女自身の臨床的な経験の、双方をもとにしています。少し解説めいたことを言いますと、最近の赤ちゃん研究は、子どもには、〈自分の感情表出や声がきっかけになって、相手がそれにていねいに反応してくれる〉という経験がたくさん必要であるということを明らかにしています。子どもが幼ければ幼いほどそうです。また、人だけでなくものの世界に対した場合もそうです。大人やものが子どもに応える環境になることが大事で、その逆はまずいというのです。おそらく、自分のしたことに、大人がていねいに応じてくれるという体験の積み重ねが、幼い子どもの心に、自分が意味ある存在だという感情を育てていくのでしょう。相手の指示が先にあって、それに自分が従わされるという関係のもとでの行為が増えると、子どもは、自分の存在が意味あるものと感じとることが難しくなるのです。

　その意味で「語りかけ育児」は、ことばそのものを育てるだけでなく、子どもが温かい関係の中で本当に大事にされていると感じ取り、その結果自己肯定の感覚を十分に持てるようになることを目指しているといえるでしょう。それができてくれば、子どもはどんどんことばを身につけていき知能をも発達させるというのです。

子どもと心を素直に通わせるための
もっとも確かで楽な方法が「語りかけ育児」です

赤ちゃんにことばで語りかけるということは、まだことばがよくわからない段階の子どもとことばでコミュニケーションするということを表しています。また、ことばがかなり可能になった子どもに、そのことばを正したり評価しないで語りかけるということは、大人と子どもができるだけ対等な関係にたってコミュニケーション自体を楽しむということを意味しています。これらはいずれも、子どもと多様なかかわりができてこそ可能なことだといえるでしょう。たとえば目でコミュニケーションするというような身体的、感情的なコミュニケーションが同時に行われていなければできないはずです。そう考えますと、「語りかけ育児」は、親や保育者が子どもと心を素直に通わせるコミュニケーションができるようになる、ある意味でもっとも確かで楽なやり方ということができるかもしれません。そういうことを含めて、本書の提案は、育児や保育関係者にさまざまな共感と波紋を呼びおこしそうで楽しみです。

なお、翻訳は、できるだけ読みやすく日本語としてこなれているものにする努力はもちろん、専門的にも訳し間違いのないものにするために、槙朝子さんの翻訳作業へ、監修者の一人である中川信子さんをはじめとする多くの言語聴覚士の方々にご協力をいただきました。また、絵本研究者であり保育園園長でもある中村柾子さんに、日本の絵本を選んでいただき、紹介しています。さらにおもちゃについても、言語聴覚士の長岡恵理さんに簡単に手作りできて発達的効果の大きいものを補っていただきました。ご協力いただいた方々にこの場を借りて厚くお礼申し上げます。

著者　サリー・ウォード
監修　汐見稔幸
翻訳　槙　朝子
指導・翻訳協力　中川信子
翻訳協力　相見優子（東京都北区障害者福祉センター）
飯田静子（横浜市立上菅田養護学校）
上野憲子（横浜療育園）
大串一枝（東京都世田谷区立総合福祉センター）
大橋節子（神奈川ＬＤ協会　スピークの会）
奥　玲子（狛江市あいとぴあ子ども発達教室〝ぱる〟）
樫村由子（東京都世田谷区立総合福祉センター）
久保山茂樹（国立特殊教育総合研究所）
田坂和子（埼玉県妻沼町保健センターほか）
毛利史子（横浜市南部地域療育センター）
おもちゃアドバイス　長岡恵理（三鷹市北野ハピネスセンター）
絵本アドバイス　中村柾子（東京都北区豊川保育園園長）

＊肩書きは、二〇〇一年発刊当時のものです。

0歳～4歳　わが子の発達に合わせた

1日30分間

「語りかけ育児」

目次

カバー・本文挿画―おのでらえいこ
装幀――――――堀渕伸治©tee graphics

はじめに

ことばは、こどもへの最良の贈り物です

サリー・ウォード

私は、「ことば」をこよなく愛しています。ことばが好きなだけでなく直接人と接する仕事をしたかったので、言語治療という仕事を志《こころざ》しました。言語治療士は、脳血管障害の成人から口蓋裂《こうがいれつ》の赤ちゃんにいたるまで、あらゆるコミュニケーション障害を対象とする職種です。私はロンドンで資格を取り、結婚後はマンチェスターに移りました。そこでオーディオロジー（聴覚学）の資格も取りました。

その後すぐ、３人のこどもが生まれました。娘ひとりと息子ふたりです。この子たちが、その後の何年間かの間、ことばやコミュニケーションの発達について、多くのことを教えてくれました。

１９８０年からは非常勤職員としてマンチェスターで働きました。現在の「国営医療サービスマンチェスター地区事業所」です。そこで、ことばや聴覚の障害、また学習障害を持つこどもたちを担当する、主任言語治療士に任命されました。そのかたわら、英国言語治療士協会の言語発達障害担当の相談員として、全国から助言を求めてくる専門職の方たちの相談にのっています。

その後、北西地方保健局の研究助成金をいただいて、１歳以下の、ことばが遅れる心配のあるこどもを、的

確に見つける方法を確立しました。この研究と、聴覚障害、学習障害、自閉症などのこどもたちの音への反応の研究とが、私の博士論文です。そして私は国営医療サービスマンチェスター地区事業所で、言語障害児を担当する言語治療士の、チーフになりました。

幼児の「聞く力」と「注意を向ける力」に注目して編み出した「語りかけ育児」

これらの中で、私が特に興味を持ったのは、幼児の「聞く力」と、「注意を向ける力」についてです。このふたつが言語発達とどう関係しているのか、解明したいものだと思いました。その後、言語治療士のディアドリ・バーケットとともに就学前幼児のためのクリニックを始めることができました。ディアドリは、きわめて優秀な言語治療士として、私が長い間尊敬していた人でしたから、これはすばらしくありがたいことでした。

私たちは、こどもたちのコミュニケーションを手助けする中で、とても多くのことを学びました。それによって、私たちはこどもの発達を促す方法、両親がやると効果があがる方法を編み出しました。たとえ、ことばの獲得にひどくつまずいていたり、ことばが大幅に遅れていたりするこどもでも、それが高度難聴や自閉症、神経発達の障害、全体発達の遅れなどが原因でない限り、親が1日30分、私たちの開発したやり方を行うと、目を見張るような進歩を示したのです。

わずか数週間か数か月のうちに、年齢並みのことばを理解したり使ったりできるようになる子がたくさんいました。こどもが話し始めると親の表情も明るくなります。そういう顔を見ることができるのは、私たちの仕事の最高の喜びのひとつです。

私たちが開発したこの方法は、いまや「語りかけ育児(ベビートーク)」として、知られるようになりました。

「語りかけ育児」を実践した10か月児70人に起こったこと

ディアドリと私が開発した方法は、ことばの遅れや障害を持つこどものためのものでしたが、ごく幼いこども達にも応用できないだろうかと考えました。私たちは、10か月児のいる373家庭を訪問して調査を行いました。

こんなに小さい乳児の段階でも、言語発達にかかわる能力だけではなく、全体的発達レベルに大きな差がありました。こども達を取り巻く環境にはかなりの違いがあり、話しかけてもらう量や話しかけられ方も大きく異なっていました。このことが、ことばの発達に影響する要因だと思われました。調査研究が終わるころには、ことばが遅れそうな赤ちゃんを正確に予測できそうな感じがしていました。

再び研究助成金をいただき、研究を続けました。ことばの発達が遅れ気味の10か月児140人を選び出しました。遅れの程度はごくわずかなものから、かなり深刻なものまでいろいろでした。そのこども達を、ことばの発達、全体的発達、社会的背景が等しくなるようにふたつのグループに分けました。ひとつのグループは「語りかけ育児」を受け、もう片方は対照群とするためにこのやり方を受けないグループです。

4か月間、「語りかけ育児」グループのほうを、4回訪問し、ご両親と生活上のあらゆることについて話し合いました。背景の騒音やテレビのこと、こども達にどのくらい話しかけたか、どんなふうに話しかけたのか、などです。訪問の際、両親には「語りかけ育児」を1日30分は続けてくれるようにと依頼しました。「語りかけ育児」を受けた赤ちゃんは、クリニックでの経験と同じように、ことばの面で急速な進歩をとげました。赤ちゃんたちはみんな、このプログラムが終わる4か月までの間に、ほかの正常発達の子たちに追いついたのです。何よりうれしかったのは、両親がこのプログラムはとても楽しかったと言ってくれたことです。

3歳になると、「語りかけ育児」グループの遊びや会話の能力がぐんと伸びました

「語りかけ育児」の効果が持続するのかどうかを調べるために、私たちはふたつのグループを3歳になるまで追跡調査しました。

この年齢を選んだのには理由があります。3歳時にことばの遅れがあるこどもを何年間も、ときには成人するまで追跡調査してみると、その後も長い間ことば

に何らかの問題を抱え、学校にはいってからも、勉強についていけないことが多いとされているからです。

研究対象のこども達を3歳で調べた結果は驚くべきものでした。「語りかけ育児」を受けなかったグループの85パーセントには依然として遅れが見られ、中には深刻な例もありました。それに対して「語りかけ育児」を受けたこどものほとんど全員が正常水準に達していたばかりでなく、市内地域のこどもの多くは年齢水準以上のレベルに到達していました。(望ましくない生活環境の3人のこどもだけが、標準以下でした)

こどもの何人かはことばの理解力も、文をつくる力も、正常な4歳半のレベルと同じでした。その子たちは、とても長くて込み入った文章でも理解でき、自分の言いたいことをびっくりするくらいすらすらと話せました。

ジョンという子は3歳になったばかりなのに、「太いクレヨンをとってきて、ビリーにあげて、女の子に渡してもらってね」といった、長い文を理解できました。この文は、通常4歳半でないと理解できないはずです。また、大好きな恐竜について「絶滅」といったようなことばまで使って、こまごまとお話しすることができました。

3歳の段階でも、「語りかけ育児」の有無によって、遊びや会話の能力において、かなりの差異が見られたのです。

この研究結果が示しているのは、環境要因と、こども達への話しかけ方しだいでは、ことばの問題が起こらないように予防したり、また年齢水準から遅れかけているこども達が、同い歳の子に追いつくよう手助けできるということです。この結果があまりにすばらしかったので、私たちは、両方のグループを7歳まで追跡調査することにしました。

知能指数が高く、集中力にすぐれ、人なつこいと評価された「語りかけ育児」のこども達

私たちは7歳時での調査に、ふたりの心理学研究者に参加してもらいました。どの子が「語りかけ育児」を受けたかを知らせずに、ふたつのグループのこどもの評価を依頼しました。

その結果も驚くべきものでした。「語りかけ育児」

グループでことばの遅れが見られたのはたった4人だったのに対し、「語りかけ育児」を受けなかった対照群では20人いたのです。込み入った文章を理解する能力や、どんな種類の構造の文章を使えるかについては、「語りかけ育児」グループは、対照群よりも、1年3か月分進んでいました。「語りかけ育児」を受けたグループの何人かは、10歳半のこどもと同じ言語発達と読解力を示していました。

語彙《ごい》力は、知能との関連がいちばん深いとされますが、語彙テストでも同じような結果が見られました。「語りかけ育児」グループの中でも、いちばん速いこども達は、「大変動」「展示」「破片」「講演」といった、10歳半のこどもでもふつう知らないようなことばを知っていました。

もっともすばらしいのは、ふたつのグループ間の一般知能にはっきりした差があるとわかったことです。「語りかけ育児」グループの平均ＩＱ（知能指数）は、全体のうち上から3分の1にあり、そのうちの3分の1から4分の1は秀才の範囲でした。それに比べて、「語りかけ育児」を受けなかったグループのＩＱは下から3分の1に位置し、秀才の範囲にはいったのはたったひとりだけでした。

7歳と11歳の全児童が受ける全国標準学力テストにも差が見られました。「語りかけ育児」を受けたすべてのこどもが到達目標水準、ないしそれ以上だったのに対し、受けなかったこどものほうは3分の1が到達目標水準に達しませんでした。

ふたつのグループの間には、感情面や行動面での発達、社会性や集中力においても差がありました。ふたつのグループのテストを担当した心理学研究者は、「語りかけ育児」を受けたグループのテスト用紙にたくさんのコメントを書き込みました。たとえば、「集中力にすぐれる」「積極的で親しみやすい」「人なつこく、上手に自己表現できる」などというふうにです。

反対に対照群（「語りかけ育児」を受けなかったグループ）の3分の1以上の用紙には、こども達が非常に気が散りやすいため、テストを終えるまでに何回も中断しなければならなかった、と書かれていました。いちばん悲しいコメントは、こども達の何人かが、このテストに大きなストレスを感じているようすであること、その子たちは年中失敗しているらしく、失敗を極度に恐れているようすがうかがえる、というものでした。それに対して、「語りかけ育児」グループのこどものほとんどは、このテストをとても楽しんだようすでした。多くの親たちの「うちの子はもう上手にお話しできています」というコメントも、私たちにはうれしいものでした。

「語りかけ育児」についてのテレビ番組制作のため、幾人かのこどもにインタビューした番組スタッフからも同じような感想をもらいました。あるカメラマンは、小さな男の子がテレビカメラの装置についてさかんに質問したり、自分の父親のカメラと比較したりするので、びっくりしてしまいました。スタッフはとても感心して、その男の子に番組のまとめを話してもらうことにしました。

独自に検証した結果、「語りかけ育児」法は、ことばの遅れという問題を防ぐために開発されたにもかかわらず、すべてのこどもの発達をうながすために役に立つということが明らかになりました。こどもの能力を最大限まで引き出すには、生まれてすぐのときから両親がこの方法を実行すればよいのです。

この研究結果を多くの科学雑誌に掲載したり、内外の会議で発表したりすると、言語治療士やその他の専門家たちから、「語りかけ育児」の方法について教えてほしいという声が寄せられました。

「語りかけ育児」は、親にもこどもにも無理のない、ことばの基礎づくり育児です

「語りかけ育児」がめざすのは、学習するための基礎づくりです。この場合の基礎とは、ことばを理解したり、使ったりすることだけではなく、聞くことや注意を向けること、そして遊びも含んでいます。

これらの基礎能力は年齢に応じて発達します。発達を手助けするために、おとなにできることはたくさんあります。でも、多くの人はそのことに気づいていません。

「語りかけ育児」は、発達的に見て適切で、親と子の両方にとってまったく無理のない方法です。この方法は、広範囲な臨床経験や言語学的理論や綿密な研究にもとづいていますが、同時に、親子の当たり前の自然

なかかわりを基礎としています。

わざとらしい教え込みのようなことはいっさいしません。「語りかけ育児」は、こども達の一日の自然な生活パターンにそっています。

最近では、読み書き能力や算数能力に問題を持つこどもが増え、憂慮すべき事態となっています。

私は最近、大規模な総合中等学校（イギリスの学校制度の中の、11歳で入学する7年制の中等教育機関）の先生と話をしたのですが、彼女は、11歳で入学するこどもの中に読書能力が実際の年齢水準を下回るものが半分以上いる、と聞いてショックを受けたと言っていました。

このような危機的状況に対して、数や色、形、文字などを極めて早期に教えようとする動きが見られますが、これについては大いに議論の余地があり、間違っているとする教育関係者もいます。

こういった「早期教育」は、こども達にとって負担になりますし、そのような「教育」を受け入れる準備ができていないと不安になったりいやになったりして、かえって逆効果になってしまうからです。

私は同じような状況のたくさんのこどもと、自分のクリニックで出会ってきました。まだ幼すぎて自分が何を要求されているのかわからないのに、正しい発音をするようにと「教え込まれた」こども達です。

「教え込み」がこどもに与えるメッセージは、自分が何かを伝えようとしても受け入れてはもらえない、ということです。

その結果、こども達は不安で、悲しくて、ことばをあまり言わなくなってしまいます。

ジャスパーが、お母さんに連れられて私のところに来たのは3歳半のときです。お母さんはこどもの発音を直すために1年間ほかの機関に通わせており、その訓練を続けてほしいと、心配そうに言いました。

この小さな坊やは、前髪の下から上目づかいに私を見上げていました。そのようすから、ひとことだって口をきくもんか、と思っているのが、見てとれました。お母さんの話では、ジャスパーはいまやうちの中でしか話をせず、それすらもだんだん少なくなってきているとのことでした。ジャスパーが言語訓練を大きらいなのも、自分はことばに問題があるんだと意識してしまっているのも、お母さんにはわかっていましたが、それでも息子には訓練が必要だと思い込んでいました。

私はお母さんに「語りかけ育児」のプログラムを伝え、ジャスパーと一緒にうちに帰って、言語訓練のことはきれいさっぱり忘れてしまいなさい、と言いました。

何週間かたって電話をかけてきてくれたお母さんは、ジャスパーの発音がはっきりしてきただけでなく、前みたいに元気でおしゃべりな子になった、とうれしそうに伝えてくれました。

仕事を持っている両親で「語りかけ育児」をしてみようという場合、仕事をすることを気にしたり、後ろめたく思ったりする必要はありませんし、こどものいちばんよい発達のためにはたくさんの時間をこどもと一緒に過ごさなくてはならない、と思う必要もありません。

発達初期のきわめて微妙な時期には、たとえ量は少なくても質的にぴったり合っている刺激こそが、大きな効果をもたらすのです。

「語りかけ育児」は1日30分だけで大丈夫です。そして、「語りかけ育児」の方法は、日常生活のほかの場面でらくらくと応用できるということが、だんだんおわかりになると思います。

仕事を持っていることを後ろめたく思わないでください。

こどもが育つにつれて、力点の置き方は変わってゆきます。おとなの役割とか、本や遊びの果たす役割などは、こどもの発達段階によって違います。こどもの発達を豊かなものにする、最良の働きかけの方法をお伝えしたいと思います。

どのあたりから始めるにせよ、この「語りかけ育児」を通して、みなさんとお子さんが共に楽しんでくだされば、と願っています。

こどもの能力を引き出す最良の方法をすべての人に贈ります

この本で私が伝えたいのは、こどもの発達する力をめいっぱい発揮させるための、いたって簡単な方法です。時間はかかりません。1日たった30分で、こどもは大きく変わるはずです。いちばんよいことは、この方法はまったく無理なくでき、みなさんにもこどもにもとても楽しいものだということです。

発達上きわめて大切なこの時期を十分に活用することで、こどもの人生にすぐれた贈り物をしているのだという満足感を覚えることができるでしょう。

私はこどものことばに関する仕事を長い間やってきましたが、その結果、おとながこどもに与えられるもののうち、コミュニケーション能力ほど貴重なものはないと信じるようになりました。

この本を読めば、こどもに高いコミュニケーション能力を与え、コミュニケーション能力を最大まで伸ばす方法がわかるでしょう。

この本は両親だけでなく、おじいちゃん、おばあちゃんやそれ以外の家族にも役立つように書かれています。ベビーシッターや保育者、こどもの世話をする人など、こどもにかかわるすべての人にもおすすめします。

この本に書いてある方法をやっていくにつれて、みなさんがこの魅力的な問題に興味を持ってくださるよう願っています。そして、何よりも、みなさんがこどもと一緒に楽しい時間を過ごしながら、こどもの潜在能力を最大限引き出す手助けができますように。

この本の使い方

この本は、月齢に応じて使います。生後1年までの間は3か月ごと、4つの時期に分けました。1歳から2歳までは4か月ごと、2歳から3歳までは半年ごとに、そして3歳から4歳までの1年間と、4歳になってから、の全部で11の時期に分かれています。各章は、次のような構成になっています。

月齢別解説

◎コミュニケーションの発達・ことばの発達……それぞれの年齢段階での、コミュニケーションや話しことば、言語の発達についての詳しい説明。

◎発育のようす……からだの発育のようすと、それにともなってできるようになるさまざまなことの説明。

◎注意を向ける力（注意を向ける力は、知的能力と関係が深い）……注意をコントロールしたり、注意を持続させたりする力の発達のようす。

◎聞く力（ことばや学習上の問題は、上手に聞くことができないために起きています）……たくさんの音の中から必要な音を選択する力の発達のようす。

語りかけ育児

◎赤ちゃんをもっともよく発達させるための環境の整え方。

◎赤ちゃんにどのくらい、何を話したらいいか。
◎「語りかけ育児」の時間以外には、どうしたらいいのか、など。

遊び

◎月齢に合った遊び方の紹介。
◎おもちゃの選び方。
◎本の選び方とおすすめの本（絵本は、月齢幅を大きくとらえて紹介しました。だいたいの目安として、こどもの興味に合わせて楽しんでください）。
◎テレビとビデオの見せ方について。

まとめ

その月齢で到達する平均的な発達のようすと、気がかりなポイント。

こどもの年齢に合ったところから読み始めてください。実際に語りかけ育児をやってみて、こどものレベルに合うと感じる年齢から始めるのでもかまいません。

同じ遊びや活動が、いくつかの年齢段階で出てくることもありますが、少しずつ変わっていたり、違う理由づけがされていたりします。耳が悪いとか、長い間病気をしていたとか、何らかの理由でことばの発達が遅れていると、こどもの言語レベルは実際の年齢より低いところにあります。その場合は、こどもの理解レベルに合うところから始めてください。

生まれた日から始められます

0か月から満3か月まで

赤ちゃんは、生まれた直後から
まわりのようすを知るための手段を持っています。
見たり、聞いたり、味わったりできます。
皮膚を通して暖かさや人のぬくもり、
心地よさを感じます。
赤ちゃんのコミュニケーション能力は
驚くほどすぐれたものです。
生後3か月を過ぎるころまでには、お母さんは
赤ちゃんの思いがすっかり
わかるようになっていることでしょう。

0か月

誕生〜4週

コミュニケーションの発達

お母さんの顔が好きです 表情のまねができます

ここでは、コミュニケーションや言語の発達のようすと、そのほかの分野の発達とのつながりを説明していきます。

赤ちゃんの発達について知れば知るほど、赤ちゃんをかわいく思えるようになるでしょう。（赤ちゃんの発育はまちまちで、生後しばらくは誕生日が1週間違うだけで、大きな差ができることも、忘れないでください）

新生児はまったく無力な状態で生まれ、まわりの人にすべてを頼っていますが、それでもまわりの人といろいろなやり方でかかわることができます。人生の出発点から、赤ちゃんは人が大好きで、すぐにコミュニケーションをしようとします。

生まれてすぐの赤ちゃんは、おとなが話しかけたり、抱き上げたり、見つめたりすると泣きやみます。まわりのおとなに反応しているのです。

赤ちゃんの目は、お母さんの腕に抱かれているときに、ちょうどお母さんの目に焦点が合うようになっています。

音にも興味を示し、音が近づくと動きを止めます。0か月めの終わりには、近くの音にじっと耳を澄まします。

赤ちゃんはよく泣きますが、すぐに泣き声以外の母音を出すようになります。この段階での発声は、まだ何かを伝えようとする意図のあるものではありません。泣いたりむずかったり、泣きやんでみたり、あるいは視線によって、おびえや喜びをはっきりあらわし、おとなと積極的に目を合わせようとします。

　生後すぐから、赤ちゃんは泣いたり、しゃっくりやげっぷをします。これは生理的な音で、コミュニケーションをはかる発声とは言えませんが、まわりのおとながそういう音や視線に答えるようにしていると、もう少しあとで楽しいコミュニケーションへとつながります。

　泣いたりむずかると、お母さんが「あら、おむつを替えてほしいのね」と言ってくれたり、おもちゃを見ていると、「クマちゃんが見たいのね」とクマちゃんを持ってきてくれたりするので、赤ちゃんは違う音や視線に、違う反応が返ってくるのに気づくのです。

　人の顔も赤ちゃんの注意をひきつけます。顔には、赤ちゃんが見ておもしろいと思うものが、たくさんあるからです。平面よりは立体、濃淡のコントラスト、直線よりは曲線が、赤ちゃんにはおもしろいのです。生後たった36時間しかたっていない赤ちゃんでも、ビデオに映る他人の顔よりお母さんの顔のほうをじっと見つめます。驚くほど早くからわかっているのです。

　同じように、動物やものの動きより、人の動きを見るほうが好きです。生まれたばかりの赤ちゃんは、おとなが舌を出したり口を開けるのを見せるとまねをしますが、この能力は数週間後には消えてしまいます。悲しい顔、うれしい顔、びっくりした顔もまねができます。こういった能力がなぜこの時期にあるのかは、よくわかっていません。

泣いたりむずかったりすれば、お母さんが「おむつを替えてほしいのね」と言ってくれる。このことが赤ちゃんのコミュニケーションの始まりです。

発育のようす

まず頭を動かせるようになり、しだいに足のほうを動かせるようになります

赤ちゃんは、少しずつまわりの世界を知っていきます。

明かりのほうへ頭を向けます。まだ両目で見ることはできませんが、違う方向や距離から見ても、ものの大きさや形は変わらないということをすでに知っています。生まれたばかりのときから、赤ちゃんは十字と丸と三角を区別できるのです。

からだはまだ思うようには動かせません。大きくのけぞったり、びくっとしたりするだけです。すべての脊椎《せきつい》動物のからだの器官は上から下へ発達します。同じように、赤ちゃんもまず頭を動かせるようになり、それから胴体、足を動かせるようになります。

この段階ですでに、すわった状態で肩を支えると数秒間頭を立てていられます。ガラガラをさわらせるとにぎるような反射や、まっすぐ立たせると、しっかり歩くような反射を見せますが、これも数週間だけのことです。

赤ちゃんは、明かりのほうへ顔を向けます。生まれたばかりのときから、十字と丸と三角を区別できます。

注意を向ける力

授乳のほんのわずかな時間赤ちゃんと目が合うでしょう

小さな赤ちゃんには、大きな特徴がふたつあります。まずひとつは、注意をひとつのものに向けている時間が非常に短いこと、ふたつめは気を散らすものがあると、すぐに注意がそれてしまうことです。

最初の1か月間は、赤ちゃんがおもちゃをほんのちょっとの間見つめるようすに気をつけてください。同じように、あなたの顔もちょっとだけ見るでしょう。授乳のとき、ほんのわずかな時間ですが、赤ちゃんの視線をとらえることができます。

聞く力
生まれた日からお母さんの声がわかります

聞くということは、聞きたい音だけに注意を集中させて、聞きたくない音は聞かないことを意味します。この能力は生まれたときから少しずつ発達して、完成までには長い時間がかかります。

「聞く力」は、ほとんど注意を払われていませんが、一般に考えられているよりはるかに大切な分野です。ことばと知能の発達には欠かせないうえに、環境にとても左右されやすいのです。

赤ちゃんは、生まれた日からお母さんとお父さんの声を聞き分けます。とくに子宮の中で聞こえる声に似せた録音にはよく反応することからみて、子宮の中にいるときから外の音を聞いていたようです。お母さんの妊娠中に、しょっちゅう近くで聞こえていたテレビやラジオの音にも、赤ちゃんは反応します。（妊娠7か月から聴覚は働いています。赤ちゃんは誕生前の2か月間、耳が聞こえていたのです）

新生児の聴覚は、おとなほど鋭敏ではありませんが、生後数日たつと録音された自分の泣き声を、ほかの赤

赤ちゃんは、おなかの中で2か月間も耳が聞こえていました。

ちゃんの声と区別できるようになります。本当の泣き声とコンピューターの合成音とでは、本当の声を聞かせたときのほうがよく泣いて反応します。またこの時期には、高音で調子のいい、抑揚《よくよう》の多い話し方を好みます。

赤ちゃんが聞いていることは、低く静かな音がするとそちらを向き、近くで音がすると動きを止めることなどからわかります。最初のうちは、いろいろな音に合わせて違う反応をみせることはありません。音の意味が、まだほとんどわかっていないからです。（カップと受け皿の立てる音や、鍵《かぎ》をまわす音の意味がわからないとはどういうことなのか、みなさん想像してみてください）

それでも数週間以内に、赤ちゃんはおっぱいの時間になるといつも聞こえてくる音など、自分にとって大切な音の意味がわかってきます。

はじめはごく近くでその音がする場合にしかわかりませんが、音と音源の関係がはっきりしてくると、だんだん遠くてもわかるようになります。

1か月
5〜8週

コミュニケーションの発達

おとなの心をとろかすような魔法のほほえみが現れます

生後6週ごろには、最初の本当のほほえみが現れます。赤ちゃんのほほえみは、まわりのおとなの心をとろかすような魔法の力を持っていて、もうなんでもしてやりたい、あのほほえみを見るためなら、逆立ちだってしてみせるという気にさせられます。

この時期では赤ちゃんがおとなのほうを見ていても見ていなくても、発声量や表情変化の頻度に差（違い）

はありません。赤ちゃんは人に向けてだけでなく、いろいろな刺激でほほえみます。ときにはおとなと視線を合わせてかかわりを持ち始めることもありますが、視線をそらしておしまいにします。

この時期、赤ちゃんはまわりのようすに、とりわけ人にはとても興味を見せるようになります。しょっちゅう頭を回して声のするほうを見ますし、人がしゃべっていると耳を澄ましているようです。話し手の声の調子に反応するようで、生後40日を過ぎたころには、話しかけられると、ときどきほほえむようになります。

音を出すのも盛んになります。この月齢でアクンとかクーという音を出しますが、これは機嫌のいいときにやることが多いようです。機嫌のいいときに出す音は泣き声より静かで、音楽的な感じです。子音や母音のような音が混ざっていて、ときどき同じ音のくり返しも含みます。

赤ちゃんはこのころ、おなかがすいたときには特定の音を出せるほどになります。音に特定の意味を持たせることの始まりです。赤ちゃんは声に出してむずかることで、注意をひきつけようとしているのです。

生後6週ころから赤ちゃんは、いろいろな刺激でほほえむようになります。おとなの心をとろかすほほえみです。

発育のようす

腹ばいにすると頭を持ち上げます

起きている時間がはっきりしてきて、しかも長くなります。からだの動きでは、頭を左右どちらかに向けると同じ側の腕が伸び、反対側の腕が曲がるといった反射（非対称性緊張性頸反射《けいはんしゃ》）が目立ちます。

この姿勢では見える範囲が限られますが、目を動かす筋肉に力がついてくるので、ガラガラや動く光のほうへ頭をあげ、動くものを初めは横に、それから縦に目で追いかけられるようになります。

おとながあやしてくれるのをながめたり、じっと物を見たりします。首もすわり始め、腹ばいにすると頭を持ち上げます。お風呂に入れると、足のけりがしっかりして、筋肉が強くなっているのがわかります。

注意を向ける力

最初は、横に動くものにちょっと注意を向けます

生後4週を過ぎるころにはいくつかの変化があります。おもしろそうなものがあれば、最初は横に動くものに、それから1週間ぐらいたてば縦に動くものに、短い時間ですが注意を向けられるようになります。赤ちゃんが興味をひかれたものをじっと見つめて、身動きしなくなるようすをよく観察してみてください。

まだごく短い時間だけですが、お母さんを一生懸命

お風呂に入れると、足のけりがしっかりして筋肉が強くなっているのがわかります。

見るかもしれません。よく知った人の声だけでなく、まわりのすべての人の声に耳を澄まします。

聞く力
男の人の声か、女の人の声かがわかるようになります

生後4週までに、赤ちゃんはいろいろな音を聞くことに興味を持ち、おもしろそうな音だとしばらくの間集中して聞くことがあります。驚いたことに赤ちゃんは生後4週間で、ことばの中の音の最小単位（音素）を区別できるのです。

たとえば、「パット」と「バット」の違いはごく小さなものなのに、ちゃんと聞き分けられるのです。赤ちゃんは生まれるときに、すでにことばにとても敏感であるとも言えますし、音声が人間の生まれつき持っている特質に合っているとも言えるのです。

生後8週までに、赤ちゃんは男の声と女の声を聞き分けられます。

2か月
9〜12週

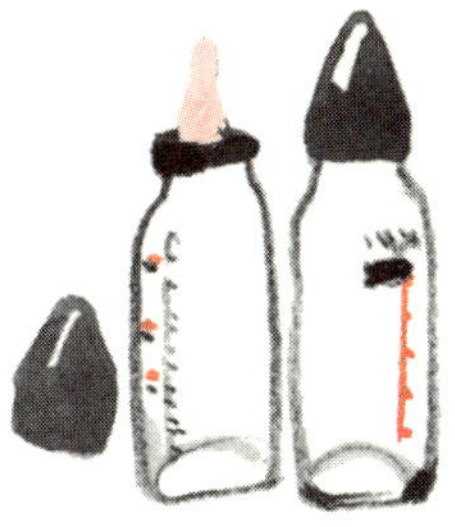

コミュニケーションの発達
話しかけられるとにっこりして声を出します

生後8週から、赤ちゃんの立てる小さな音や視線はおとなに向けられることが増えてきます。12週までには、ほかのどんな刺激よりも人にかまってもらうのを喜ぶことがはっきりしてきます。周囲にあるものよりも人に対する発声が増えます。人の中でもお母さんに向けての発声が、いちばん多く見られるようになります。

お母さんの表情と声の調子に合わせて、自分も表情をつくれるようになるのはこの時期です。ほほえみは、知らない人よりは、なじみの人に向けられます。

赤ちゃんはことばにどんどん興味を持ち、いちいちまわりを見回しては誰が話しているのかを見つけだします。怒った声とやさしい声を区別できます。顔全体というよりは、くちびると口をじっと見て、あそこからこのおもしろい音が出てくるんだ、と思っているようです。

お母さんが歌ってくれる歌が大好きです。

音にはなんでも興味を持って、根気よく目で音を追いかけます。たとえばドアの開く音、ナイフやフォークのカタカタいう音、お母さんが家事をする音を探します。

音楽が聞こえれば静かになります。ポップスもクラシックも大好きですが、このころには騒がしい音楽よりは静かなほうがいいようです。いちばん好きなのは、なんといってもお母さんが歌ってくれる歌です。

赤ちゃんの出す音は、質量ともに発達します。自分が聞こうとして音を出すことも増えてきます。ときには子音と母音がはいった2音節以上の音を出したり、短い音が10個以上続いたものを出せるようになってきます。

おっぱいを飲んでいるときに、長い母音のような音も出すでしょう。満3か月までに喜びと笑いを表せるようになり、おとなが笑いかけるとほほえみを返すようになります。

この時期、気分のいいときは、「アー」とか「クー」

とかの音で遊んでいます。舌とくちびるを動かして、まるでことばを言おうとしているかのようです。こうするのは、おとなと正面から向き合っているときがほとんどです。

口の前方で作る音から後方で作る音へと変わっていき、出せる音の種類がとても広がります。クックッと笑ったり、キャッキャッと音を立てて喜ぶなど、音の表現が豊かになります。

声によるやりとりも盛んになります。話しかけられると、おとなの視線ににっこり答えて声を出します。笑顔とかわいい声。おとなにとっては、まったくこたえられない組み合わせです。おとなと赤ちゃんの声によるとてもすてきなやりとりが、こうやって始まります。まさに一生の会話の始まりなのです。

赤ちゃんは話しかけられるとよけい声を出しますが、よく知っている人が生き生きした表情で話しかけると、いちばんよく声を出します。

発育のようす

まわりがよく見える おすわりの姿勢が好きです

こういった発育の多くは、赤ちゃんの首のすわりが進んできたことによって起こります。満3か月までに、目の動きをつかさどる12の筋肉を動かせるようになったことも発達を助けます。あお向けの姿勢で頭を動かせますし、おとなのひざに抱かれていても、首がしっかりすわっています。

話しかけられると、にっこり答えて声を出します。

頭をどちらかへ向けると同じ側の腕が伸び、反対側の腕が曲がるといった反射など、生後すぐに見られた多くの反射も消えていきます。まわりがよく見えるので、赤ちゃんはおすわりの姿勢が好きです。身近な場所のようすがわかってきます。

おもちゃを前に置いてやると、すぐ見つけて、喜んで取ろうとします。腕をふり回して、からだのまん前に持ってきて指で遊びます。初めて指に気がついたとでもいうように、指をあきずに見ています。ガラガラを手に持たせるとにぎります。お風呂での足のけりも、前以上に強くなります。

最近の研究で明らかになってきたことがあります。それは以前に考えられていたのとは違って、小さな赤ちゃんが物理的な法則をびっくりするほどよくわかっているということです。硬いものどうしはつき抜けられないし、目に見える支えがなければ空中に浮いていられないことが、赤ちゃんにはわかっているようです。

生後12週ころの赤ちゃんでも、ものは隠してもなくなりはしないことを知っていて、しかもそのものの場所や大きさ、硬い柔らかいといった性質までちゃんと覚えているらしいのです。

赤ちゃんがこの知識を使わずにいて、生後7か月か8か月になるまで、隠されたものを探そうとしないのはなぜなのか、まだ謎《なぞ》のままです。

注意を向ける力

誰かが見ている方向を見ることができます

9週を過ぎるころ、赤ちゃんは「注意力」を働かせ始めます。この時期、赤ちゃんは生まれて初めて、ひとつのものから他のものへ、ごくちらっとですが自分

赤ちゃんは、おすわりの姿勢が好きです。おもちゃを前に置くと喜んで取ろうとします。

から視線を移せるようになります。

円を描いて動くものや、ひもで引っ張られているものも、ごく短い時間ですが見つめていられます。人に対してはもう少し注意を集中できるので、おとながしゃべっている口元をじっと見つめたり、人が近くで、動き回るのを喜んで見ていたりします。

この時期の終わりまでに、誰かが見ている方向に自分の視線を向けることができるようになります。これはあとでことばを学ぶのに欠かせない、おとなと一緒のものに注意を向ける能力の始まりです。

おとながしゃべっている口元を喜んでじっと見つめます。

聞く力

聞きたくない背景の音を無視する能力はありません

赤ちゃんが生まれつき人と交流するようにできているのはいままで見てきたとおりですが、聞く力や発達のようすもこのことを反映しています。生後4週以降には、話し手だけでなく音楽やまわりの音への興味もどんどん高まってきます。

それでもこの時期には、聞こうと思う音にだけ集中し、聞きたくない背景の音を無視する能力はまったくありません。このことは「語りかけ育児」を実行するときに、忘れてはいけないことです。

0か月から満3か月までの

1日30分間だけは
赤ちゃんと
ふたりきりに
なりましょう

1日30分間
語りかけ育児

さてみなさんは、奇跡のような赤ちゃんと家に帰ってきました。気分は最高、人生は一変しました。どんな親でもそうですが、このまったく無力な小さな生きものにできるかぎりのことをしてやりたい、という願いで胸がいっぱいです。

赤ちゃんは、コミュニケーションについては受け身な存在ではありません。それどころか、とても有能なパートナーなのです。心配は、いりません。

赤ちゃんの世話をするためには、新しくたくさんのことを学ばなければなりませんが、赤ちゃんとのコミュニケーションについては、私たちは生まれたときからすっかり知っているようなのです。育児のやり方はその国の文化によってさまざまに違っているのに、赤ちゃんとの初期のかかわり方についてだけは、すべての文化に共通です。

赤ちゃんが大きくなるにつれて、私たちはどういうふうにかかわればよいのかを学ぶ必要が出てきます。でも生後数か月の間はいくつか大切な条件が整えば、誰でもあまり苦労せずにやっていけます。ここではその条件を説明します。赤ちゃんがもっと大きくなってからの「語りかけ育児」では、親なら誰でもきっと悩むと思われることについて説明します。

この時間は
部屋を静かに
してください

「語りかけ育児」を実行することで、育児はやさしく楽しいものになるでしょう。

■毎日、30分間だけは赤ちゃんとしっかり向き合います

「語りかけ育児」全体を通して何より大切なのは、赤ちゃんとだけいる時間を1日に30分とることです。その時間は一対一でお互いに完全に集中するようにします。この時間は赤ちゃんにはかりしれない恵みをもたらすのです。

この時間をつくるのはそう簡単ではありませんし、特にふたりめ、3人めの子の場合は難しいものです。それでもこの時間をつくるためには、せいいっぱい努力してみる価値があります。

生後満3か月までは、わざわざ時間をつくらなくても、授乳やおむつ替えの時間を長めにとればいいでしょう。お互いをわかり合うためのすばらしい機会になるはずです。

■始める前にチェックすること

次にこれもプログラム全体を通して大切なことですが、この貴重な一対一の時間にはまわりが静かで、できるかぎり気を散らすものがないようにしてください。テレビもビデオもラジオも音楽もなし、ということです。

他の人が出入りするのも、できるだけ避けてください。ここまで見てきたように、赤ちゃんの注意力はごくささやかな、でも重要な発達をとげ始めています。これは気を散らすものがない環境でしか発達できないのです。

赤ちゃんには
ことばをはっきり聞く
機会が
たくさん必要です

聞く力のほうも、これから長い時間かかって発達してゆきます。これは大脳の中に「聴覚野」をつくりあげる能力になります。これは聞きたい音に集中して、聞きたくない音を「無視する」能力です。

赤ちゃんがある音に集中するためには、おとなと違って、聞こうとする音とそれ以外の背景の音のあいだに、かなりの音量の差が必要なのです。

この時期に、「ピン」と「ビン」のような、違った意味になる、ことばの中の音の最小単位（音素）を聞き分ける魔法のような能力も発達します。この音の違いを聞き分ける力は、環境が整っている場合にしか働きません。

まわりが静かな中でひとりのおとなの話しかけに耳を澄まし、ことばをはっきり聞く機会が、たくさん必要なのです。おとなどうしのおしゃべりを聞かせても、赤ちゃんの、ことばを聞き取る力は少しも育ちません。いろいろな人があなたの赤ちゃんと「語りかけ育児」を楽しむのはかまいませんが、ひとりずつ別々のときにやってください。

私たちの暮らしている社会はどんどんうるさくなっています。ひとつの音にだけ注意を向ける機会をまったく持てないこどももたくさんいます。数百人の赤ちゃんを対象とする調査をしたところ、86パーセントのこどもがそうでした。

聞くことと注意を向けること、このふたつの基礎的な能力は、あとのすべての学習に欠かせない力です。この発達をうながす方法についてこのあと説明していきますが、まず静かな環境をつくり上げることが何よりも肝心です。

赤ちゃんに
しょっちゅう
語りかけましょう

■赤ちゃんに語りかけましょう

生まれたその日から、赤ちゃんに語りかけましょう。かけられたことばの量と、こどものことばの発達とは深く関係しています。早く始めるにこしたことはありません。理解できなくても、あなたの気持ちは声によってはっきり赤ちゃんに伝わります。それを通じてふたりの絆《きずな》がはぐくまれて、一生を通じて心の健康にとても大切な役割を果たします。

赤ちゃんをなだめるのにも、声はとても効果的です。声によって、お母さんはいつでもあなたに答えてあげるわよ、と伝えることができます。赤ちゃんが一個のかけが

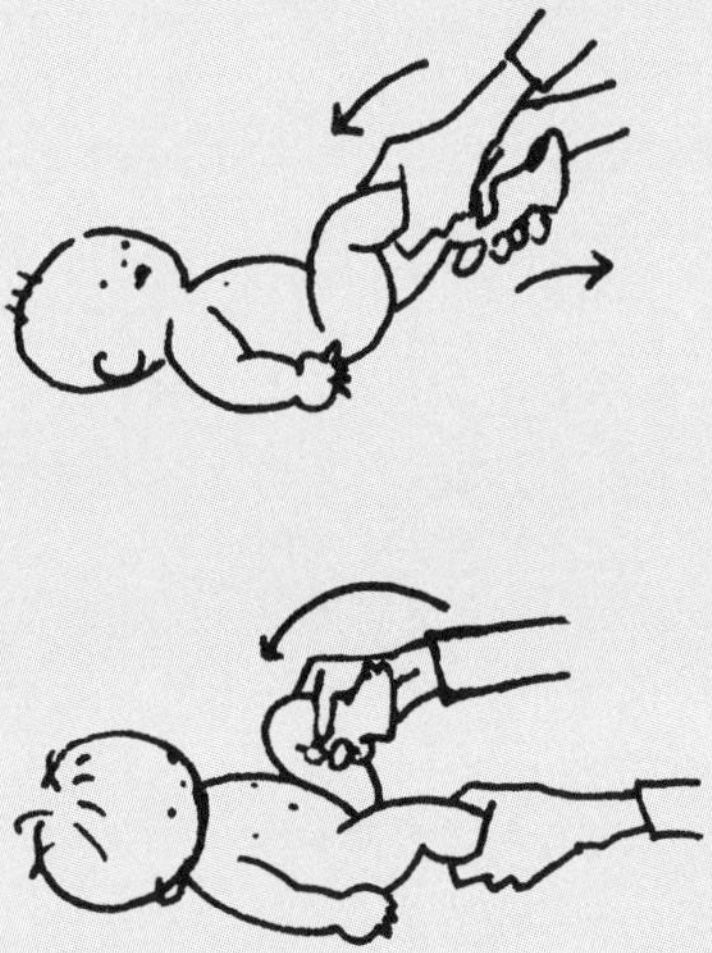

おむつを替えるときに、そっと足を動かしながら、赤ちゃんに話しかけます。「あー気持ちいい。のーびのび」

少し高めの声で
語りかけましょう

そうね
そうなのね
アー
ウー
アー
アー
そうねェ
ママが
好きよねェ…

えのない人間である、ということも、声をかけることで知らせることができるのです。

この時期には何を話しても全然かまいません。いま起こっていること、たとえば「遊んでるのね。クマちゃんを見ているの?」など、何でも語りかけましょう。

私自身は生後3日めの娘を産院から家へ連れて帰る道すがら、あらゆる道路標識についてしゃべっていたのをはっきり覚えています。「こども部屋の壁紙、緑色で動物がいるでしょ。お母さんは大好きよ。気に入るといいんだけど」といったことでもいいのです。

◎赤ちゃん向きの特別な言い方で話しかけましょう。

◎短く簡単な文を使います。

くり返しを
たくさんしましょう

調子がとりやすいからです。「たかいたかい」とか「おひざにだっこ」とかです。

◎声の高さは、ふだんおとなにしゃべるより高めにします。

◎ゆっくりしゃべり、単語や文の間にちょっと休みをいれます。

◎くり返しを多くします。

「おてておゆび。いっぽん、いっぽん、もういっぽん」

あるいは「ワンちゃんのおめめ、ワンちゃんのおはな、ワンちゃんのおくち」

◎赤ちゃんとしっかり向き合います。

そうすれば赤ちゃんにさわってみずにはいられないでしょう。

◎語呂のいい言い回しを使います。

「だーれがかわいい？　○○ちゃん。そう○○ちゃん。○○ちゃんがかーわいい」

赤ちゃんに向かうと、私たちは自然にこういう話し方をします。赤ちゃんは生まれたときからこういう話し方が大好きです。これは赤ちゃんにとっていろいろな意味で最も役立つ話し方なのです。

リズム、声の大きさ、調子を大げさにすると、赤ちゃんはとても敏感に反応します。赤ちゃんの外耳道の大きさと形は、おとなよりも高い周波数に共鳴するので、おとなの高めの声が、ちょうどいいのです。赤ちゃんは生後1か月までに、音素を聞き分ける能力を発達させますが、それにもこの話し方が適しています。

こういう話し方をするときにはおとながほほえんだり、動きや表情をいろいろ変えたりするので、赤ちゃんの注意をひきつけやすいという点でもすぐれています。

赤ちゃんのようすに合わせて話しかけましょう

かわりばんこに会話をしましょう

赤ちゃんがまわりのようすを感じ取り、学んでいくための、意識の目覚めのレベル（覚醒《かくせい》水準）は注意力と深くかかわっています。赤ちゃんが退屈したり、刺激が強すぎないか確かめながら、おとなは知らず知らずのうちに頭や視線の動かし方を加減しているはずです。

この話し方はくり返しが多いのですが、こどもの脳はくり返し経験することで、神経回路が発達していきます。

生後すぐには、お母さんと赤ちゃんが同時に声を出していることがよくありますが、これもとてもよいことです。

生後6週から8週になると、小さな変化が見られます。赤ちゃんとの間で「会話」が始まるのです。赤ちゃんの動きに合わせて、声を出しましょう。

赤ちゃんがアクンと言えば、アクンと返します。赤ちゃんが首をふれば、すぐにそうしましょう。赤ちゃんがほほえんだら、にっこり笑い返します。会話の始まりです。

赤ちゃんの音をまねしましょう

少しオーバーに表情をつけたり、いろいろな調子の声で語りかけると、赤ちゃんはもっと声を出してくれます。

赤ちゃんが音やしぐさや表情で言おうとしていることに、どんどん応えてやりましょう。たとえば赤ちゃんがむずかっているとき、お母さんは「おなかがすいたのね、ミルクあげましょ」と言いますね。こんなふうに、赤ちゃんが何かを伝えたがっているときには、それに応じてあげるのです。

これによって赤ちゃんは、声を出すと願いがかなうことがわかり、本当にしてほしいことを伝えるようになります。

満3か月に近くなると、赤ちゃんとの会話がどんどん楽しくなってくると思います。赤ちゃんの出す音をたくさんまねしましょう。会話をさかんにするためには、これがいちばんです。

この時期には、赤ちゃんにいっぱい歌ってあげましょう。赤ちゃんは歌ってもらうのが大好きですし、歌を聞くととてもおだやかな気持ちになります。それに何より、声を聞くととても楽しいのです。このことがとても大切です。

静かな中で聞く「聞きたい」音として、お母さんの歌声以上のものはありません。みなさんが知っている楽しめる歌ならなんでもけっこうです。同じ歌をくり返してもいいでしょう。

用事で忙しいときは、こんなふうな語りかけ方のかわりに、いろいろなことを「実況放送」のようにしゃべってみましょう。「じゃがいもをむいているのよ。お鍋にひとつ、もうひとつ。いそがなくっちゃ。今日は早くお昼をすまさないと」というぐあ

お母さんの気持ちを
質問の形で言うのは
まったくかまいません

いです。

こういう種類のおしゃべりの目的は、ふたつあります。まずじかに向かい合ってなくても、声によるふれあいがあるということです。ふたつめは、赤ちゃんはリズム、調子、アクセントを含めて、ことばの全体像をとらえてゆくので、実況放送のような語りかけも赤ちゃんにとって、とても大切な情報になるということです。

■赤ちゃんに質問するときには

質問するということについて、ちょっとひとこと。おとなはこどもに質問の形で話しかけることがとても多いものです。何を質問するか、何のために質問するか、どのくらい質問するのかで、こどものためになる場合もあり、全然役に立たない場合もあります。

初めの3か月の間には「おりこうさんにしてるかな?」といったたぐいの質問を、たくさんするものです。こういう質問は返事を期待しているわけではなく、お母さんの気持ちを表現しているだけですから、まったくかまいません。

質問をめぐっては、赤ちゃんの月齢が進むにつれてそのときどきに考えていきます。

■ふたつの言語を使う家庭では

家庭で2か国語以上の言語を使っている場合、生まれた子にはどちらのことばで話しかければいいのでしょう、という質問をよく受けます。

くまさんが
欲しいのね
Do you
want a bear?

あるお父さんの話です。彼はフランス人、奥さんはギリシア人でロンドンに住んでいます。彼は1か月の娘にどの国のことばで話しかければいいのか知りたがっていました。こういう場合、私がまず思うのは、3つのことばをすらすら話せ、いろいろな文化の文学に親しめるなんて、なんて幸運なお嬢さんでしょう、ということです。

私は「まったく心配する必要がないのは英語です。そのうちにまわりから自然に学びますから」と説明しました。それから夫婦がそれぞれの母国語で、赤ちゃ

んとふたりきりのときに話しかけるように言いました。
「赤ちゃんは楽に両方のことばを学びます。『語りかけ育児』の方法に従えば簡単です」と私はお父さんに請け合いました。「英語はあとから第三のことばとしてごく簡単に学べるでしょう」

ふたつ以上の言語を聞くこどもは、混乱してことばが遅れると考える親が多いのですが、親がひとつの文に両方のことばをかなり混ぜ合わせたり、こどもに親の母国語でないことばで話しかけたりしなければ大丈夫です。特に後の場合は注意が必要です。「語りかけ育児」は、毎日の、こどもへの上手な語りかけ方に主眼をおいています。赤ちゃんに伝統的なわらべ歌やことば遊びを聞かせることもとても大切です。母国語ではないことばでの「語りかけ育児」はできません。

しばらく前にロシア語通訳の人と話していて、なるほどと思いました。その人はもちろん2か国語をとてもうまく話せるのですが、赤ちゃんには英語では話さないと言うのです。母国語のロシア語を使うほうがいいと直感したそうです。

最近とてもかわいいエリシアという3歳の女の子に会いました。ことばが遅れていて、まわりの人はとても心配していました。エリシアはほとんど単語しかしゃべらず、ときたま2語文が混ざるだけで、文をつくるのにとても苦労しているようでした。

両親ともギリシア人で、英語は母国語ではありませんでしたが、英国に住んで

お父さんとお母さんの
母国語が違うときは
それぞれが
それぞれの母国語で
赤ちゃんに
一対一で語りかけます

いるからには、英語で話しかけるべきだと考えていました。幸いなことに、一家はまもなく夏休みで、ギリシアにエリシアの祖父母を訪ねることになっていました。

私はギリシア語の「語りかけ育児」にどっぷりつかるように提案しました。

2か月後にもう一度会うと、両親はエリシアがあっという間にギリシア語を覚えたと驚いていました。家庭でもギリシア語で話しかけるようにしたところ、遊び友達の中で、見る見るうちに英語を覚えたので、両親はまたまたびっくりしました。

■「語りかけ育児」の時間以外には

◎みなさんがやっていることや、まわりのできごとについて、おしゃべりしてください。赤ちゃんがことばの全体像（リズム、調子、アクセント）を知る手助けになります。
◎できるだけまわりの騒音を減らしてください。赤ちゃんがいっときにひとつの音に集中しやすくなります。
◎短い文を使い、くり返しを多くします。
◎歌ってあげましょう。気の向いたときにいつでも、何の歌でもいいのです。

遊び

遊びはこの時期だけでなく、ずっとあとまでことばを覚えていく上で欠かせないものです。この時期にはおとなと赤ちゃんとのかかわりがありさえすれば、他のものはいりません。おとなはこの時期、たったひとつの大事な遊び道具というわけです。赤ちゃんは自分にとっていちばん楽しく役立つ遊びに、上手におとなを引き込んでいきます。

生後すぐの赤ちゃんは、からだを使った遊びをとても喜びます。この時期はおとなが遊びをリードします。足を軽くたたく、顔をやさしくくすぐる、お互いの指をからませる、手と足の指を数える、やさしくおなかをつつくなどです。

こういった遊びは、お互いにとってもおもしろいだけではありません。赤ちゃんがまわりのようすを感じ取り、学んでいくための、意識の目覚めを保つために役立ちます。

遊びはお互いの信頼関係をつくるために大切です。赤ちゃんとおとなは、同じ目的を持ち、同じことを行い、同じことを知るという経験を重ね始めています。これは、ことばにとっていちばん大切な基礎になります。

生後8週になるまでは、42ページに述べられているように、かわりばんこに声を出すといったたぐいのことが赤ちゃん向きの遊びですが、この時期何より大事なことは赤ちゃんに上手に合わせていくことです。

12週までには、たくさんの変化や発達が見られます。赤ちゃんには見るもの、聞くものが必要ですし、12週ころには、にぎるものも必要です。ガラガラを手に持たせると喜んでふり回し、物に手を伸ばすようになり、渡してやるといじくり回すでしょう。赤ちゃんは、いろいろなものをなめたり、くちびるでふれたり、かんだり、主に口を使って探索するものですが、この時期には少し遠くのものを見るようになります。いろいろなものが見られるように、目の位置を変えてあげる必要があります。お母さんやほかのおとなとたくさん遊ぶのも大事ですが、いろいろなものを使ってひとりで遊ぶ時間も必要です。

音楽と歌も大好きですし、着ているものにしめつけられないで思う存分足をバタバタできると、とても喜びます。

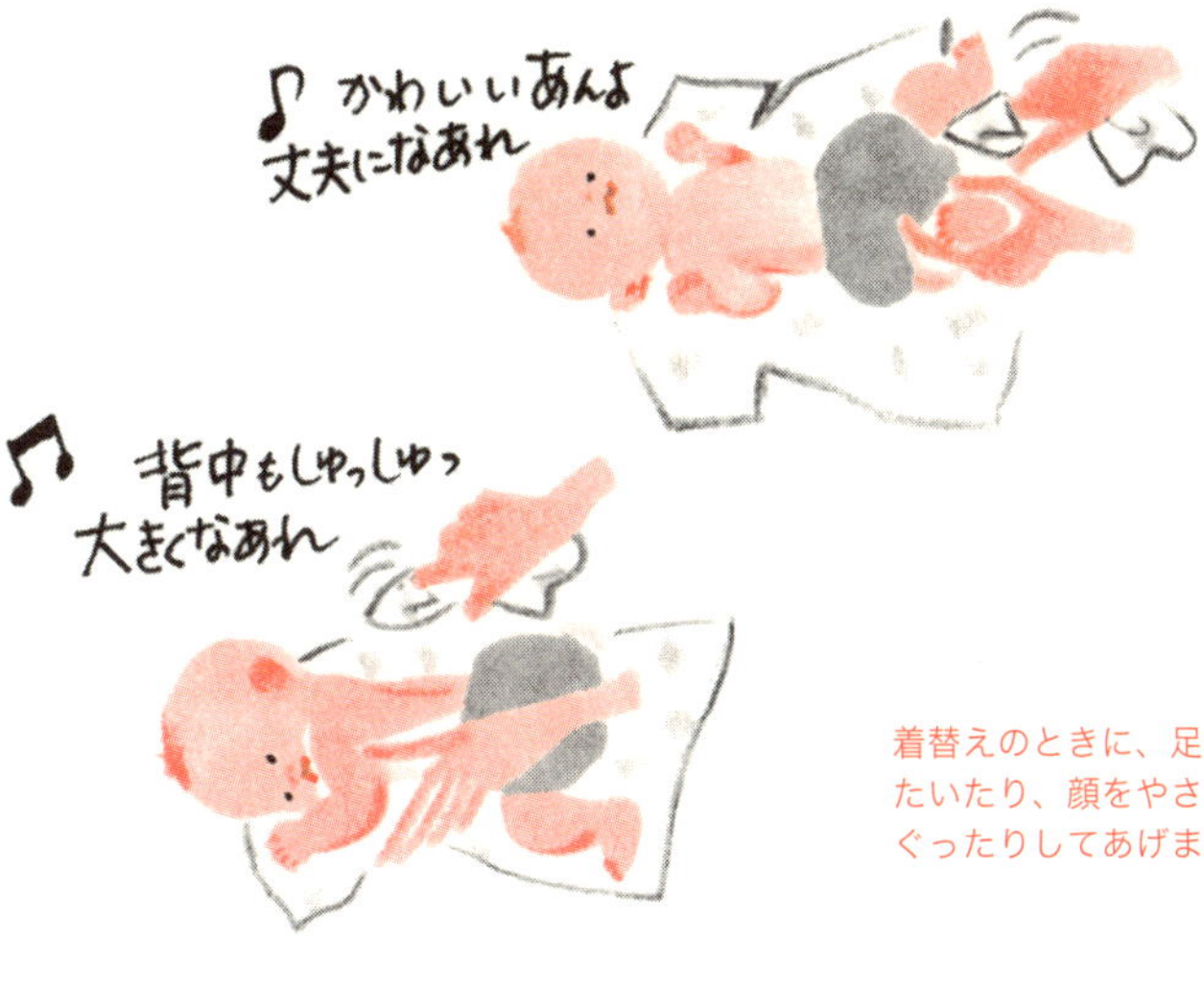
♪かわいいあんよ
丈夫になあれ
♪背中もしゅっしゅっ
大きくなあれ

着替えのときに、足を軽くたたいたり、顔をやさしくくすぐったりしてあげましょう。

TOY BOX

おもちゃばこ

◎色のコントラストがはっきりしているモビール、特に白黒のものはながめていて楽しいでしょう。白い紙に丸いカラーシールを貼《は》って水玉模様にしたり、黒や赤のマジックでストライプを描いたりすると、赤ちゃんは喜んで見つめるでしょう。

◎音を聞かせるのには、簡単な鈴や楽器のおもちゃが、よいでしょう。

オルゴールつきガラガラのように柔らかな音色、チャイムのように長く響く音、缶をたたくような乾いた音、紙袋をくしゃくしゃさせる音……。音の高さや音色によって、赤ちゃんの反応は違うでしょう。赤ちゃんにも好みがあり、その好みも変わってきます。いろいろな音で遊んであげましょう。

◎色がはっきりしていて持ちやすく口に入れて安全なものが、いいでしょう。

丸みを帯びた白木の素朴なおしゃぶりつきガラガラも赤ちゃんは大好きです。

◎手ざわりの変化もよい刺激になります。

ただの布切れもこの時期、いちばん好きなもののひとつです。

つるつるしたカラフルな裏地、ふわふわのタオルなど身近な布で遊んでみましょう。顔を覆わないように注意して、使い古しのスカーフや小さく切った風呂敷《ふろしき》をベッドの上に吊《つる》しておくと、風に揺れるようすを見て声をあげたり、手足をバタバタさせて喜ぶでしょう。

物干しのれん

[用意するもの] ピンチつき物干し。リボン、ゴムひも、新聞紙、鈴、人形など。

[作り方] ❶リボン、ゴムひもなどを細長く切ったものの先端に、鈴や小さな人形を結ぶ。❷それらをピンチにはさんで物干しに吊す。❸細長く切った新聞紙や紙テープなども一緒に吊す。

[遊び方] ベッドの上に吊して、ゆれるのを見たり、足でけったりできるようにします。顔にかぶさらないように高さを加減します。部屋の通り道に吊して、だっこやおんぶで移動するときに体にふれさせたり、ゆすって見せてあげると喜びます。こどもが引っ張れるようになったら、取りやすいように、ピンチの留め方を加減します。

※物干しが絶対に落下しないように注意してください。こどもの手が吊した物に届く場合は、必ずおとなが見てあげてください。

ラップ芯のロープウェイ

[用意するもの] ラップ類の芯、ロープ(新聞を縛るもの、洗濯用など)、両面テープ(セロハンテープか粘着テープでもよい)、こどもの好きな絵やコントラストのはっきりした模様を描いた紙。

[作り方] ❶絵を描いた紙の裏(上のほう)に、両面テープを貼り、ラップ芯の中央につける。❷ロープをおとなふたりで持つか、ひとりの場合は一方の端を結ぶ。❸ロープに傾斜をつけて、絵のついたラップ芯をすべらせる。

[遊び方] ロープの長さや傾斜は、こどもの見る能力に合わせて加減しましょう。小さな鈴を一緒につけてもよいでしょう。「いくよ」「どーん」など、始めと終わりの声かけは大切です。握る力がついたら、ロープの先端に割り箸などで持ち手をつくってあげましょう。

TV & VIDEO
テレビとビデオ

テレビは私たちの社会で大きな位置を占めるようになってきました。月齢が進むにつれてテレビについて言っておかなければなりません。

一定の年齢のこどもたちにとっては、テレビはテレビ以外ではめぐり合えない多くの世界を見せてくれ、学習を助けてくれますし、とてもよい娯楽にもなって役立つことがあります。しかし、成長のさまたげになる場合もあります。特に小さい赤ちゃんの間は、成長のさまたげになりやすいのです。

ここまで見てきたとおり、赤ちゃんや幼児はコミュニケーションに関して、生まれつきすばらしい素質を持っています。そして幼い時期には驚くほどの速度で進歩をとげます。でもそのためには、赤ちゃんに応えてコミュニケーションをとってくれる相手が、どうしても必要なのです。テレビはどうやってもその役割を果たせません。

赤ちゃんにとって、まわりの世界を知っていくのは、とてもたいへんなことです。そのためには、たくさんのことを探索してみなければなりません。実物や生身の人間を知ってからでなければ、テレビから何かを学ぶということはありえません。

生まれたばかりのこの時期、赤ちゃんを泣きやませるためにテレビをつけたくなってもがまんしてください。テレビのあざやかで動きのある光は、強い刺激です。生後数週間の赤ちゃんでもくぎづけになってしまい、もっと見たがるでしょう。そんなことにならないように、誘惑に負けないでください。

ここに書かれているのは平均的な発達のようすです。赤ちゃんによってそれぞれ発達は異なります。お子さんがここに書かれていることを全部できていなくても心配ありませんが、満3か月で、「気がかりなこと」にあてはまる場合は、専門家に相談してみてください。また、赤ちゃんについて疑問な点があれば、いつでも保健師や、かかりつけの医師のところに連れて行きましょう。

まとめ

生後12週ころの赤ちゃんのようす

◎遊んであげるとクックッと声を立てて笑い、とても喜びます。
◎アクン、クーといった母音と子音の入った短い音節で、いろいろな音を出すでしょう。
◎話しかけると、ときには音を返してくれるでしょう。会話の始まりです。
◎話し手を探し、くちびると口を見つめて、ことばへの興味を見せます。
◎家事の音など、他の音にも興味を見せます。
◎音楽を喜んで聞きます。喜んでいることがはっきりわかります。

気がかりなこと

◎赤ちゃんが笑わない。
◎声をかけたり、抱き上げたりしても、静かにならない。
◎短い母音が入ったアクン、クーといった音を出さない。
◎光やガラガラの音のほうを向かない。
◎授乳時間なのに、泣かない。

0か月〜満3か月までの

参考文献

L. Camras, C. Malatesta & C. Izard
"The Development of Facial Expression in Infancy" in R. Feldman & B. Rime (eds)
Fundamentals of Nonverbal Behaviour
(New York, Cambridge University Press, 1991)

R. Aslin
"Visual and Auditory Development in Infancy" in J. D. Osofsky (ed)
Handbook of Infant Development
(New York, Wiley, 1987)

D. Messer
The Development of Communication
(Chichester, Wiley, 1994)

P. Slater
"Visual Perceptual Abilities at Birth" in B. de Boysson-Bardies,
S. de Sconen, P. Jusczyk, P. McNeilage & J. Morton (eds)
Developmental Neurocognition- Speech and Face Processing in the First Year of Life
(Dordrecht Boston, 1993)

E. Bates, I. Brotherton & L. Snyder
From First Words to Grammar
(Cambridge University Press, 1988)

ことばのリズムが大好きです

3か月から満6か月まで

うまくいけば、飲んで、寝て、遊ぶという
生活リズムが整ってくるので、
赤ちゃんとの生活を楽しめるようになります。
赤ちゃんは、かわいいほほえみと笑い声で
おとなを夢中にさせます。
赤ちゃんが出す音をまねして
返してあげましょう。
赤ちゃんが「ウー」と言えば、
あなたは「ウウー」というように。
これが、やがて会話につながっていきます。

3か月
13〜16週

ことばの発達

ことばが気持ちを伝えることがわかってきます

赤ちゃんはこの時期、生まれつき持っていた人への興味に助けられて、実際の話しことばらしきものに近づいていきます。

赤ちゃんはまだことばを話せませんが、魔法のような「初語（初めてのことば）」に向かってとても大切な発達が起きます。

まわりの人との関係では、きわめて大切なふたつの分野で変化が起きます。

まず第一に、赤ちゃんは話しかけられると、それに答えて声を出すようになります。これは順番に話す、という点で本当の会話の始まりといえます。

第二の変化は、目の動きがよくなることと関連しています。赤ちゃんはこの時期、目を使ってまわりにあるもののようすを探索できるようになります。あるも

話し手を探して振り向くことができるようになります。会話に加わりたいと思っているように見えます。

のから他のものへ目をやって、今までより長く見ていることができますし、動くものを目で追うのも上手になります。

おとなが見ている視線の方向を、自分も追うことができるようになります。このことによって、おとなと同じものに注意を払うことが、できるようになるのです。

頭も目も自分で動かせるようになると、話し手を探してふり向くことができます。まわりから聞こえてくる話にいっそう関心を向けます。人への好奇心が強くなり、自分も会話に参加したいと思いはじめているように見えます。

人に答えて、あるいは人に答えてでなくても、よくほほえんだり笑ったりするようになります。鏡の中の自分に向かっても笑いかけます。またなじみのない人でも話している人を探し、その人が見えるところにいなくても上手に見つけ出せるようになります。

ことばが気持ちを伝えることもわかってきます。あいさつなのか、いけませんと言われているのかがわかります。怒り声にはおびえ、やさしい声にはくつろぐというようにはっきり反応します。

この時期は、音をくり返す「喃語《なんご》」が出てきます。くちびるでつくられるp、b、mの音が多いようです。

発育のようす おもしろそうなものに手を伸ばそうとします

この月齢の赤ちゃんが話している人を探せるのは、からだを思いどおりに動かせるようになったからです。背中をまっすぐにしておすわりができ、頭もしゃんと立てていられます。うつぶせにすると、頭と胸をそらすことができます。

ことばの発達につれ、赤ちゃんは自分の手にも気づいて指で遊びはじめます。おもしろそうなものに手を伸ばそうとします。丸い輪を渡すとにぎりますし、にぎっているものを取ろうとするといやがります。

物が目の前から見えなくなってもなくなりはしない、とわかるようになります。知能の面での大きな進歩です。

注意を向ける力

自分に注意を引きつける方法がわかってきます

赤ちゃんはときたま、お母さんの視線に合わせて、自分もそちらを見ることを始めます。ふたりが同じものに注意を向けるのです。これは、ことばに意味を持たせ、「まわりの世界はどのようになっているか」を学ぶためのとても大切な能力です。

生後4か月で赤ちゃんが何を見て、何に注意しているか、お母さんがどれくらい気づいているかを調べると、赤ちゃんの1歳1か月でのことばの発達を予測できます。生後4か月のときに自分の赤ちゃんはとても注意が移りやすいと気づいているお母さんの子は、気づいていないお母さんの子よりも、1歳5か月の時点でずっとことばが豊かだったという研究があります。

赤ちゃんが何を見ているかに気づいているお母さんは、それについてたくさん話しかけてあげている、と言えそうです。

またこの時期、赤ちゃんはお母さんがよそを向いているときに、自分に注意を引きつける方法がわかってきます。バタバタと手足を動かし、ときには音まで出して、お母さんにこっちを向いてもらおうとします。

聞く力

声をよく聞くために耳を澄ましたりします

赤ちゃんはからだを動かすのがずいぶん上手になり、音を探して見回すことができます。音とその音源とを関連させて探せるようになったのです。

こうやって、赤ちゃんは音の知識を積み重ねていきます。まだ目だけを動かすことはできないので、頭ごとぐるっと回さなければなりません。

人の声には並々ならぬ関心があって、声の主が見えないときにはからだ全体を動かして見つけようとします。また、声をよく聞くためにからだの動きを止めてじっと耳を澄ましている場合もあります。

赤ちゃんは、聞いたことばと意味を結びつけようとし始めます。声の調子が違えば、違った反応を見せます。お母さんの声でも、うれしいのか、いけませんと言っているのかがわかって、怒った声にはおびえます。

赤ちゃんは自分で出す音をじっと聞いて、舌やくちびるをいろんな風に動かしては、出てくる音を確かめて楽しんでいるようです。

生後４か月で、赤ちゃんが何に注意しているか気づいているお母さんの子は、ことばが豊かになる、という研究があります。

4か月
17～20週

ことばの発達

自分の名前がわかるようになります

赤ちゃんはどんどんまわりの世界に気づき、いろいろなことがわかってきます。これから起こることを待ちかまえるようになります。たとえば、授乳を準備する音を聞くとはしゃぎ、話しかけられたり音楽を聞くと泣きやみます。

赤ちゃんはすでにことばの「かたまり」を、ある活動や状況に関連づけてとらえています。調子をつけた

「たかい、たかーい」や「さあ、だっこ」などを聞くと、両方の腕をさしあげたりします。ことばと意味とがはじめて結びつく魔法のような瞬間も、この時期にやってきます。自分の名前がわかるようになり、名前を呼ばれると、すぐに呼んだ人を探し始めます。ある音のつながりが、何かを意味することがわかるようです。

こんなに早くから意味がわかるようになるのに、ことばを話すのはずっと後になってからです。

目で追うことがすっかりうまくなり、20週ごろには、近くでしゃべっている人は誰でも見つけられます。これによって、おとなと赤ちゃんが同じものに注意を向ける機会が、前より増えてきます。

見たものの意味もどんどんわかるようになります。ほかの赤ちゃんが遊んでいるのを見て喜びます。お母さんのやっていることの意味がわかり始めます。それは、外の世界の理解につながっていきます。

ひとりのときも、誰かと一緒のときも、たくさん音を出して遊び、音の幅も広がります。gやkといった口の後方でつくる音も出せますし、機嫌の悪いときだけの音も出すようになります。これは赤ちゃんによって違うので、身近な人でないとわからないでしょう。

赤ちゃんのコミュニケーションの意図はまだはっきりしません。しかし、動きや音や表情が豊かになるので、赤ちゃんのしてほしいことがわかりやすくなります。赤ちゃんの望むように遊んであげることが、ことばの発達を大きく助けます。

発育のようす

何でも口に持っていきます 手足の指で楽しく遊びます

からだをどんどん動かせるようになるので、コミュニケーションもとりやすくなります。ちょっと支えてあげればおすわりができ、頭をめぐらします。腹ばいに寝かせると頭を持ち上げられます。この時期に寝返りができるようになる赤ちゃんもいます。

自分から動けるようになると、違う角度から物や動きをながめることができるようになります。

赤ちゃんは物に近づき、手にとれるようになってきますが、ときには手を伸ばしすぎます。何でも口にもっていきますが、それがこの時期の、物を確かめる手段なのです。自分の手や足に興味を持ち、手足の指で楽しく遊びます。

注意を向ける力

注意していられるのはまだ、ごく短時間です

あまり大きな変化はありません。注意していられるのはごく短時間で、すぐに気が散ります。

お母さんの注意が自分からそれていると思うと、気づいてもらおうと大きな声を出します。

聞く力

よく知っている音の意味が前よりもわかるようになります

まだ目だけを動かせないため、頭全体を向けなければなりませんが、音源を探すのは上手になってきます。

近くなら誰の声にでもふり向きます。いちばんよくわかるのは家族の声です。よく知っている音の意味がわかるようになり、鍵《かぎ》をあける音などで大喜びします。

音楽も好きになって、歌ってもらうと大喜びします。音楽的な音にもじっと耳を傾けるようになります。

とても興味深い調査がいくつかあります。この月齢の赤ちゃんは、お母さんの話すことばのアクセント、調子に気づいていて、ことばの大事な部分を聞き取っているというのです。「言語獲得装置」（402ページ参照）は活動を開始しているというわけです。

知っている音の意味がわかるようになり、鍵をあける音などで大喜びします。

5か月

21〜24週

ことばの発達

赤ちゃんは、人に向けて喃語を発するようになります

このころ、赤ちゃんは対人関係で、画期的な成長を見せます。初めて人見知りをするのです。見知らぬおとなにははにかみますが、同じ仲間はわかるので、よその赤ちゃんにはほほえみかけ、声を出します。

赤ちゃんは「いけません」や「あぶない」といった意味がわかり、いろいろな気持ちもわかり始めます。これは後に〝ふり〟遊びへつながります。「パパ」や「バイバイ」といったことばの意味がわかるのは、すばらしいことです。もっともこういうことばを自分で使えるようになるのは、ずっとあとになってからです。

赤ちゃんは毎日の日課を覚えていて、ちゃんと協力してくれます。「だめ」の意味も以前よりもわかるようになり、半分ぐらいは言うことを聞いてくれます。

この時期には、音の出し方にも、使い方にも大きな変化があります。子音の種類が増え、口の後方で出すgやkといった音も混じります。同じ音を数回くり返す喃語《なんご》が始まります。口の前方で作る、「ママ」「ダダ」「ババ」といった言いやすい音が普通です。初語だと思いがちですが、本当の初語はもう少しあとです。

赤ちゃんは音を楽しんでいます。コミュニケーションの点でとても重要なのは、赤ちゃんが人に向けて喃語を出していることです。まわりの人たちがたくさん音を出しているのに気がついて、そのゲームに入れてほしいと思っているみたいです。

ほかの人が黙るのを待たずに声を出し、音楽に合わせて歌いはじめることもあります。ときには動きまでつけて、せきをまねしてはおもしろがります。

赤ちゃんが出す音は赤ちゃんの周囲で話されていることば（母国語）に含まれる音に限られるようになり、そのことばにない音は消えていきます。（ふたつ以上の国語にかこまれている赤ちゃんは、両方のことばに対してこれができます。新生児期やごく幼い時期にその国の言語を聞いた人だけが、完璧《かんぺき》なアクセントでしゃべれるようになるのは、このためです）

発育のようす　片手でつかんだり、おもちゃをつかみあげたりできます

赤ちゃんはほとんど支えなしでおすわりができ、うつぶせにすると、はうようなそぶりを見せます。寝返りが打てるので、見える範囲がぐんと広がります。赤ちゃんは抱き上げられ、ふり回されるのが大好きで、おとなに腕をさしのべてせがみます。

ねらったものに手を伸ばすのも正確になってくるので、おとなのほうも赤ちゃんが何をほしがっているのかわかりやすくなります。声を出しながら手を伸ばすこともあります。

手を伸ばして物をつかみ、調べます。この時期は、何に対しても同じ調べ方をします。たたいたり、ふったり、口にもっていったりするのです。それによって、赤ちゃんはあるおもちゃをたたくとある決まった音がする、と知っていきます。これは原因と結果を結びつけることの始まりです。

こういうことができるのは、手先が器用になってきたおかげです。

目と手が一緒に働くので、物を思いどおりに扱えるようになってきます。片手でつかんだり、テーブルからおもちゃをつかみあげたり、目の前のおもちゃをし

手先が器用になってきて、おもちゃを片手でつかみあげて調べます。たたいたり、口に持っていったりします。

っかりつかんだりします。まだ自分から物を手放すことはできません。一度にふたつの物を持つのも無理です。ふたつめのおもちゃを持たせると、最初のおもちゃは落とします。コップは飲むためのものといった、物の使われ方もわかってきます。

この月齢の赤ちゃんは、何でもあきずにじっと見ています。おとなの表情をまねて喜びます。手の届かないところへ転がっていったおもちゃを探すのも、ひとつの進歩です。

注意を向ける力　おもしろそうなものに集中する能力が出てきます

この月齢の進歩はゆるやかですが、発達では非常に重要な時期です。注意を向けていられる時間が長くなりますが、それは次のような場合です。
◎意味のあるものや活動
◎赤ちゃんが自分から注意を向けたものや活動
◎近くにあるものや近くで起きること
これは音を選んで聞き、おもしろそうなものに集中する能力が出てきたことを意味します。これからの学習には、欠かせない能力です。

それでも気を散らすものがあれば、すぐに気が散ってしまいます。一度にひとつの感覚にしか注意を向けられません。聞くか、見るか、さわるかのどれかひとつだけです。手か口で調べることにすっかり夢中になっているときには、耳は聞こえていません。こういうときには、人と目を合わせることもほとんどないでしょう。赤ちゃんの耳が聞こえない、あるいは自閉症ではないかと心配になるかもしれませんが、そうではありません。赤ちゃんはただ忙しいだけです。

このころの発達でいちばん重要なのは、おとなの視

赤ちゃんは、ひとつの感覚にしか注意を向けられません。聞くか、見るか、触るかのどれかひとつだけです。

線を追えるようになることです。これで赤ちゃんとお母さんは、ふたりで同じ物や動きに注目すること（共同注意）ができます。これからたくさんのことを学ぶための入り口まで来たのです。

赤ちゃんはおとながおもちゃで遊ぶのを、じっと見てまねしようとします。一緒に遊ぶときは同じものに注意を集中できます。このこともまた、後の学習にとってとても大切です。

聞く力　近くと遠くの音の区別ができるようになります

いくつかの大切な発達があります。赤ちゃんは音源を探そうとして以前より素早く向きをかえられますが、この時期には、まだその音が近くて耳と同じ高さから聞こえてくる場合にしか、見つけられません。

頭の上からの音、耳の高さでも離れた場所からの音、自分より下の方からの音などは、あちこち探してやっと見つけられます。

赤ちゃんは聞くことに興味を示し、周囲のさまざまな音がどこから出てくる音なのかあちこち探して、音とその音が出るものの関係をわかっていきます。赤ちゃんは聞いていられる時間がごく短いのですが、何の音かわかれば少し長く聞いていられます。でも、今はまだすぐ気が散ります。だんだんに近くと遠くの音の区別ができるようになってきます。

ときたまですが、生まれて初めて赤ちゃんは見ると聞くを両方同時にできるようになります。これまでまったくできなかったことで、すばらしい成長ですが、この時期には、まだ能力として安定してはいません。

まわりの条件にも左右されます。部屋が静かで、見るものと聞くものが同一のものであって、とても集中しているときにしかできません。

赤ちゃんは手や口で何かを調べているときは、まったく聞こえていません。新しいおもちゃを与えても、前のものを調べ終わるまで、何を言ってもまず無駄です。しばらくはこの状態が続きます。

赤ちゃんの聞く力にはかなりの差があります。生後1年にもならないのに差がつくのは、環境に左右されているといえるでしょう。

3か月から満6か月までの

1日30分間

語りかけ育児

1日30分、静かなところで赤ちゃんに語りかけていれば、赤ちゃんのほうが、発達にいちばん役立つような語りかけをおとなから引き出してくれるでしょう。

この時期、赤ちゃんの発育は目覚ましいものです。

■毎日、30分間だけは、赤ちゃんとしっかり向き合います

うまくいけば、赤ちゃんは飲んで、寝て、遊ぶという生活リズムが整うので、お母さんもそのおかげで前よりぐっすり寝られるようになっているかもしれません。もしそうなら、いままでのように授乳やおむつ替えの時間でなく、1日30分、ふたりだけでほかに気を散らすもののない遊び時間をつくりましょう。

もしまだ赤ちゃんの生活リズムが整っていないなら、以前と同じように時間をやりくりしてください。とにかく負担にならないようにしてください。

お母さんが赤ちゃんにかかりきりになることが、赤ちゃんへの最高の贈り物です。これは赤ちゃんやこどもにとっていちばんくつろげる時間で、赤ちゃんはこういう時間をいつでも強く求めているのです。

赤ちゃんは
自分が出している音を
はっきり聞く
必要があります

毎日、ひととき、赤ちゃんのためにそこにいて相手になるだけで、赤ちゃんが世界を発見するように手助けし、赤ちゃんに学びの場を提供してあげられるのです。

■始める前にチェックすること

部屋にはラジオも音楽もビデオもテレビもなく、とても静かなことが大切です。

この時期に起こる発達のうち、「聞く力」と「注意を向ける力」にかかわる発達はごく小さいけれどもたいへん重要なものです。それは、まわりに気を散らすものがない場合にしか発達しません。とくに音に関しては、まわりにじゃまな音がないことが大切です。聞きたい音にだけ集中し、聞きたくない音を無視する能力はこの時期に現れてきますが、赤ちゃんがその能力を育てるためには、聞きたい音とそれ以外の音との間におとなの場合よりずっと大きな音量の差を必要とします。

また赤ちゃんは、自分の出す音をはっきり聞けることが必要です。はっきり聞くことができれば、赤ちゃんは舌とくちびるの動きと、そこから出る音を結びつけて覚えることができます。そのためにも、静かな場所であることが大事です。

赤ちゃんはまだすぐに気が散ります。注意していられる時間もとても短いのです。そのため喜びそうなものをまわりにたくさん用意して、もし赤ちゃんがほしがればすぐ渡せるようにします。簡単な音の出るものも用意すれば、きっと喜ぶでしょう。

赤ちゃんをだっこするか、向き合っていすにすわらせて、あなたと赤ちゃんがごく近づいていられるようにします。こうすれば赤ちゃんはあなたの口の動きをよく見て、音を区別できます。おもちゃにはすぐ手が届くようにしておくのも、忘れないように

赤ちゃんの注意を無理やり引きつけようとしてはいけません

してください。

さて「語りかけ育児」のとても大切な原則のひとつを、ここでお話しすることにしましょう。

あるものや動きに注意を集中し続けるように、赤ちゃんに強制してはいけません。赤ちゃんの注意する力を育てるのに、強制ほどさまたげになるものはありません。(もちろんもっとあとになれば、何かに注意しなさい、ずっと集中しなさいと言わなければならないときもあるでしょうが、この時期には必要ありませんし、「語りかけ育児」の時間の中では絶対にありません)

イムランの両親は、イムランがちっとも言いつけを聞かず、ほとんど遊ばず、起きている間中、家の中を走り回っては物をこわすので、もうお手上げでした。両親が、言うことを聞くように言えば言うほど、イムランは遊びだけでなく、食べること寝ることにまで逆らうありさまでした。お母さんはもう泣かんばかりで、「もちろんイムランはかわいいですわ。でも、あの子がいて楽しいと思えないんです」と訴えました。

2週間、語りかけ育児を続けて、好きなだけ好きなものに集中していいことがわかったときのイムランの変わりようは、両親を仰天させました。

イムランはちゃんと遊び、おもちゃでもかなり長く遊び、それに何より言うことを聞くようになりました。お母さんはまたわが子と楽しく過ごせるようになりました。

赤ちゃんが
「間をとる」ようすに
注目します

注意を向ける力が発達する初めの時期には、赤ちゃんが注意をそらしたあと無理に注意を戻そうとすれば、違うものに注意を移している赤ちゃんの集中力をだめにしてしまいます。

もしこういうことがたびたびあると、赤ちゃんの発達を遅らせて、赤ちゃんもおとなもいらいらする結果を引き起こします。

悲しいことに、これはよくあることです。この点を親によく説明してわかってもらい、親の態度が変わると、見る見るうちに赤ちゃんが変わっていきます。

■どれだけ話せばいいのでしょうか

赤ちゃんが「返事をする」間《ま》をとることが大切ですから、「語りかけ育児」時間には一方的に話さないでください。そのかわり、ふたりの間の音による「会話」に気を

好きなだけ好きなものに集中していられる赤ちゃんは、おとなの言うことを聞けます。育児が楽しくなります。

赤ちゃんの出す音をそのまままねて返します

配ってください。お母さんが何か言います、間をおいて赤ちゃんに返事の時間を与えます、赤ちゃんが間をおいたら、お母さんが返事をします。そうすればふたりの声が以前ほどは重ならなくなります。

一緒の時間を過ごすにつれ、赤ちゃんとのコミュニケーションやりとりに関してお母さんはしだいに敏感になり、上手につき合えるようになります。お母さんがいちばんよい方法で応えるように導いてくれるのは、赤ちゃんのほうなのです。

5か月時にお母さんが、間をとることで赤ちゃんに会話の順番を知らせ、返事をする時間を十分にとっていれば、1歳1か月になったときに赤ちゃんが注意を集中していられる時間の長さや、ことばの理解レベルが高まることが、研究結果からわかっています。

■話し方

この3か月間、はじめのうちは、語りかけのほとんどがお母さんと赤ちゃんとのかかわり遊びの中で行われます。あとのほうになると赤ちゃんがおもちゃや物にどんどん興味を持つので、物が遊びの中にはいってきます。どの程度お母さんと遊び、どの程度物で遊ぶか、赤ちゃんが上手に、バランスを取るはずです。

この時期では、月齢ごとに語りかけ方の差はそれほどありませんから、「語りかけ育児」では3か月分がひとまとめになっています。

赤ちゃんが出す音をこまめに返しましょう。つながった音の最後の音、あるいはひとつの音をまねします。赤ちゃんが「ウー」と言えば、あなたは「ウウー」、あるい

赤ちゃんが
「ウー」と言えば
あなたは「ウウー」と
言ってあげます

は「アイアイ」には「アイアイアイ」と返します。(長く伸ばしてもおもしろいでしょう)

これがかかわりばんこの原型で、会話のきわめて大切なさきがけです。音を返すのは、赤ちゃんにとっていちばん注意を集中しやすいことなので、注意の発達にとても役立ちます。赤ちゃんの出す音にお母さんがしっかり答えてやると、赤ちゃんがとても喜ぶので、お母さんももっとやりたくなるでしょう。やればやるほど、赤ちゃんはますます音を出します。少したつと、赤ちゃんがお母さんに音を返すようになり、すてきな「会話」が成立します。

これは赤ちゃんに、自分自身が出す音をわからせるのにも役立ちます。赤ちゃんはくちびると舌の動かし方次第で、違う音が出ることを理解します。

音を返すことが大切なのは、さらにもうひとつ大きな理由があります。それは、声を聞くのは楽しくて役に立つ、と赤ちゃんに伝える最良の方法だからです。これは非常に大切なメッセージで、語りかけ育児全体のテーマでもあるのです。

この3か月の間、何度も何度もやりましょう。赤ちゃんはきっと大喜びします。

ただし、気をつけてください。音による会話へ進むためには、赤ちゃんが出した音をそのまままねて返してください。おとなの音をまねさせようなどと考えてはいけません。

おとなは「きちんとした」ことばでのみ、赤ちゃんに話しかけるべきだという通説があります。これは間違いです。

私の出会ったとても興味深いエピソードをご紹介します。

遊びの音（擬声語や擬態語）は聞くのに楽しい音です

スージーとシャーロットは、多くの点でとても似た環境に育ちました。ふたりとも最初の子で、大家族の中で一身に愛情を注がれていました。とてもかわいく、利発でした。違いはたったひとつ、それは赤ちゃんの出す音に対するお母さんの態度でした。

シャーロットのお母さんは赤ちゃんの音に喜んで応え、同じ音を返して、これがふたりの会話だと感じていました。シャーロットはお返しにどんどん音を出し、自分の音にもお母さんの音にもとても喜んでいました。

それにひきかえスージーのお母さんは、スージーにまねさせるために音を出すことが、自分の役目だと思っていました。音を出し、スージーがそれをくり返すのをはらはらしながら待っていました。

興味深いことに、赤ちゃんはコミュニケーションというものがよくわかってい

赤ちゃんの音を返してあげるお母さんの子はことばが育ち、自分の音をまねさせるお母さんの子は音を出さなくなります。

ボールがころがれば
「コロコロコロ」
おなかに指を走らせて
「コチョコチョコチョ」

るようなのです。そこでこの無理強いに対するスージーの答えは、だんだん音を出すのをやめてしまうことでした。うちひしがれたお母さんは、スージーが1歳4か月のときに、私のクリニックに彼女を連れてきました。

語りかけ育児を始めて数週間後には、スージーの出す音は年齢並みになり、スージーもお母さんも一緒に楽しめるようになったのです。

◆赤ちゃんが興味を持っているものに遊びの音をたくさん添えましょう

こういう遊びの音には、いろいろなものがあります。ボールがころがれば「コロコロコロ」といった単純な音でいいのです。またお互いの動作につける、くり返し文句という形もとれます。赤ちゃんを抱き上げながら「タカイ、タカイ」とか、おなかに指を走らせながら「コチョコチョコチョ」などです。こういった音のくり返しは、いっそうおもしろさを増します。

擬音語、擬態語といった遊びの音には、大切な目的がいろいろあります。赤ちゃんの注意を引き、意識を目覚めさせておくのに大いに役立つばかりでなく、声を聞くのはとても楽しいというメッセージを伝えます。

赤ちゃんはくちびるをまるめたり、ことばを発するしぐさを始めるかもしれません。そういうときには、赤ちゃんはあなたの顔をじっと見つめているものです。

◆短く簡単な文を使いましょう

短い簡単な文で、ことばの間にゆっくり休みを入れて、話しかけましょう。この話

ゆっくり
調子よく
話しかけましょう

し方は、赤ちゃんの注意を引き、意識を目覚めさせておくのによい方法です。

この月齢の赤ちゃんはそういう話し方が好きで、いちばん集中しやすいのです。「お父さんの車の音が聞こえたわ。お父さんよ。もうすぐお帰りよ」より、「お父さんよ」と言うほうが、赤ちゃんにはずっとおもしろいのです。

短く調子のよい文には気持ちをこめやすいので、ふたりの気持ちを結びつけることもできます。この時期の後半では、赤ちゃんがことばと意味を結びつけるためにも、短く調子のよい文はとても役立ちます。そういう話し方が聞こえてくると、4か月児は、ふだんの会話よりずっと引きつけられるのです。

◆ことば遊びを始めましょう

ことばのまねっこ遊びとかわりばんこ遊びは、とても楽しいものです。その上、会話の基礎になるとても大切なものです。

赤ちゃんは次は何かなと期待して、待つことを覚えます。以前ならお母さんがひとりで遊びを進めていましたが、赤ちゃんが満6か月に近くなると、一人前に遊び相手になるでしょう。

赤ちゃんが音を出す合間にちょっと休んで、お母さんの番ですよと待っているようすのときがあります。たとえば、赤ちゃんが「ア・ダ・ババ……」と言って、あなたがその音をくり返してくれるのを期待してじーっと見つめていたりします。

4か月めにはいったら、くすぐりゲームやからだを使う遊びを始めます。手足の指を数えるといった簡単なものや、もう少し複雑なからだを使うものなどです。赤ちゃ

お母さんの
生き生きした
表情を見て
赤ちゃんは
たくさん声を出します

んにぴったりのわらべ歌や手遊び歌がいろいろあります。（もしどうやるか忘れていたら、図書館に行ってみてください。歌詞やメロディーだけでなく手指の動きを説明してある本もあります）

その後、柔らかいクマのぬいぐるみの「おめめ、おはな、ほっぺ」を指していくとか、スプーンを使って「バン、バン、バン」と音を立てたりするのもいいでしょう。いつも生き生きした表情でやりましょう。赤ちゃんはお母さんのそういう顔を見ているときのほうが、たくさん声を出します。

お母さんが次に何をやるか、赤ちゃんが予想できるゲームには、まずかわりばんこのやりとり遊びがあげられます。４か月めには、たとえばあなたの顔を赤ちゃんにゆ

赤ちゃんは音を出す合間にちょっと休んでお母さんの番だよ、と期待しています。

っくりと近づけ、赤ちゃんが「バア」を待ちかまえる間をとります。生後6か月にもなれば、お互いに手を打ち合わせるようなゲームが楽しめます。

生後5～6か月では、わらべ歌や動きのついた歌を歌ってあげましょう。赤ちゃんはとても喜びます。拍子のはっきりしたものにして、何度も同じ歌をくり返します。するとと耳になじんで、赤ちゃんは次を待ちます。この時期の終わりになれば、舟をこぐ動作をしながら「ギッチラコ」と歌うようなものをとりわけ喜びます。

満5か月までには調子、リズム、アクセントの型に気づくようになります。これは会話の意味がわかるようになるためにとても大切なことです。

■赤ちゃんの注意しているものに気づきましょう

赤ちゃんが何に注意を向けているか、よく見てください。たとえば、赤ちゃんがお

動きのついた歌やわらべ歌を
歌ってあげましょう。

赤ちゃんが注意を向けているものはなんですか？そのものについて話しましょう

母さんを見たら、ふたりで遊び始めましょう。赤ちゃんが何か物を見たら、それを赤ちゃんに渡して、名前を言ってあげたり、ぴったりした音を付け加えてあげます。

この時期ではまだおとなから遊びを始めることがほとんどですが、赤ちゃんがおもしろくなさそうなようすを見せたら、すぐにやめましょう。赤ちゃんがおもちゃを見たら、すぐにそれを持ってきて遊びに取り入れましょう。

赤ちゃんの興味におとなが合わせていくこと。これが「語りかけ育児」全体を通しての大切な方法です。

このことはもっと大きくなって、赤ちゃんがことばと意味を結びつけるときに、とても役立つ大切な原則です。ここでは、赤ちゃんの注意の発達を助けるのにとても役立ちます。

満6か月までは、赤ちゃんは同時に見たり聞いたりできないことを忘れないでください。できるときもありますが、それは次のような場合です。

◎ほかに気を散らすものがないとき

◎赤ちゃんが自分で選んだものに注意を向けているとき

◎見るものと聞くものが同一のものであるとき

たとえば、赤ちゃんが音の出るおもちゃを見ていたり、あなたが赤ちゃんの注意を引いているものについて話したり、歌っているときです。

赤ちゃんの注意に合わせていくことは、見ることと、聞くことを同時にできるようになるための大切な一歩となります。

赤ちゃんには
ことばの
リズムと調子を
聞かせる
つもりで
話しましょう

■赤ちゃんに質問するときには

「もういちど、やろうかな？」や「おりこうちゃんにしてるかな？」など、本当に答えてもらおうとは思っていない質問ならけっこうです。「これはなーに？」と言うこともあるでしょうが、これも答えを求めるための質問ではありません。赤ちゃんが興味を持ちそうなものについて、あなたが言ってあげているのなら、これもけっこうです。そして、質問したあと、ちょっと待って、赤ちゃんに反応する時間を与えてあげましょう。

■「語りかけ育児」の時間以外には

忙しいときでも、赤ちゃんがそばにいるなら、まわりのできごとやあなたの考えていることを実況放送してやりましょう。

「買い物に行こうかな？　やっぱりやめた。雨が降りそうだから明日にしようっと」

もちろん赤ちゃんにはあなたが言っていることはわかりません。それでも、赤ちゃんにことばのリズムと調子を聞かせるために、役立っているのです。

わらべうた① かいぐり

チョチチョチ アワワ かいぐりかいぐり とっとのめ おつーむてんてん ひじぽんぽん

遊び方

小さい子と一緒に遊び。手をとってやったり、
向かい合ってみせたりする。

❶チョチ　チョチ

両手を合わせる。

❷アワワ

手を口にあてる。

❸かいぐり　かいぐり

両手を軽くにぎり、
胸前で上下に手を回す。

❹とっとのめ

左手のひらを右手の指でつつく。

❺おつむ　てんてん

手で頭をたたく。

❻ひじ　ぽん　ぽん

片手でもう一方のひじをたたく。

わらべうた② ひげじいさん

とんとんとんとん ひげじいさん とんとんとんとん こぶじいさん
とんとんとんとん てんぐさん とんとんとんとん めがねさん
とんとんとんとん てはうえに きらきらきらきら てはしたに

遊び方

❶とんとんとんとん

にぎりこぶしをつくり
上下4回うちあわせる。
(以下とんとんは同じ)

❷ひげじい

片手をあごに、

❸さん

下にもう片方の手を重ね、

❹こぶじいさん

こぶしにほおをあてる。

❺てんぐさん

こぶしを鼻の上に重ねる。

❻めがねさん

めがねをつくり、
目にあてる。

❼てはうえに

手を上にあげる。

❽きらきらきらきら

ひらひらさせながら
下におろしてくる。

❾てはしたに

手をひざにもってくる。

遊び

遊びはいつでも、ことばを教えるためにいちばんよい手段です。ここでは便宜《べんぎ》上、月齢ごとに分けましたが、遊びは月齢をこえて重なっていることがよくあります。

この時期の遊びは、大きく分けて2種類です。

◎最初の3か月と同じように、おとなと赤ちゃんが一対一でかかわる遊び。

◎赤ちゃんがからだを動かせるようになり、目と手を一緒に使ってまわりを探索できるようになったのでできるようになった、物を使った遊び。

3か月

くり返しのある親子のふれあい遊びが始まります。赤ちゃんにもおとなにも、とても楽しいものです。ふたりの動きがうまくかみ合うと、赤ちゃんは次はどうなるかとわくわくしながら待ちます。

からだの一部を使う遊びは、赤ちゃんがからだを意識し始めたところなので、長く楽しめます。くすぐりっこをすれば、手足をバタバタさせて喜ぶでしょう。

わらべ歌は幼児期からこども時代を通して、遊びの

からだを使う遊びが大好きです。くすぐりっこをすれば、手足をバタバタさせて喜びます。

大切な一部です。赤ちゃんはことばのリズムに興味を持っているので、リズミカルな動きをつけてやると、とりわけ喜びます。

物でも遊べるようになります。赤ちゃんは、おぼつかない手つきで、物を調べて楽しんでいます。口で調べるのがお気に入りのやり方です。こうして調べては、いつでも学んでいるのです。

4か月

ごく単純なふれあい遊びが大好きですが、次に相手が何をやるのかなと期待することが、おもしろくなってきます。「いない、いない、バア」は、この時期いつでも大のお気に入りになります。

赤ちゃんはそれぞれの役割をわかっていて、顔を隠している人がいつバアと顔を出すか、息をつめて、どきどきしながら待っています。

赤ちゃんはもっと遊びたいときは、はっきりそう表現します。次にどうなるかがわかる、決まりきったくり返しが大好きで、そのうち自分でも積極的に加わり始めます。人とかかわるという一生の楽しみの基礎がつくられ、コミュニケーションというものがわかってきます。からだの一部を使う遊びも引き続き大好きで、手足の指で遊び始めます。

赤ちゃんは物に手を伸ばしてつかめるようになります。相変わらず手と口を使って物を調べますが、ふったりたたいたりも同じぐらいやってみます。

ふってたたいて音が出れば、原因と結果という関係がわかってきます。物にはさまざまな色、手ざわり、形があるのもわかります。

赤ちゃんは、遊んでいるおとなやこどもをながめながら学んでいます。おもちゃで遊ぶのをまねしたり、遊びに加わろうとします。遊んでいる時間も長くなり、もっとやりたいとはっきりせがみます。

5か月

この2か月の間楽しんできたお決まりのふれあい遊びに、赤ちゃんはしっかり加わります。「せっせっせ」のような声を出す動きのあるゲームが大好きです。おとなのひざに抱かれてくすぐられるのも大好きで、はしゃいで声をあげますし、持ちあげてふり回してもらうのも大好きです。

目と手が一緒に働くので、おもちゃなどを手や口だけでなく目でもしきりに調べます。完全に集中してしまうと、おとなには目もくれません。

赤ちゃんはお母さんやほかの人を、前よりずっとよくながめます。そうやってものの使われ方やできごとの順序がわかってくると、あとで遊びに取り入れるのです。

「いない、いない、バア」は大人気。
次にどうなるかがわかる決まったくり返しが大好きなのです。

この時期はひとつのものに注意を集中する時間がごく短いので、すぐ次に移れるように、さまざまな手ざわり、形、色のものが必要です。

TOY BOX おもちゃばこ

◎ベビーカーに付けるおもちゃ。特におしゃぶり付きガラガラ
◎ガラガラ（丸いものや鏡付きのものなど）
◎軟らかい立方体（いろいろな感触のスポンジや布地のサイコロなど）
◎軟らかいボール（お手玉、布で作った小袋に大豆、小豆などを入れたものなどもにぎりやすいでしょう）
◎柔らかい布切れ
◎簡単な鈴など、音を出すもの
◎音の出るボール
◎クマのぬいぐるみなど柔らかくにぎりやすいもの

TV & VIDEO テレビとビデオ

最初の3か月に言ったこと（52ページ）が、ここでもあてはまります。赤ちゃんの暮らしに、テレビやビデオがはいる余地はありません。赤ちゃんに必要なのは、何と言っても相手をしてくれる人です。

ここに書かれているのは平均的な発達のようすです。赤ちゃんによってそれぞれ発達は異なります。お子さんがここに書かれていることを全部できていなくても心配ありませんが、満6か月で、「気がかりなこと」にあてはまる場合は、専門家に相談してみてください。また、赤ちゃんについて疑問な点があれば、いつでも保健師や、かかりつけの医師のところに連れて行きましょう。

まとめ

満6か月ころの赤ちゃんのようす

◎こわい声とやさしい声を聞き分けて動作と表情で反応します。
◎「バイバイ」「パパ」など、よく聞くことばをわかりはじめます。
◎「たかい、たかーい」や「さあ、だっこ」といった呼びかけに答えます。
◎「だめ」の意味がわかるようで、ときにはしていることをやめます。
◎ひとりのときも、そうでないときも、しょっちゅう音を出して遊びます。
◎音で「会話」を始めます。はっきり誰かに向けて音を出します。

気がかりなこと

◎話している人をあまり探そうとしない。
◎動くものを目で追うことがほとんどない。
◎話しかけてもめったに音を返さない。
◎子音と母音が入った「パ」や「グー」というような喃語を出さない。
◎泣くこと以外には、ごくわずかの音しか出さない。

3か月〜満6か月までの

参考文献

J.Ryther- Duncan, D. Scheumeman, J. Bradley, M. Jensen, D. Hansen & P. Kaplan
Infant Versus Adult Directed Speech as Signals for Faces
Poster at Biennial Meeting of SRCD New Orleans（1993）

いろいろな音を聞かせます

6か月から満9か月まで

赤ちゃんは、お母さんといると
いちばん安心できます。
何にでも興味が出てきて
段ボールの筒などでも長い時間遊べます。
車を押しながら「ブーブー」、
水を流しながら「ジャージャー」など
遊びの音をたくさん聞かせましょう。
音と音源を結びつけたり、
注意を引きつけて集中させるのにも
役立ちます。

6か月
25〜28週

ことばの発達

ひとつの物には、一定の音をあてはめます

生後6か月から9か月の間に、ことばによる会話へと大きな一歩を踏み出します。

脳の中でことばをつかさどる言語中枢は、この期間に細胞間の結合を爆発的に増やしていきますが、その増加は受けた刺激の量に影響されると考えられています。

赤ちゃんの発育には環境が大切だというのは、このためです。事実、生後6か月から発育の差が目立ってくるのは、遺伝と同じくらい環境がものをいうためと思われます。

親の関心が赤ちゃんに向けられている時間の長い家庭で育つと、大勢のこども達がいる施設で育てられるより発育がよいことは、多くの研究によって明らかにされています。

赤ちゃんは生まれたときから話しことばへの興味を示していましたが、この時期にはすでに身近な物や人の名前がわかるようになります。6か月めには、そこにいない家族の名前を聞くと、まわりを見回し始めます。

またこの時期には、よく聞くことばの意味がわかってきて身振りで表したりします。たとえば「バイバイ」と聞くと、手を振ります。（これはことばを知らない国に行ったときに、しばらくすると突然、いくつかことばの意味がわかってくる感じに似ています）

ただし、赤ちゃんがそのことばをわかるのは、よく知っている場面で聞いたときに限られます。毎朝お父さんが出かけるときならバイバイができますが、なじみのない場面では、バイバイのしぐさは出てきません。初めて訪ねたお宅から帰るときには、バイバイをしないので、親は不思議に思うかもしれません。

　ことばに表れる感情は、語の意味よりずっと早くわかるようになります。お母さんやお父さんが喜んでいるか、怒っているか、赤ちゃんはとてもよくわかっています。

　音楽や歌を聞くのは大好きで、からだ全体で喜びます。

　自分の名前がいっそうはっきりわかってきます。呼ばれたときにはよく声を出して、返事しているみたいです。

　この時期にはいろいろなコミュニケーション行動が見られるようになってきます。身振りであいさつし、いやなときは押しやり、自分のほうに注意を向けさせたいときは人を引っぱり、ほしいものがあると引き寄せます。わかっているということを表情で示すこともできます。赤ちゃんはコミュニケーションが上手になって、いろんなやり方を用いてまわりの人をうまく動かせるようになります。

　早ければ生後6か月で、何かしたいときには声を出すのがいちばんとわかります。音を出せばお母さんが来てくれるので、目的を持ってお母さんを「呼ぶ」ようになります。赤ちゃんはほかの赤ちゃんに向けてさかんに声を出したり、目的を持って喃語《なんご》で話しかけ、音で「会話」に加わろうとがんばります。

　満6か月までに、遊ぶときにはたいてい声を出すようになり、叫んだり音を出すことによってまわりの人を動かそうとします。

「バイバイ」と聞くと、手をふることもあります。

たとえば閉じたくちびるを離すときに、プという音が出ますが、この3か月間で、赤ちゃんはこういったくちびるや舌の動きと、出てくる音との関係がよくわかってきます。このことが語音（ことばに使われる音）をつくるしくみの発達にとても大切です。

このころから、まわりで話されているることば（母国語）に含まれない音は、赤ちゃんも出さなくなります。

赤ちゃんは、まわりで話されていることば（母国語）に含まれる音をたくさん出すようになり、同時にそのことばにない音は消えていきます。そのため身近で聞くことのない国のことばの音の違いを識別する力は著しく減少します。一方で、身近なことばの音の差は、ごく微妙なものまで聞き分けられるようになります。

赤ちゃんは自分の出している音を認識するようになり、短い音を出します。同じ音をくり返し出すことを楽しみます。長めの「マママ」や「ババババ」といった音を出します。ときには二音節も出てきて「ブジブジ」といったふたつ以上の音が混じります。喃語はリズムと調子がついてことばらしくなります。

ひとつの物には一定の音をあてはめています。これは、まだ初歩的ですが、物に名前をつけようとする試みです。赤ちゃんひとりひとりがみんな違う音を出すので、本当の名前とはちっとも似ていませんが、それでもすごいことです。特定の音が特定の物を指すということが、赤ちゃんにはわかったのです。

まわりにある物や人を探索したりかかわったりするのが、いっそう上手になります。

赤ちゃんの注意力が育つにつれ、周囲とのかかわりはいろいろな面で広がります。赤ちゃんとお母さんが同じ物やできごとを一緒に見たり経験を共有したりできるようにもなってきます。

たとえばおもちゃで一緒に遊んだり、ある人とはある決まったゲームをしたりします。お兄ちゃんならかくれんぼをしてくれるとわかっているようです。ほかの人と同じものに注意を向けることは、ことばの意味がわかるための大切な能力です。

この時期には、音による「会話」もさかんになります。本格的なことばによる会話の前ぶれです。

発育のようす

手を伸ばして物をつかみ、持ち替えることもできます

人とかかわったりコミュニケーションしたりする力の発達は、からだの動きや知的な面での発達と同時進行しています。

この時期の赤ちゃんは、まっすぐ立たせると足で体重を支えることができます。頭も背中もまっすぐ立てておすわりができます。あお向けのかっこうから寝返りも、うてます。もっとよく見たいときは姿勢を変えることもできますし、物をしっかりつかむこともできるようになります。ちょっと手が届かないところの物でも手を伸ばしてつかむことができますし、物を持ち替えることもできます。おもちゃへ向けて片手をあげたり、手でテーブルをたたくまねをしたり、ふたつのものを打ち合わせることもできます。

この動きは簡単なことではありません。物を取ろうと手を伸ばすには、腕の3つの関節と手の14の関節を動かさなければなりませんし、伸ばす動きには腕の筋肉を13本以上使い、手でうまくつかもうとすれば、手の筋肉を20本以上使います。

知能の面でも大きな一歩を踏み出しています。満6か月までに、赤ちゃんは材質の特性がわかるようです。柔らかいものはローラーでつぶされるけれど、固いものはつぶされないといったことがわかってきます。

ある分野が発達すると、どうしても他の分野に影響が出てきてしまいます。はいはいの早い子は新しい動き方がおもしろくて熱中してしまい、しばらくコミュ

ニケーションなんかそっちのけになります。同じように、ひとりで立ち上がれるようになった子には、ほかのことをやるエネルギーが残っていなかったりします。こういう状態はちょっと極端で、長くは続きませんが、お母さんは、ぜひこのことを心にとめておいてください。

とはいえ、その間の一時的なことばやコミュニケーションの遅れも、「語りかけ育児」によって予防することもできるのです。

アリスは生後6か月でした。アリスは声や話にまったく関心を持たないようすでした。はっきりしない母音のような音しか出さないので、お母さんはとても心配していました。

アリスの成長はとてもよく、とくにからだはしっかりしていて、ひとりでおすわりができて、ぐるっと回れましたし、つかめる物は何でもさわったり調べたりしました。動きもよく、寝返りも早くてどこでもころがって行きました。

アリスの注意はすっかり運動と手先に向いてしまっていたのです。

「語りかけ育児」を始めて3か月もたたないうちに、アリスはコミュニケーションの点でもほかの分野に完全に追いつきました。いまではすべての分野で年齢より進んでいます。

注意を向ける力

まだほとんどの場合、ひとつのことにしか注意できません

同時にふたつ以上の感覚を使う能力は、この月齢でも進歩を続けます。でもほとんどのときは、ひとつのことにしか注意を向けられません。赤ちゃんにおもしろそうなものを手渡すと、赤ちゃんはまずそれを調べ終わってからでないと、おとなを見たり、言うことを聞いたりできません。

赤ちゃんは自分で選んだ物や動きになら、いくらか長く注意を向けていられますが、まだとても気が散りやすいのです。注意の集中時間が長くなるのは大切なことです。直前に起きたことや、しばらく前に起きたことを記憶しやすくなるからです。どのくらい注意を

集中していられるかによって、これから後、どんなふうに学習が進んでいくかが決まります。

聞く力 音と意味が、だんだん結びつくようになります

ことばに関して、次のふたつの力が発達する大切な時期です。
◎ことばの中の各々の音を聞き分ける
◎ことばの意味がわかる

ことばに含まれる音を聞き分ける能力には、生後6か月の時点でかなりばらつきがあるのがわかっています。そんなに差があるのは、環境の差によるところが大きいようです。音の刺激が少なすぎたり、多すぎることが影響しているらしいのです。聴覚に問題があって幼いときに音を聞けなかったこどもは、後になって音を聞き分けたり、音の意味をわかったり、騒音の中で聞き取るのにとても苦労します。

保育器の中はとてもうるさい音がするのですが、保育器にかなり長い間はいっていた赤ちゃんが、後にな

はいはいがおもしろい子は、しばらくほかのことはそっちのけになります。こういう期間は、ちょっとの間です。

って同じような苦労をすることがよくあります。(この問題は解決可能です。私たちはクリニックで、聞くことがちっともうまくできないこども達を診てきましたが、「語りかけ育児」がとても短い間に効果をあげます)

この月齢で、赤ちゃんはだんだんと音と意味を結びつけていきます。まだ音をたどってすぐに音源の方向を見つけることはできません。見つけるということは即座に音源のほうに向くということですが、赤ちゃんは見回した上でないと音源を見つけられません。それでも前よりは少し見当をつけやすくなり、頭の上のほうでする音も見つけられます。

見ることと聞くことをいっぺんにこなす能力は、まだまだ未熟です。見ることと聞くことを同時にこなせるのは、次のような場合だけです。

◎注意を向ける対象が、赤ちゃんが自分で選んだものであること
◎見ること、あるいは聞くことのどちらかに集中しすぎていないこと
◎見て、聞いているものが同一のものであること
◎まわりに気を散らすものがないこと

7か月 29〜32週

ことばの発達

身振りや手振りで伝えるのがとても上手になります

この月齢では、赤ちゃんは見えないところにいる話し手を探すだけでなく、会話をまるごと聞こうとしてひとりの人から次の人へ、またもとの人へと目をやって、まるでテニス試合の観客のようです。

赤ちゃんは見慣れた物とそれを指すことばがわかります。名前を聞くとそのものを見ます。この時期には家族の名前もたいていわかっているでしょうし、自分

の名前が呼ばれると耳を澄ますのが普通です。

満8か月までに赤ちゃんは「たかい、たかい」と聞くと腕をさしのべ、「バイバイしなさい」と聞けば手をふるといったぐあいに、いつも聞いている簡単なことばで、いつもの場面なら、ふさわしいしぐさで応えます。この時期、話し手のしぐさや表情や声の抑揚から、話している人の気持ちもよくわかっています。

赤ちゃんは自分の名前がわかり、よく知っている簡単なことばになら、しぐさで応えます。

7か月児の出す音はまわりで話されていることば(母国語)の音に近づいていき、そのことばの中に含まれていない音の微妙な違いはだんだん聞き分けられなくなっていきます。

この時期の喃語《なんご》には、リズム、調子、強弱があって、外国語の短い文章のように聞こえます。喃語とその後の発話(ことばを言うこと)の関係については、いろいろ論議されています。喃語からすぐにことばが出てくるわけではないようですが、喃語は神経システムが、ことばを言うための準備を整えている状態の反映であると考えられます。

ときたまこの時期の赤ちゃんが音楽に合わせて歌ったりしますが、歌詞は伴っていません。

赤ちゃんはまだ声ではないコミュニケーション手段を使うことのほうが多いでしょう。でも伝え上手になってきて手を広げたり、閉じたりしてあれこれしてほしいとか、おとなや物を押しやったり、首をふったりする身振りでいやと伝えたりします。お母さんを見つけると、手をひらひらさせて、甘え声を出すというふうに、しぐさと音の組み合わせも始まります。

発育のようす

布やひもを引っぱったり、積み木をふたつ持ったりできます

この月齢の赤ちゃんは、ふつう数分間はすわっていられるようになります。その姿勢なら頭とからだを回しやすいのであたりを見回すのが楽になり、まわりのようすもしっかり見ることができます。これは音がどこから来るか、わかるために大切なことです。まっすぐ立たせると、足が交互に出ます。手を伸ばすのも、前より上手になります。からだの向きを変えて根気強くおもちゃに手を伸ばします。

布の上のおもちゃを取るのに布を引っぱったりします。

生まれて初めて、いちどにふたつのものを扱えるので、積み木をふたつ持って比べたりできます。またおもちゃを取り戻そうとひもを引っぱったり、おもちゃを隠しているカバーを取ったり、布の上のおもちゃを取るのに布を引っぱったりします。

注意を向ける力

頭ごと動かせば、おとなの視線の方向をたどれるようになります

満8か月までに赤ちゃんは、おとなの視線の方向をたどれるようになりますが、まだ目だけで追うことはできず、頭ごと動かさなくてはなりません。

赤ちゃんがまわりの世界をわかり、おとなが見ている物を共に見ることはこれから後も大事で、知能の発達にも欠かせない力です。赤ちゃんが何に興味を持っているかわかれば、おとなはそれに関していろいろ教えてあげられます。

その結果、赤ちゃんはほかの人の気持ち、感じていることの理由を理解し、人とのかかわり方を学び、交流する力をつけていきます。また、いちばん大切なの

は、ことばに意味があるということがわかることでしょう。

条件が整えば、同時に見たり聞いたりする能力が出てきてはいますが、ほとんどの場合、注意していられる時間はまだ短く、ひとつの感覚しか働きません。

聞く力

赤ちゃんは自分の出す音を前より注意深く聞いています

ここまですべてが順調ならば、この月齢にはとても大切な発達が見られます。まず第一に、赤ちゃんは見回さなくても音源をつきとめることができるようになります。これはひとりでおすわりができることと、耳と脳をつなぐ神経回路ができ上がるためです。

赤ちゃんは耳と同じ高さで、1メートルぐらいの近さから聞こえる音なら音源をつきとめられます。音が両耳に届く時間差と音量の差で、どこから聞こえてくるか判断するので、両耳の聴力が正常でなければなりません。

この新しい能力を使って、まわりの音の中から自分が選んだ音に焦点を合わせるという大切な能力が生まれてきます。この時期にはまだ音源を探りあてるのに時間がかかり、すぐ気が散りますが、それでも音と音源を結びつけるのにはとても役立ちます。この結びつけがどんどん進むことが、ことばだけでなく世界を理解するのに欠かせません。

赤ちゃんは自分の出す音を前より注意深く聞いて、まわりの音と比べています。こうして赤ちゃんの出す音は完全に母国語の音になっていきます。

赤ちゃんは音にとても興味があり、音の出るものには大喜びして、音遊びの音やわらべ歌を好んで聞きます。

赤ちゃんは自分の出す音とまわりの音を注意深く比べています。

8か月
33〜36週

ことばの発達

表情豊かに気持ちを伝えるコミュニケーションの達人です

この月齢には、赤ちゃんはいろいろなことがわかってきます。この月の終わりには、物や人の名前が20ぐらいわかっているかもしれません。

「行こう」とか「パパのところにおいで」といった短い文句にちゃんと応じます。「だめ」というのもちゃんとわかって、ふつうはやっていることをやめます。決まった動きにも応え、「ギッチラコ、ギッチラコ」と聞けば、いすの中でからだをゆすります。音楽や歌もあいかわらず好きです。

この時期に、初めて、よく知っている物の絵を、その物と結びつけられるので、少しの間なら絵を楽しめます。読書への最初の一歩です。

コミュニケーションの方法もずっと広がります。指さしや決まった身振りを使うことができます。首をふっていやいやし、バイバイと手をふります。のけぞったり、押しやったり、引き寄せたり、表情豊かにコミュニケーションします。

特筆すべきことは、あいさつしたり、逆らったり、わかっていると示したり、自分自身や他の人や物に注意を払うことで、自分から情報を発信できるコミュニケーションの達人になるということです。自分のふるまいに対しておとながどう応えるかがわかってくるので、存在感が増してきます。

喃語は音のレパートリーが増えて本当の文のように聞こえます。本当のことばでないとは信じられないぐらいです。この時期の赤ちゃんはふたつの点で、本当のことばにもう少しでたどりつくところまで、来ています。
◎これまでのように単に音のパターンを使うのではなく、ある物を指すために自分で考えたことばを使うので、その物が出てくると喜びます。
◎音と視線を身振りに組み合わせられます。たとえばある物をじっと見て、同時に指さし、「ウーウー」と大声を出し、何がほしいのかはっきりわかるようにします。
赤ちゃんは話しかけられて、返事するのが大好きです。ものまねも始め、ほかの人の音や調子をまねします。表情もまねします。

知能の面では、ことばが使えるようになるための前ぶれが見られます。

遊びの中でコップは飲むための物ということがわかり、湯のみもペットボトルも飲むための物といった分け方ができます。初めは大まかな分け方ですが、そのうちに細かく分かれていきます。

こういった概念や分類がきちんとできていなければ、意味のあることばは出てきません。たとえば私たちがイヌとネコの話をするときに、イヌとネコが違う動物の種類だとわかっていなければ、話が通じません。

月齢8か月ころの赤ちゃんは、音を出すと、してほしいことが魔法のように実現したり、ある決まった音が決まったことを起こすという根本的なことがわかっています。赤ちゃんは漠然と、ことばの持つすばらしい力をわかり始めています。

まだちゃんとしたことばを自由には言えませんが、特別の意味をもつ音の連続のような、自分自身のことばを発達させ始めています。赤ちゃんによってそれぞれ出す音が違います。友人の8か月の赤ちゃんは、飲

「パパのほうにおいで」と言われれば、ちゃんと行きます。

み物がほしいときには、はっきり「ウーフ」と言います。そして飲み物が出てくると、自分でも感激しているのが、はたで見ていてよくわかります。

この時期の終わりには、赤ちゃんはもうひとつ大切な能力を手に入れます。物と人のかかわりをいちどにやるということで、赤ちゃんは人を使って物を手に入れたり、何かをしたりできるようになるのです。おもちゃの車を指さし、お母さんを見て声を出せば、お母さんがねじを巻いて渡してくれます。おもちゃでいすをバンバンたたいたりして、物を使って注意を引くこともできます。

8か月では、赤ちゃんはまるで本当のことばのようなリズムと調子の感じられる連続音（ジャーゴン。めちゃくちゃおしゃべり）を出します。遠くで聞くと本当のことばのように聞こえます。それでもまだ本当のことばではありませんが、気持ちを表すにはとてもすばらしい道具です。

おもちゃの車を指さしてお母さんを見て声を出すと、お母さんがねじを巻いてくれると知っています。

発育のようす

鈴をならすような、簡単な動作ならまねできます

この月いちばん目を引くのは、多くの赤ちゃんが寝返り以外でも部屋中を動き回れるようになり、赤ちゃんの行動範囲が広がることです。

まわりのようすが前よりもよくわかってきているの

は、落としたおもちゃを探すことでもわかります。見えなくなっても覚えているのです。鈴を鳴らすような簡単な動作をまねし、人のすることをよく見て学んでいることがわかります。

注意を向ける力

1分くらいなら絵に注意を向けられます

この月の赤ちゃんはおとなと一緒のものに注意を向けられるようになり、ことばと意味をどんどん結びつけていきます。一点を追視（目で追う）する能力を新たに手に入れたので、前以上におとなと同じものを見ることができます。月齢8か月までに、赤ちゃんは近くの正面にあるものなら追視できます。頭を回して一点を追視することはまだできません。

赤ちゃんは少し遠いところに注意を向けられるようになります。満9か月までに、興味が続けば3メートル離れた人や動くものを集中して見ていられます。

ことばと意味が結びついていても、赤ちゃんはまだひとつの感覚にしか集中できないので、やっていることとことばは結びつけられません。何かをするか、それとも聞くかだけです。両方同時にはできません。まだすぐに気が散りますし、当分その状態は続きます。

ひとつ大切な発達は、描かれた物の名前をおとながひとつずつ言ってくれれば、1分くらいなら絵に注意を向けられることです。これはおとなと一緒に本を見るための一歩ですが、まだ1分以上は無理でしょう。

聞く力

聞きたい音だけに集中できる能力が育ちます

この月、環境に恵まれていれば、まわりの音の中から聞きたいものだけに集中して、ほかの音は聞かないようにする能力が、だんだんに育ちます。

聞きたい音を探す時間が短くなり、（もし気が散らなければ）選んだ音には少し長く集中していられます。食事するときの音などを聞いては、これまでに聞いた音と比べています。こうやって順序立てて、音の意味をわかろうとしています。

6か月から満9か月までの

1日30分間
語りかけ育児

■毎日30分間だけは、赤ちゃんとしっかり向き合います

お母さんと赤ちゃんが毎日30分、ふたりだけで向き合うのは、今後の人とのかかわりのための大切な基礎づくりをする時間です。

この3か月の間に赤ちゃんは「語りかけ育児」の時間を待ち遠しく思うようになりますし、たくさんのことを身につけてもいきます。

あなたが赤ちゃんにだけ心を向けているということは、赤ちゃんへのかけがえのない贈り物で、世界は安全でしっかりしたものという気持ちのよりどころになります。あなたが赤ちゃんとこの世界を分かち合うことは、赤ちゃんがこれから理解力を伸ばし、ことばを覚えていく上で欠かせません。

これまですでにやってきたことでも、いくつかは続けてください。同じことでもその理由が違うので、赤ちゃんも違うふうに応えるでしょう。ごく小さな変更もありますが、それもとても大切です。

赤ちゃんには
聞きたい音と
聞かなくていい音の間に
大きな音量差が
必要です

部屋が静かなことが
何よりも大切です

■始める前にチェックすること

この時期に、聞くことと注意集中に関してとても大切な発達が起きるのを見てきました。赤ちゃんはまわりから聞こえる音を調べ、聞きたい音に少しだけ長く集中できるようになり、無数の音と音源の結びつきを広げていきます。これができるためには、まわりの騒音はじゃまです。ぜひとも覚えておいてください。

赤ちゃんはおとなと違って、めざす音を背景の騒音の中から聞き取るためには、めざす音のほうが背景の騒音よりずっと大きい音でなければならないのです。

この期間中に、赤ちゃんを聴力テストに連れていくことがあるかもしれません。このテストを受けることは大切です。鼻や耳の病気でごくわずか聞こえが悪くなっていても、この分野の発達に大きく影響するからです。私たちは左右それぞれの耳に聞こえる音の大きさを比べて音源をつきとめるので、もし両耳の聴力が違うと影響があります。

鼻や耳の病気からくる聞こえの悪さは、日によって違うことがよくあります。これは音と音源がしっかりわかっていて、まわりがうるさくてもちゃんと聞けるようになった年長のこどもにはあまり影響しません。でも、まだそこまでいっていない赤ちゃんには、重大問題です。よく聞こえないと、こどもはたいてい見ることと手を使うことに集中してしまうので、聞く力はめちゃくちゃになってしまいます。

赤ちゃんが同時に見たり聞いたりする能力は、気を散らすものがない環境でしか育ちません。赤ちゃんが舌とくちびるの動きとそこから出る音の区別をつけ、自分の出

赤ちゃんに近づいて
顔の高さを
同じにしましょう

す音とまわりから聞こえる声を比べることも、赤ちゃんが音声システムをつくり上げるのに欠かせません。静かな環境でなければ、これもできません。

このころの赤ちゃんはいろいろな物を調べて、遊びに取り入れるのがとても好きです。注意を集中できる時間はまだ短いので、しょっちゅう気が変わってもいいように、たくさんの物が必要です。

もうおわかりと思いますが、「語りかけ育児」の大切な原則は、赤ちゃんを無理に集中させようとしないことです。

必ず赤ちゃんに近づいて、顔の高さを同じにしましょう。赤ちゃんが手を伸ばせばすぐ届くところに、おもちゃやおもしろそうな物をたくさん置きましょう。赤ちゃん

聴力テストに連れていくことは大切です。鼻や耳の病気でわずかに聞こえにくいだけでも、聞く力の発達には影響があります。

部屋の中を
危なくないように
します

が自由に動き回れると、音と音源を結びつけるのがやさしくなるので、できるだけ部屋の中を赤ちゃんにとって危なくないようにしてください。

赤ちゃんには初めからさわっていけないものがあると教えなければ、と言う人もいます。この時期にはそんなことよりもっと大切なことがあり、説明が理解できるようになれば、遊んではいけないものがあることを赤ちゃんはおのずとわかるようになるというのが私の考えです。さわってほしくない物を前もってできるだけ片づけておけば、あなたも赤ちゃんも気が楽というものです。

■話し方

音による「会話」がとても進みます。あなたが一方的に赤ちゃんに話しかけるというより、ふたりで会話していると思いましょう。

赤ちゃんが話す順番のときは、ゆったりと間合いを取りましょう。おとなの番のときは赤ちゃんは、視線や体の動きによって、はっきりそうとわかるように示してくれます。

◆くり返しのことば遊びをしましょう

とても簡単なくり返しのあることば遊びは、赤ちゃんも喜びますし、得るものも大きいのです。生後6か月なら「いない、いない、バア」や「お手々パチパチ」といったもので、ずっと同じことばと動きをくり返し、生き生きした表情でやります。赤ちゃんの表情からどれだけ喜んでいるのかが読み取れます。ふたりで同じことをやると

わらべ歌を
たくさん歌いましょう
でも短めにね

きに、同じものに注意が向けられているかどうか、赤ちゃんがこの遊びに集中しているかどうかも、表情を見ていればわかります。

くり返しのあるわらべ歌を歌いましょう。自分で好きなように作ってもよいでしょう。この時期なら短いものがいいようです。

以前にもやっていたように、赤ちゃんをひざに乗せておかしな音を立てながらくすぐります。はねさせながら「ボン、ボン、ボーン」とか、前後にゆすりながら「ウー、ウー、ウー」とやれば、赤ちゃんは大喜びして、息をのむようにして待ちかまえ、その声をよく聞きます。

ほほえんだり、手をふったり、赤ちゃんの動きをまねします。赤ちゃんにもおとなの動きをまねしてもらいましょう。赤ちゃんがそういう動きの意味をせいいっぱい考え、自分とあなたの動きを比べているのがわかるでしょう。

7か月めにはいれば、やりとり遊びに少し変化をつけましょう。「いない、いない、バア」の「バア」の前や、「お手々パチパチ」で手をたたく前の一瞬、ちょっと間をおいたりします。赤ちゃんのしぐさを見ていると、次に何が起こるかと待ちかまえているのがわかります。とび出すおもちゃも同じようにわくわくできていいでしょう。

わらべ歌や手遊び歌も続けます。注意を向けていられる時間が長くなると、前よりいっそう喜んで聞くようになります。わらべ歌がわかるようになるのは、読むという力の大事なさきがけだと言われています。いつも同じことばと動きをすると、赤ちゃんはその遊びの名前を聞いただけで喜ぶようになります。「ギッチラコ、ギッチラコ、やるよ」というと、最初のギッチラコで、もうからだをゆすりはじめたりします。

赤ちゃんの出す音をそのまままねて返しましょう

8か月めにはいると、赤ちゃんのほうから遊びをしかけてきます。お母さんはもちろん、夢中になってそれに応じてあげることでしょう。自分たちの手で「お手々パチパチ」するかわりに、ぬいぐるみのクマちゃんに「お手々パチパチパチ」させたり、毛布のうしろから「バア」とやるなど、変化もつけられます。

◆赤ちゃんの出す音をそのまままねて返しましょう

音をまねて返してあげるのはとても役立ちます。赤ちゃんは真剣な眼差しでおとなを見つめ、とてもうれしそうな顔になります。赤ちゃんがある音を出したり、ほかの

一緒に「お話し」するときは
赤ちゃんにたっぷりの
持ち時間をあげましょう

赤ちゃんの動作に
ことばをつけて
あげましょう

音を返したりと、おとなと同じように会話の規則を守っているのもわかるでしょう。順番に声を出す、相手に耳を傾ける、発声のタイミングをはかる、そしてやりとりを楽しんでいるのは確かです。おとながこれをやればやるほど、赤ちゃんはもっと声を出して返してきます。

相手の言うことを聞くのは楽しいという大切なメッセージを、赤ちゃんは受け取っています。

もうひとつ、これを続けるのにはわけがあります。流れ続ける会話の何百という音の中から音を拾うのではなく、ひとつひとつの音を取り出して別々に聞けるからです。こうすることで、赤ちゃんは、舌とくちびるの動きによって出る音の違いがわかります。自分の音とまわりの音を比べる赤ちゃんの大仕事を、あなたは手伝うことになります。

赤ちゃんがくちびると舌を試すように動かし、どんな音が出るかなと聞いて「試している」のに気づくことが、きっとあると思います。

この期間の初めに、赤ちゃんが「ブブブ」や「マママ」といった同じ音をくり返し出しているときに、まねをして返しましょう。「バグ」といったふたつ以上の音の混じった音を出したら、できるだけうまくまねをして返します。赤ちゃんは、とっても喜びます。

◆赤ちゃんの言いたいことをかわりに言ってあげましょう

赤ちゃんがことばをわかろうとしているところなので、音を返すだけでなく、赤ち

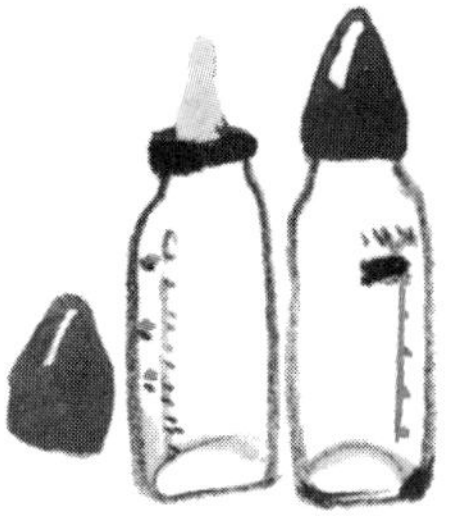

ゃんが表情やしぐさで表現しようとしていることを、あなたがことばにしてあげることがとても大切になってきます。

たとえば、赤ちゃんがなぜだかわからないけれど泣いているときには、「あらあら、悲しいのね」とか、しぐさに応えて「だっこ？　だっこして、たかいたかいしたいの？ほーら、たかいたかい」とか、あるいは8か月ころ、物を手から離せるようになり、何度も落とすようなら「あーあ、落っこちた」と言ってやります。

こういう話しかけで、赤ちゃんはことばがよくわかるようになります。この期間の終わりには、赤ちゃんが実際わかっているのに気づくことでしょう。

◆擬態語、擬声語といった遊びの音をたくさん使ってみましょう

蛇口から水が出るのを「チョロチョロ」とか、流れていくときには「ザーザー」というような遊びの音は、大切な目的をたくさん持っています。

声を聞くことは楽しいという大切なメッセージを伝え、音をばらばらに分けて聞くことで、音の違いに気づかせることができます。音と音源を結びつけるのにも、また注意を引きつけて集中させるのにも役立ちます。

私は先日、8か月児のお母さんにこのことを話していました。その赤ちゃんは声や話しことばにちっとも興味を見せないということでしたが、私がお母さんに遊びの音を教えて、実際にやってみせるたびに、赤ちゃんは手足をバタバタさせて大喜びしたのです。

このころの遊びの音としては、たとえば車を押しながら「ブーブー」とか、飛行機

には「ブーン」とか、何かを落としたら「アーアー」などです。この時期の終わりには、赤ちゃんはあなたの音をまねしようとするかもしれません。

ここでもうひとつ、「語りかけ育児」の大切な原則です。

◎どんなときでも、赤ちゃんに音やことばをまねさせたり言わせようとしないでください。

これは、赤ちゃんを抑え込む結果になるからです。赤ちゃんは人とかかわりたい、ことばを話したいという気持ちを持って生まれてきます。音をまねるように強制するのは、正常なコミュニケーションではないと赤ちゃんは知っています。

親としてはできるだけやさしく、「お話ししようね」と赤ちゃんを励ましているつもりなのでしょうが、親によって沈黙させられた赤ちゃんを私はたくさん見てきました。

ことばを無理にまねさせるのは最悪です！

「チョロチョロ」、「ザーザー」、遊びの音をたくさん聞かせてあげましょう。

文は短く
間に休みを
入れて

ハリーはとても元気で優秀な3歳児で、ことばの理解もすばらしいものでしたが、できるだけしゃべらないで、コミュニケーションをはかるようにしていました。指さしやものまねやこみいった身振りを使うものの、ひとことも口をききません。

ハリーが1歳のときにおばあさんが同居しました。おばあさんはさあ、孫にことばを教えようと思ったのです。「言ってごらん」の嵐に見舞われた挙げ句、こうなってしまったのです。

こういうたぐいの被害を受けたこどもはストレスを取りのぞいたとたんに信じられないほどことばが進歩するのですが、それはこの「語りかけ育児」のいちばんやりがいのある部分です。

◆短く簡単な文を使いましょう

短く簡単な文を使うことは、これからの数か月間、大切なことです。ここまで見てきたように、この時期の赤ちゃんは環境に恵まれれば、ことばの意味がわかる魔法のような瞬間に向かってどんどん進んでいます。

「公園に行くのだから、くつをはいてコートを着なくちゃ」などというたくさんのことばがつながった言い方では、その中から「足にはくものはこれだ」と赤ちゃんがわかるはずがありません。それに比べて「ほら、おくつよ。ジョニーのおくつ。くつを

家族や
おもちゃの名前を
お気に入りの
言いましょう

はこうね、はいはい」と言えば、赤ちゃんはたやすく「くつ」が何かわかるというものです。とはいえ「くつ」というふうに一語のみ言うのはやめましょう。そういう言い方は自然ではありませんし、ちょっとした言い回しや文よりも聞き取りにくいのです。

調子よく、ゆっくり、ことばの間に休みを入れた文を使ってください。この話し方なら、赤ちゃんは注意を引きつけられ、一語一語を取り入れる時間があります。いつもの遊び時間以外には、前と同じようにあなたのしていることを「実況放送」すれば、ふたりで気持ちのつながりを持てますし、母国語の「形」を伝えられます。

◆物の名前をたくさん聞かせましょう

赤ちゃんが人や物とその名前を結びつけようとしているので、代名詞より名詞をたくさん使うほうが役に立ちます。「それをあそこにすわらせようね」というよりは「クマちゃんをいすにすわらせようね」と言いましょう。

しょっちゅう聞く人や物の名前がいちばんわかりやすく、早く覚えられるので、家族の名前とお気に入りのおもちゃの名前を使うのがいいでしょう。

■赤ちゃんが何に注意を向けているかよく見ましょう

この時期の赤ちゃんにことばの意味を知らせていくためには、このことがいちばん大切です。赤ちゃんは見て、聞いている対象が同一である場合だけ、見ることと聞くことを同時にできるのです。赤ちゃんが見ているものに気づいたおとなが、タイミン

赤ちゃんの注意が向いているものに焦点を合わせて

グよくその名前を言えば、赤ちゃんは聞くことができます。

赤ちゃんの注意が向いているものを次々に追いかけていけば、赤ちゃんはそのつど、物の名前を聞くことができます。

赤ちゃんがボールを見たら、「ボールだね」といった短い文で、名前を言ってやります。もし赤ちゃんがまだ興味を持っていれば、ボールを赤ちゃんに向けてころがしたりして遊びます。もし赤ちゃんがほかの物を見れば、たとえば「ワンワンね」とその名前を言います。

赤ちゃんの注意力をいちばん強めるには、あなたが赤ちゃんの注意の向く方向に合わせていくことです。どの時期でも赤ちゃんやこどもに注意集中を強いることは、「注意を向ける力」を台なしにしてしまい、赤ちゃんの進歩をさまたげます。

この時期にはふたりで共通のものを見ていることがとても増え、集中している時間も増えているのに気づくでしょう。

■赤ちゃんに質問するときには

前の3か月と同じです。「あら、毛布をはいじゃったの?」というふうに赤ちゃんの動きを言い表す方法として、質問していると思います。ほかには「哺乳《ほにゅう》びん、ほしいのね?」や「これはなーんだ?」といった話しかけや注意を引くやり方としてでしょう。

返事を期待していない質問ですから、これはけっこうです。

■「語りかけ育児」の時間以外には

赤ちゃんがおもしろいと思っていることについて、たくさん話しましょう。赤ちゃんの注意しているものを見つけて、それについて話す習慣があなたにつけばつくほどいいのです。

外に出て、もし赤ちゃんがイヌをながめていたら、「ワンちゃんよ。走っているね。ほえているのが聞こえるわ」と言います。お皿に昼ご飯をよそっているのを、赤ちゃんがじっと見ているときには、「じゃがいもよ、それからにんじんもね」とでも言いましょう。

遊び

どの時期でも遊びはことばを教えるのにもってこいの道具ですが、ここでもようすが変わってきます。この時期にいちばん目立つのは、赤ちゃんがまわりの世界をわかってきて、まわりの人や物をもっと知りたくなるため、いろいろな物や場面が、どんどん遊びに取り入れられることです。（赤ちゃんや幼児はいろいろな遊びの段階を行ったり来たりします。2歳の子でもくたびれたときには、6か月の赤ちゃんと同じようにお母さんのひざにすわって、歌ってもらうのが大好きです）

赤ちゃんはやりとり遊びも、物を使って遊ぶのも大好きです。ときには物に熱中して、ほかの人を寄せつけないこともあります。

6か月

この時期の赤ちゃんのいちばんのお気に入りはことばであれ、身振りであれ、次の見当がつくやりとり遊びです。ふたりの役割がわかり、相手のやることも、自分の順番もわかっています。つまり赤ちゃんは歌でもゲームでも、何度も何度もくり返すのが大好きなのです。くり返してはしっかり手ごたえを感じていますから、ちょっとだけでも変わるのはいやなのです。「いない、いない、バア」「お手々パチパチ」のようなごく簡単な遊びがぴったりです。まったく同じかけ声でも、赤ちゃんはどきどきして待っています。

お父さんの背中は飛行機の上みたい。「ひこうき、ブーン」といいながら、動いてあげます。

それぞれの役割がわかりやすいので、少ない動きでも、ふたりとも大いに楽しめます。順番を交代するのは、人とかかわる能力を育てることにもなります。

赤ちゃんをひざにすわらせて何か言いながらゆするといった、からだの動きと一緒になった歌やことば遊びは、まだまだ楽しめます。この月齢の赤ちゃんはからだのふれあいがある遊びが大好きですし、からだの動きを伴った歌は大のお気に入りです。こういう動きは、注意集中を長続きさせるのに欠かせません。

おとなが赤ちゃんのまねをしてやると、赤ちゃんはものすごくおもしろがります。まねしてもらうことで、赤ちゃんは自分自身の動きや、それが相手にどんなふうに受け止められたかを知ります。

いろいろなものを探索したがります。注意を集中できる時間がまだ短いので、いろいろな種類の物を用意してやりましょう。赤ちゃんはあれやこれやと移り気です。色、形、材質、それに物が立てる音もまだまだおもしろいのです。音を覚えると、何度も試してみたがります。

親がこういう遊びを用意して一緒に遊んでやると、

ひとり遊びだけをさせられた赤ちゃんよりも、遊びの種類がずっと豊かになります。

7か月

この月齢でも、赤ちゃんはまだ「いない、いない、バア」のようなやりとり遊びが大好きで、何回もくり返します。赤ちゃんはもう知りつくしていますから、「バア」と言う前にちょっと長めに間合いをとったりして変化をつけてあげると、くぎづけになって大喜びします。

こういう遊びを通して、赤ちゃんは声を聞くのは楽しく、聞くといいことがあると思うようになります。ここでも親と一緒の体験を積んでいるのです。自分でも紙で顔を隠したりして、やりはじめるでしょう。この時期は飛び出すおもちゃのようなものでびっくりするのが大好きです。

赤ちゃんにとってもおとなにとっても、まねをすることが遊びになってきます。相手の表情と動きをまねることから、赤ちゃんが食べ物をさしだすような、あ

げたりもらったりの遊びに発展します。

赤ちゃんは物に興味を持ち、遊びにも物を使うようになります。赤ちゃんが物を見る、親がその視線をたどる、その物を手渡す、そして遊びに使うというのが、よくある順序でしょう。赤ちゃんに向けてボールをころがしたり、赤ちゃんが足の間で車をとらえられるように車を押したりします。

赤ちゃんはつかんだものは何でも、熱心に調べてみます。口に入れたり、ふって、たたいて、じっと見て、投げて、さわって、かじってみます。

8か月

遊んであげると、いちばん喜ぶ時期です。「いないいない、いないいない、バア」のような簡単なやりとり遊びは引き続き大好きですが、いろんなふうに変化します。赤ちゃんのほうから始めるばかりでなく、おとなに向けて声を出し、表情と動きで返事を催促して「会話」を始めます。赤ちゃんはおもちゃをさしだしてはひっこめてみたり、おおげさにいやいやしてみたりといった新し

相手の表情と動きをまねるのが大好きなので、あげたりもらったりのゲームに発展します。

い遊びも始めます。

これまでと違うのは、遊びにも変化をつけると喜ぶことです。ボールをころがすなら、親は赤ちゃんでなく、ぬいぐるみのクマに向けてころがしたりしましょう。「お手々パチパチ」と聞けばどの遊びなのかわかり、赤ちゃんはことばとその遊びを結びつけていきます。記憶が働き始めて、遊びにめりはりがつきます。

赤ちゃんは遊びの場面を覚え、見覚えのあるおもちゃをほしがり、見えなくなったおもちゃを探します。見えないものに対する理解は、まだごく初歩的なもので、赤ちゃんは自分の目をおおったときには、自分の姿は他の人に見えなくなると思っています。

まねは遊びの中で重要性を増してきます。初めはほとんど反射的という感じだったのが、こみいったものになってきます。赤ちゃんはまねをすることによりいろいろな表情や動きの意味を理解しようと努めているみたいです。

ボールや車を使ったやりとり遊びでは、初めておもちゃとおとなの両方と同時に遊べるようになります。

TOY BOX おもちゃばこ

必ずしもおもちゃでなくていいのですが、探索するためのいろいろな物を用意してあげてください。箱、紙袋などでも、口に入れて安全ならば、何でも遊び道具になります。いろいろな形や輪郭、色、材質が楽しみの対象になりますから、いろいろな種類の物が必要です。望ましいおもちゃの例として、次のようなものがあります。

◎倒せるおもちゃ（おきあがりこぼしなど）
◎飛び出るおもちゃ（押すと飛び出す、回すと飛び出す、などの仕掛けのあるプレイボードなど）
◎回るガラガラ（押したり、つまんだり、引いたり、回したりできるプレイボードなどについています。フィルムケースにストローを切ったものやビーズ、スパンコールなどを適量入れ、開き口を接着テープでしっかり閉じると、音や動きの変化を楽しめるガラガラができます）

◎敷物（シーツや大きなバスタオルに乗せてそりのように引っぱってあげたり、寝かせて両端をおとなふたりで持ってブランコのように揺らしたり、隠れて「いない、いない、バア」をしたり、はいはいで潜り込んだり、上にボールや人形を乗せて揺らしたり、大きめな布は楽しいおもちゃになります）
◎くるくる回るおもちゃ（玉ころがしなどを好みます。玉ころがしは簡単に作れます。ラップ芯《しん》などの筒にカッターで何か所か窓をくりぬき、透明なセロハンなどでふさいだものをいくつか用意し、傾斜をつけて両面テープで壁に貼《は》ります。出口には空き缶を置きます。鈴などを筒に入れるとコロコロころがり、カーンと缶に落ちてきます）
◎赤ちゃん用の鏡
◎積み木と箱
◎ビニールのボール
◎紙（この段階の赤ちゃんは紙と遊ぶのが大好きです。くしゃくしゃにしたり、ふり回したり、かくれんぼにも使えます）
◎音をたてるおもちゃ（ガラガラや簡単な楽器。鍋《なべ》のふたやスプーンといったものでもいいでしょう。プラスチックびんに米や豆を詰めたりしても、おもしろいものが作れます）

赤ちゃんの物を調べる情熱はおとろえません。運動機能が向上し、親指と人さし指で物をはさむようにして持つこともできるようになるので、容器に入れたり出したりができます。そしてついに、自分から物を手放すことができるようになります。この能力が、赤ちゃんが物を落としてはおとなに拾ってもらうというお楽しみゲームにつながっていくのです。

赤ちゃんは初めてふたつのものを結びつけることができるようになります。たとえばカップを受け皿に乗せる、スプーンをカップに入れるといったことです。音を出すおもちゃはあいかわらず大好きです。

まわりに楽しめるものがたっぷりあれば、20分はひとりで遊んでいられます。ふつうは赤ちゃんはおとなにそばにいてほしがりますが、このひとり遊びの時間はとても大切です。じゃまされずに、すべての注意を調べることに向ける時間が必要なのです。赤ちゃんの注意は、まだひとつの感覚だけに限られていることを忘れないでください。

赤ちゃんはほかの赤ちゃんをめがけて行こうとします。一生懸命おもちゃをふって見せてかかわろうとします。

おとなは、何度でも拾ってあげましょう。

BOOK SHELF 本棚

厚紙や布の本もおもちゃになりますが、かんだり、たたいたりしてもよいものにしましょう。もし赤ちゃんが喜ぶなら、ときにはひざにすわらせて、一緒に絵本を見るのもいいでしょう。

TV & VIDEO テレビとビデオ

まだ見せないでください。この大切な時期、赤ちゃんは学ぶことがたくさんあるのに、そのじゃまをするだけです。

キャタピラ

[用意するもの]こどもがもぐり込めるくらいの大きさの段ボール箱。
[作り方]段ボール箱の上下を開いてトンネル状にする。
[遊び方]中にはいって段ボールの内側を手で押すように、はいはいで進むキャタピラ遊びをします。トンネル遊び、いないいないバアやかくれんぼ、ボールのやりとりなども楽しめます。

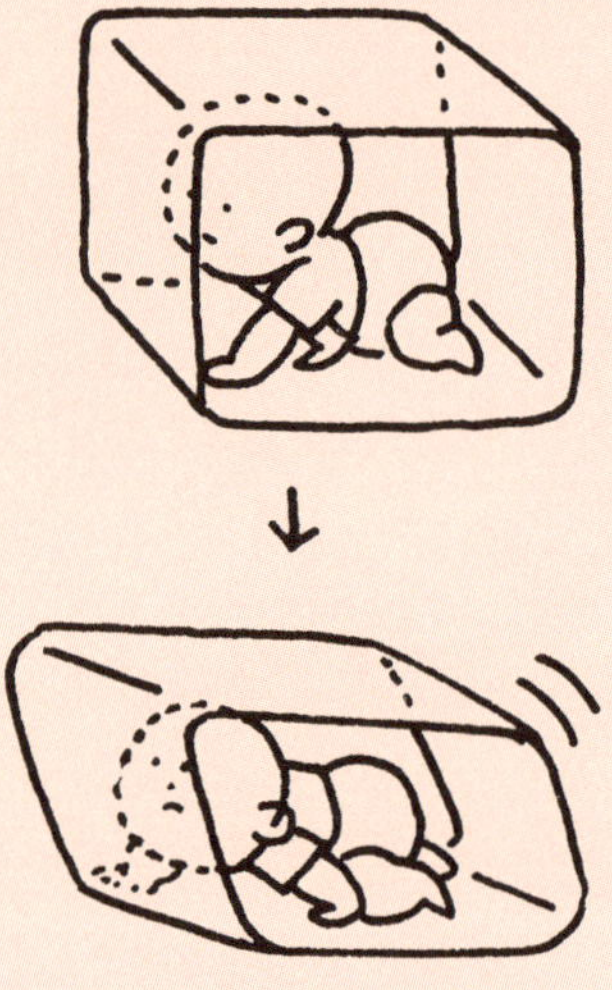

ブラックボックス

[用意するもの]粉ミルクの空き缶、ミルク缶を包む大きさにアームカバー状に縫った布、ゴムひも、リングビーズやプラスチックのチェーン、空き缶の中に入れる人形など。
[作り方]❶底と開口部をゴムで絞るようにした布で、ミルク缶をおおう。ゴムの絞り方は、こどもが手を入れやすいように加減する。
❷リングビーズをチェーン状に長めにつなぎ、缶の中に入れる。
[遊び方]ゴム口から手を入れて、中のものを出し入れします。上手ににぎれなくても、チェーンなら指でひっかけて取り出せます。先端に鈴をつけたリボン、手ざわりの違う小物や音の出る人形など、入れるものを工夫しましょう。こどもの腕が底に届く大きさの箱の上部を円形に切り取り、流しのゴミ容器にはめるゴム製の菊割れぶたをつけたブラックボックスも人気があります。

ここに書かれているのは平均的な発達のようすです。赤ちゃんによってそれぞれ発達は異なります。お子さんがここに書かれていることを全部できていなくても心配ありませんが、満9か月で、「気がかりなこと」にあてはまる場合は、専門家に相談してみてください。また、赤ちゃんについて疑問な点があれば、いつでも保健師や、かかりつけの医師のところに連れて行きましょう。

まとめ

満9か月ころの赤ちゃんのようす

◎おとなの注意を引こうとして大きな声を出します。
◎おとなの出す音と声の「調子」をまねします。
◎「だめ」と「バイバイ」がわかります。
◎音のくり返しのある長い喃語を言います。
◎「だめ」と言うと、やっていることをかなりやめます。
◎なじみのあるものや人の名前をわかっています

気がかりなこと

◎自分あるいは家族の名前がわかっていないらしい。
◎人に話しかけるような音を出さない。
◎「マママ」「ババババ」といった喃語を出さない。
◎「いない、いない、バア」といったやりとり遊びを楽しまない。
◎音の出るおもちゃにまったく興味を持たない。

６か月〜満９か月までの

参考文献

J. Bruner
Child's Talk: Learning to Use Language
(New York, Norton, 1983)

D. Messer
The Development of Communication
(Chichester, Wiley, 1994)

C. Trevarthen
"Communication and Co-operation in Early Infancy" in M.Bullowa (ed)
Before Speech
(Cambridge University Press)

R. Baillergeon
"The Object-Concept Revisited" in C. Gramrud (ed)
Visual Perception and Cognition in Infancy
(Hillsdale, New Jersey Lawrence Erlbaum Associates Inc., 1993)

身振りを使いましょう

9か月から1歳まで

この時期、赤ちゃんは
本当に楽しい存在です。
お母さんを笑わせるのが大好きです。
赤ちゃんは、ことばの「かたまり」に
注意を向けています。
ゆっくり大きめの声で話しましょう。
身振りを使うことはとてもいい方法です。
赤ちゃんが指さすものの名前を
言ってあげましょう。
物の名前を間違わずに覚えられます。

9か月
37〜40週

ことばの発達

赤ちゃんのほうから会話を始めたり終わらせたりします

この月齢の赤ちゃんは、とても社会性が高まってきます。人がそばにいることを以前より強く意識し、人の気持ちや人のようすにもかなり敏感になります。ことばにますます興味を示し、新しいことばをじっと聞いています。順調ならば、あまり気を散らさずに話を聞けるようになっています。

この月齢の赤ちゃんは、ほかの人の身振りやことばが何かを表していることが、以前よりはっきりと理解できるようになります。近くのものだけでなく、だんだん遠くのものも見るようになります。このことが物の名前がわかるようになる力と重なり合っています。

両親が、新しい本をおもしろいと思っているようだとか、何かがこわれてあたふたしている、といったこともわかり始めます。

こうやって赤ちゃんは、ほかの人への関心を深めるだけでなく、ほかの人がどんなふうに反応するのかを敏感に感じとるようになります。ほかの人も自分と同じように感情を持っているとわかることは、今後、人とかかわる力が伸びていくためにとても大事なことです。

また赤ちゃんは、自分がすることをおとながどう思うかもわかってきます。たとえば床に食べ物を落としても、お母さんはちっとも喜ばないとわかります。

この時期には、話し声の調子がどんな意味を持つかがわかるようになりますし、よく知っている人や物の名前を聞き取ったり、ありふれた「ボール」「クマちゃん」「ネコ」といったものの名前がわかるようになります。

社会性が身についてきた赤ちゃんは、自分の名前を呼ばれるとその人をじっと見つめるようになり、ちょうだいと言われれば人に物を渡すし、「バイバイは？」と言われれば手をふってくれるようになります。

このころまでに、赤ちゃんは母国語に必要なすべての音を聞き分けられるようになります。音素（たとえば「ピン」と「ビン」のようにひとつの音の違いで意味が変わってくる語音の最小単位）も聞き分けられるようになります。

不思議なことにこの音の聞き分け能力が完成するころに、初語（初めてのことば）が出現するのです。

これまではおとなが赤ちゃんのコミュニケーションを解釈してきましたが、この時期、ようすは一変し、赤ちゃんが会話の主導権をにぎるようになります。ほとんどの会話を赤ちゃんのほうから始めたり、おしまいにしたりします。

赤ちゃんは自分や物に注意を引きつけたり、あれがほしい、こうしてほしいと伝えたり、あいさつしたりできますが、おとながわかってくれないときには、もういちど声を出して、わかってもらおうとします。

赤ちゃんはほとんどの場合、音と身振りを組み合わせてコミュニケーションをはかります。何かを指さして「アン、アン」と言えば、それがほしいという意味です。ことば遊びも大好きで、自分でやります。物を落としたときの「アーア」といった、おとなの決まり文句も大好きでまねします。

喃語《なんご》の音もとても調子よく、ことばのようなリズムとアクセントがあって、まるで本当の外国語をしゃべっているみたいです。

赤ちゃんは、ほかの人の反応を敏感に感じとっていきます。ほかの人も自分と同じように感情を持っているとわかることはとても大切です。

発育のようす

おもちゃの扱いがうまくなり遊び方が広がります

赤ちゃんは数分間ならひとりでおすわりして見たいものを簡単に手に入れられるようになります。かがみこんでつまみあげることも、横を向いて手を伸ばして取ることもできます。おもちゃも以前よりずっとうまく扱えるので、遊び方が広がります。

物を手放すこともかなりうまくなります。お手本を見せれば、箱に積み木を出し入れしたり、ハンドルを持って鈴を鳴らしたりできます。ボールがどっちのほうにころがるのかが、予想できるようになります。おもちゃを投げたり、包みをほどいたりしますし、おもちゃに布をかぶせてみせると、その布を引っぱっておもちゃを見つけることもできます。

こうやって物を探索することによって、固いと柔らかいや重いと軽いといった概念を、ことばと結びつけることができるようになってくるのです。

この時期、赤ちゃんはいっそう活発に動くようになります。

赤ちゃんはまわりを見回すことができるようになり、寝返りだけでなく、はいはいや、いざりばいなどで動けるようになります。ちょっとの間家具につかまって立ったり、つかまったまま伝い歩きするかもしれません。この体勢からひとりですわるのはまだ無理です。

着がえも進んで協力してくれます。洋服に手や足を通したりしてくれますし、帽子を脱ぐのもとても上手です。

着替えに進んで協力してくれるようになります。

注意を向ける力
見ることと聞くことを同時にできることがあります

この時期の赤ちゃんは、自分で始めたことなら短時間集中できますが、音や動きによってすぐに気が散ってしまいます。使うのはまだほとんどひとつの感覚だけですが、気が散るようなものがまわりになければ、ひとつのものを同時に見たり聞いたりでき始めます。

赤ちゃんとお母さんは指さしや、お互いの視線の方向を追うことによって、ふたりで同じものを見ることが楽にできるようになります。

赤ちゃんとお母さんは、ふたりで同じものを楽に見ることができるようになります。

聞く力
生後1年になるころにはあまり気を散らさず、話が聞けます

この3か月は、聞く力の発達のためにとても大切な時期です。うまくいけばこの時期の終わりまでに、選択的に聞くという、いちばん大切な能力を身につけます。

選択的に聞く、とはまわりのすべての音の中から、聞きたくない音は無視し、聞きたい音だけを選び出して注意を向ける力のことです。生後1年になるころには、赤ちゃんはあまり気を散らさずに話を聞くことができるようになり、どの音がどこから来ているか、音源がわかってきます。

耳から得る音が意味を持ち始めたのです。この発達は赤ちゃんが動き回ったり探索したりできることに、大いに助けられています。赤ちゃんはただ見回すだけでなく、音源を確かめにいくことができるからです。

これがうまくいかないこどもが増えています。しかも不幸なことに、この選んで聞く能力は、何年かたって大きくなれば自然に身につくというものではありません。選択的に聞く力がうまく育っていないことがこどもの学習障害の基盤にあるのではないか、と多くの学校の先生たちは考えています。

知ってる音のレパートリーが少ないと、音を聞いたときに何の音かがわからず、赤ちゃんは聞こうとしなくなります。

ここ15年ほどの間、社会がだんだんうるさくなってくるにつれて、この問題は大きくなってきています。

15年ほど前から、私は保育園の先生がこども達が話を聞けないとなげくのに気づいていました。それから幼稚園の先生が、そして小学校の先生が、いまでは中学や高校や大学の先生までが同じ悩みを抱えています。

私が15年前に行った9か月児の聞く力の調査では、20パーセントのこどもに重い〝聞き取り困難〟がありました。その子たちは音を聞いたときに何の音かがわかるという音のレパートリーが本当に少ないため、音に意味を見いだせず、聞こうとしなくなっていました。

音に反応しないために耳が聞こえないのではないかと思われた子もたくさんいました。大きい音や聞きなれない音でもまったく無視してしまうような、不規則で一貫性のない反応をする子もいました。そういうこども達はまわりの音の中から聞きたい音を選ぶことができず、何かを見たり触ったりすることにちょっとでも気をとられていると、全然聞くことができませんでした。

この子たちは、ことばとその意味を結びつけることができていませんでした。この時期には当然獲得しているはずの力であるにもかかわらず、です。声は解読できない暗号だと思っているようで、何よりも人の声を無視することが多かったのです。

生後9か月から10か月にかけて、赤ちゃんはまわりの音をくわしく調べて、特定の音に集中するようになります。音を探すのに時間がかかりますし、選んだ音に注意を向けるのも短時間にすぎません。でもこういうことを通して、以前聞いたことのある音と比べながら、音を意味づけするための知識をたくわえていくのです。

赤ちゃんは以前に比べると、見たりさわったりしているものが立てる音を聞き取るのが、少し上手になってきます。しかし、この能力も、聞きたい音とまわりの音との間に大きな音量差がある静かな環境の中でしか発揮されません。

10か月
41〜44週

ことばの発達

「いない、いない、バア」などのことば遊びが大好きです

赤ちゃんはどんどんことばを理解するようになります。よく知っている物や人の名前を聞くとまわりを探して見回したり、「パパはどこ?」「ママのところへいらっしゃい」といった簡単な問いに応《こた》えたり指示に従ったりすることがあります。もっとも対象がはっきり目に見えるものであることが大事です。

身振りもぐんとうまくなってきます。赤ちゃんは腕を伸ばして物を指さしたり、「どこ?」と「あっち」も手の動きで伝えたりします。「シュシュ」や「ババババ」といった音が出ますし、くちびるの間で舌をふるわせる音をまねして楽しんでいます。ごくまれに単語が出ることもあります。リズミカルな音楽には、腕や体全体を動かして喜んで合わせています。

「いない、いない、バア」や「お手々パチパチ」のようなことば遊びが大好きで、自分からもやり始めます。

ひとりのときも人がいるときも、いろいろな喃語でムニャムニャとたくさん「おしゃべり」します。赤ちゃんは会話とはどんなものか、会話に加わるにはどうしたらよいかを知っていて、自分の順番を守り、相手の番を予期して待てるようになります。

発育のようす

つかまり立ちやつたい歩きができます

まわりのようすがよくわかり、からだを上手に動かせるようになってきたため、ずっと細かい点まで物を探索できるようになります。すわったままぐるっと向きを変えて、物を受け取ったり、からだを伸ばして取ることもできます。

おもちゃを箱の中に隠すところを見ていたら、あとで見つけ出せます。指が別々に動き始めるので、親指とほかの指で物をつまむこともできます。

カップは受け皿の上に置く、ブラシでは髪をとかす、というような物の使われ方がわかってきます。

しっかりとつかまり立ちをして、少しの間ならひとり立ちもできます。つたい歩きもできますし、はいはいのスピードもなかなか大したものです。

この時期に、知能面での大切な発達があります。カップは受け皿の上に置くといった物と物の関係、ブラシでは髪をとかすといった物とできごとの関係がわかってきます。このことは、「ボビーのブラシ」「お茶がない」というように、物やできごとをことばで説明できるようになる大切な基礎なのです。また絵も喜んで見て、絵と実物の関係がわかってきます。

赤ちゃんは、何となくまわりを探索するのではなく、決めたものを取りにいくというように、目的のある動き方をするようになります。

注意を向ける力

自分で選んだことなら短時間集中できます

あまり変化はありません。人と同じものを見ることが増え、注意を集中する時間が少し長くなります。

聞く力

話し声にとても興味を持ち音源を見つけるのが早くなります

順調に発達している赤ちゃんなら、聞くことが好きで、音の中でも特に話し声にとても興味を持ちます。気が散るのも少しおさまります。音源を探し出すのも早くなり、特定の音に注意する時間も長くなります。

赤ちゃんは物を見たりさわったりしている間も、以前よりはよく聞けるようになります。

ごくまれに単語が出ることもあります。くちびるの間で舌をふるわせる音をまねて楽しんでいます。

11か月
45～48週

ことばの発達

本物のことばを初めて言う魔法の瞬間があるかもしれません

この時期からもう少し後まで、赤ちゃんは話し声に興味津々になります。この時期の赤ちゃんがどのくらいことばをわかっているかは、環境によってずいぶん異なりますが、ことばを使い始める時期はほとんど一定しています。このことから見ると、ことばの使用開始時期はかなり生物学的に決まっているようです。

この時期の赤ちゃんは以前よりたくさんの物の名前と、会話の中の「もっとほしい？」といったちょっとした問いかけがわかるようになります。赤ちゃんは首をふったり身振りをしたりして返事をします。ときには、うながされて「バイバイ」と声に出すかもしれません。

赤ちゃんは人と物とを関連させ始めます。おとなの袖《そで》を引っぱったり指さしたりして何かを取ってもらうのは、物のために人を使うことですし、お盆をスプーンでバンバンたたくのは、物を使って人の注意を引くためです。

人の注意を引こうとして呼びかけたり、ほかのことがやりたいと主張するために声を出すことが、とても増えてきます。話しかけられると声で返事をします。赤ちゃんは声を出すときには調子にも気を配り、メロディーとリズムに変化をつけます。

赤ちゃんが伝えたいことは何なのか、親にとってはわかりやすくなります。

赤ちゃんはふざけたり、目立ったりするのが大好きで、いつもやっている遊びでもちょっとからかってやると喜びます。歌も一緒に歌おうとするし、「いない、

赤ちゃんが、お盆をスプーンでバンバンたたくのは、物を使って人の注意を引くためです。人のために物を使うことができるようになったのです。

いない、バア」では「バア」を言おうとするでしょう。まるで話しているような感じで、人にも物にも一日中おしゃべりします。

赤ちゃんの音声がまわりで話されていることば（母国語）の音になっていく過程はほぼ完成して、発する音はその国のことばの音に限られてきます。出せる音は、口の前部で出すp、b、真ん中で出すt、d、後部で出すkやgといった音などです。

車を見つけると「ブルン、ブルン」といった、まるで単語のような音を出し、また特定のできごとや物には、特定の調子の音を出します。それぞれの子に特有のものなので、身近な人でないとわからないかもしれません。音ははっきりしてきても、意味はまだはっきりしていません。赤ちゃんはよく知っているものの名前をまねて言おうとします。

初めての本当のことば（初語）を言う魔法の瞬間は、この時期が多いのです。1歳までに3語を言える子もいます（もっとも、多くの子ではもう少し後までかかります）。初語はよく知っている人や物の名前のことが多く、喃語でずっと使ってきたp、b、d、mの音がよく入ります。「ママ」や「パパ」といった親を意味することばが、いろいろな国の言語でよく似ているのはそのせいでしょう。

　この時期、わかっていることばはとても多いのに、言えることばがとても少ないのはなぜだろうと、親は不思議に思うのが常です。60語も知っているのに、言うのは2語か3語だったりします。これについては次のように考えてみるのはどうでしょう。

　私たちが外国の政治家の難しい名前を、初めてテレビやラジオで聞いたとします。その人に興味があって注意を向ければ、2度めに聞いたときにその人だとわかりはしますが、その人の名前は何度も聞かないと発音できるようになりません。

　私たちはときたましかそういう経験をしませんが、赤ちゃんは何百、何千という語に対して同じことをやらなくてはならないのです。ことばを聞き分けて、意味のわかることばはたくさんあるとしても、覚えるためには何十回も聞かなければなりません。

赤ちゃんは60語も知っているのに、言うのは2語か3語です。

発育のようす

車が押せます。スプーンでかきまぜるまねをします

　他の分野でも急激な成長が見られます。物を拾っておとなに渡したり、鉛筆でカタカタたたく音をまねたり、紙に書くようなかっこうをします。車も押せますし、スプーンでかきまぜるまねをしたり、顔を隠して「バア」もできます。はいはいも自由自在です。一瞬だけなら立つことができるようになり、この期間の終わりには初めて歩く子もいます。

立つようになると、手が自由に使えるようになります。

注意を向ける力

本気で集中しているときにはまわりのことは眼中にありません

1歳までに、ものを見ながら同時に聞くことがだいぶできるようになり、それほど気も散らなくなります。満1歳に近づくと、赤ちゃんは次の段階へ進みます。この段階では、自分から興味を持ったものにはじっと集中することがあります。赤ちゃんが本気で集中しているときは、まわりのおとなのことはまったく眼中にありません。集中が続く状態とすぐ気が散る状態が、しばらくは混じりあっています。

聞く力

選んで聞くことができるようになります

順調に発達していれば、赤ちゃんは選んで聞くという大切なことができるようになります。これができれば、将来学校に行っても安心です。また、音の持つ意味がわかってきます。

それでもまだ、聞く力を上手に育てるためには、赤ちゃんを望ましい静かな環境に置くことが大切です。

一瞬だけなら立つことができます。1歳近くになると、歩く子もいます。

9か月から1歳までの

一対一の遊び時間を続けましょう

1日30分間

語りかけ育児

■毎日、30分間だけは、赤ちゃんとしっかり向き合います

赤ちゃんはお母さんとふたりきりでいられるこの時間を、何よりも楽しみにしていることでしょう。幼い子はどうしても一日の大半をおとなに指図されていますから、自分がご主人さまになれる時間がうれしくて、ほかの時間よりもずっと素直になります。一日のうちの一部ではあっても、心を通わせる相手が毎日必ずいてくれることは、情緒面や行動面での発達にとても大きな影響を与えます。ときには時間をつくるのがたいへんでしょうが、どうぞ毎日続けてください。

とてもかわいい赤毛の双子、ケビンとネリーを思い出します。10か月の双子に最初に会ったとき、とても鋭敏なこども達だとすぐわかりました。ふたりは思い思いの方向へはいはいしていって、目にはいるものを何でも探り回りました。それなのに、ケビンとネリーは6か月児のことばのレベルでしかありませんでした。わかるのは自分の名前と「だめ」だけで、音もあまり出しませんでした。

お母さんは、片方の子の面倒を見てくれる近所の人を見つけ、夜はお父さんが帰ってきて、もうひとりを見てくれるのを待ちました。

いちばんの難題は、こども達自身が別々にされるのをとてもいやがったことでした。しかしそれもすぐに、毎日30分間、お母さんをひとり占めして、思う存分遊べるうれしさにふっとびました。お母さんもひとりずつ面倒を見る楽しさに気づきました。ふたりとも素晴らしい進歩をとげ、7歳のときには、10歳児並みの読解力と計算力を示しました。

これまで見てきたように、ことばを教えるには、その子の注意が向いていることについて話しかけるのがいちばんよいのですが、それを複数の子についてやるのはたいへんです。2番め、3番めのこどもが、最初の子よりことばが遅いのもまったく同じ理由です。たとえ20分でもそれぞれの子のために時間をつくれば、この問題もなんとかなります。

■始める前にチェックすること

語りかけ育児の時間にはまわりが静かであることが、いまなおいちばん大切です。この月齢は選んで聞く力を育てるにはとても大切な時期で、環境が悪いと育ちそこなうのです。

話しことばに関しては、どの音がどの単語に含まれているものなのかを聞き分けなければならないときなので、赤ちゃんがはっきり聞き取れることが肝心なのです。そ

遊びは
ことばと意味の
結びつけに
役立ちます

ういうわけですから、「語りかけ育児」の時間には赤ちゃんの近くにいるようにしましょう。研究によれば、赤ちゃんがこの時期にどのくらい話しかけてもらったか、その量が将来のことばの発達と非常に高い相関関係にあります。赤ちゃんにたくさん話しかけることを続けましょう。

この時期、赤ちゃんは条件さえ整えば、驚くほどの速さでことばと意味を結びつけていきます。この時期に決定的に大切なことは、あなたがことばと意味を結びつけていくための手助けをすること、それにつきます。

ことばと意味が結びついてゆくプロセスについて、ちょっと考えてみましょう。それは本当に驚異的な大事業なのです。

私たちが普通使っている言い方を考えてみましょう。「あら、お天気がよくなってきたわ。コートとくつを取ってきて、散歩に行きましょうよ」私たちは一体どうやってこれだけたくさんの単語の中から「くつ」ということばが、足にはくものを表しているとわかるようになったのでしょうか。

このことを見ても、赤ちゃんがことばと意味とを結びつけていくために、たくさんの手助けを必要とするということがわかります。そしてこの時期の「語りかけ育児」の目的は、その手助けをしてやることです。

この時期、ほかにも大切な分野で発達が見られます。選んで聞く力が発達して、言語の中の音をすべて聞き分けられるようになり、ことばを話し始めることです。また、まわりのようすが一段と理解できるようになります。

語りかける内容のいくつかは以前と同じですが、その目的は変わってきます。

■親子のふれあい遊びを続けましょう

以前から続けていたことばと動作が一体になった遊びが、ここで大いに役に立ちます。この3か月の間も、ずっと続けてください。

以前は、赤ちゃんが気づくのはあなたの話のおおまかな輪郭と調子だけでしたが、何度もくり返していると、ことばの意味がわかるようになります。

赤ちゃんは物やできごとの意味を知り、それに関係あることばがわかってきます。たとえば「たかい、たかい」ということばを、抱き上げられる動きと結びつけます。

ふたりで同じものに注意を向け、同じことを期待して待つということが何回もくり返し出てくる遊びは、同じものに注意を集中させるためのすばらしい方法です。

この時期そういう遊びをするとき、赤ちゃんは一人前の相手になります。初めはおとなが主導して順番を決めるとしても、何回か経験すれば赤ちゃんはすぐに対等に参加できるようになります。赤ちゃんは声を出す前に、次はお母さんの番よというように間をとっているはずです。あなたがしゃべると、赤ちゃんが黙り、あなたが黙ると赤ちゃんがまた声を出すように注意を払ってください。赤ちゃんは会話の基本的なルールを学んでいるのです。

遊びはなるべく同じ方法でやりますが、ところどころでは変化をつけましょう。変化のつけ方は「遊び」のページで説明してあります。間違えたふりをしたり、ルールを変えたり、待ちかまえているときにわざと長めの時間をとったりします。

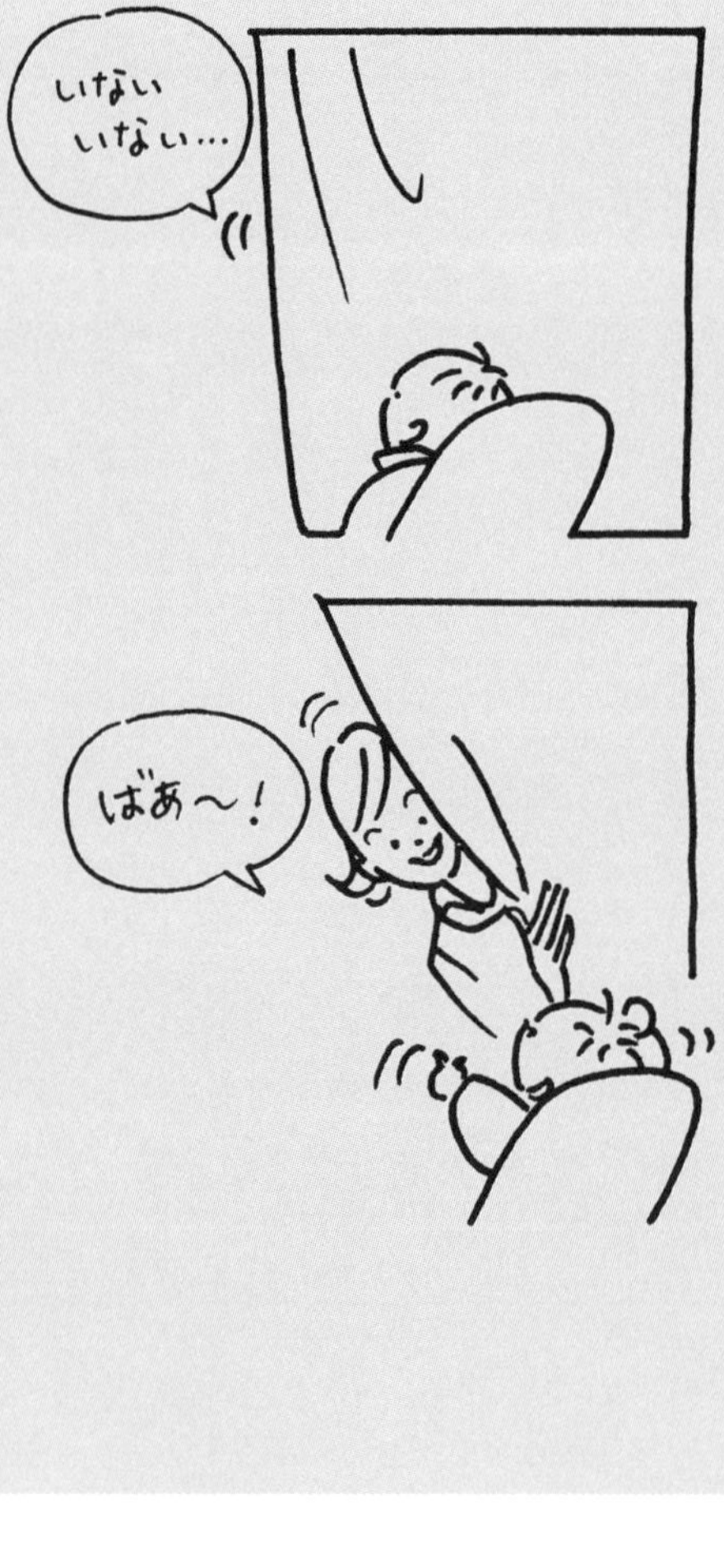

音による会話を続けましょう

■音を返すことを続けましょう

これはこの時期には、とても大切なことです。赤ちゃんの出す音は、ついにまわりで話されている母国語の音と同じになろうとしています。

赤ちゃんは何千ということばを聞いては、そのことばがどんな音で成り立っているのかを覚える大仕事にとりかかっています。音をまねて返すのは、赤ちゃんがくちびるや舌をどう動かすとどんな音が出てくるのかを理解しやすくし、自分が出す音とまわりの人が出す音とを楽に比べられるようにするためです。

そのためにも、音をくり返してあげるのがいちばん役立ちます。

■遊びの音を聞かせ続けましょう

車を走らせるときに「ブルンブルン」と言うとか、掃除しながら「スイースイ」と言ったりするのは、この時期にはとても役立ちます。

こういう遊びの音は赤ちゃんに、声を聞くのは楽しいというメッセージを伝え、声を聞く態勢をつくらせます。

シヨーンは8か月になってもほとんど口をきかないため、私のところに連れてこられました。極端におとなしい赤ちゃんで、お母さんにもまわりの人にも何かをせがむこともありませんでした。音を出すこともあまりなく、コミュニケーションにも別段興味がなさそうでした。出す音は母音だけで、いくつか音節がある

「ブルンブルン」とか
「スイースイ」などの
音遊びは
聞くことを
楽しくします

ような5か月児ぐらいのレベルでした。

私たちは「語りかけ育児」をすすめ、お母さんにいろいろな音を言って聞かせると同時に、ショーンの出す音に応じてあげるようにお話ししました。

2か月でショーンはどの点でも、年齢相当になっていました。

この3か月間の終わりまでに、赤ちゃんは周囲で話されている言語の中のすべての音を聞き分けられるようになります。そのことができるようになるためにも、遊びの音は大いに役立ちます。赤ちゃんは違う音が次々に連続して流れていくようなことばよりは、ひとつかふたつの音であるほうが注意を集中して聞けるのです。

あれこれ工夫をこらしてください。おもちゃを落としたときに使える「遊びの音」が、どんなにたくさんあるか、考えてみるだけでちょっとびっくりです。「バン」「ドスン」「ガッチャン」「アーア」などなど。ちょっと変わった音もどんどん使いましょう。「ドンドコドン」「オーオーオー」などです。

■赤ちゃんが注意しているものに合わせましょう

この時期、これは決定的に大切なことです。

物やできごとへ一緒に注意を向けることによって、おとなはことばの学習に最適の条件をつくり出しているのです。ことばは同じことを同じ文脈（前後の関係）の中でとらえていくことによってのみ学んでいけるからです。

おとなとこどもが共通のものに注意を向けた経験が長いほど、こどもの語彙《ごい》は広がり、後の文法構造の理解力も高まるということが、研究によって確かめられています。

名前の理解についての研究では、こどもが注意を向けているものの名前を言った場合と、おとなが勝手に選んだものについて名前を教えた場合とを比べると、前者のほうが、はるかによくことばを覚えていることがわかりました。

赤ちゃんが興味を持っているものをよく観察しましょう

具体的にやってみましょう。手近におもしろそうな物をたくさん置き、赤ちゃんの近くで、向き合うようにします。赤ちゃんが見ているもの、持つものに注意します。「それは、クマちゃん」と名前を言います。あるいはできごとに興味があるようなら「落っこちた」と動きを説明します。

赤ちゃんが見ているものだけでなく、赤ちゃんの心の中のものにできるだけ近づくほど、赤ちゃんには助けになります。

赤ちゃんが本にいろいろ興味を持っているとします。本をかじるのに一生懸命なら「本をかじってるのね」、ページをめくったら「ページをめくって」、絵そのものに興味を示したときは「それは車よ」とぴったりしたことを言ってあげます。やってみてください。ふつうはそんなに難しいことではありません。

同じように赤ちゃんがお母さんを見ているときも、ちょっとようすを見てください。お母さんが何かをやるのを赤ちゃんが待っているようなら、何かを指さしてその名前を言うなり、おもちゃを拾い上げて遊び始めるなりします。その場合、何をしているのかがはっきりわかるように、ことばで言ってあげてください。赤ちゃんの注意がそれたら、すぐにやめます。たとえ一瞬でも、赤ちゃんの注意を引き止めようとしないでください。

耳が聞こえていない
のではないかと
疑われたこどもが
聴力には
何の問題もないことは
しばしばあることです

■赤ちゃんが楽しく聞けるようにしましょう

聞きたい音を選び、聞きたくない音を無視する能力にとって、いちばん大切な時期です。この3か月の終わりまでですべてが順調に運び、望ましい環境に置かれているなら、赤ちゃんはちゃんと聞けるようになります。そうでない場合には、聞くことに関してはかなり困ったことになります。耳が聞こえていないのではないかと疑われたにもかかわらず、実は聴力には何の問題もなかった学齢前の幼児を、私はたくさん見てきました。

ハリーは1歳近くになってクリニックにやってきました。あたりをぼんやりと見回し、話しかける人をみんな無視していました。お母さんでもだめでした。どんなに大きな音の出るおもちゃをさしだされても気にもとめないし、となりの部屋でこどもが大声で叫んでも、何のそぶりも見せませんでした。

実のところ、私もこの子は完全に聞こえていないと思いました。両親も不安でいっぱいでした。お母さんにハリーの好きな食べ物をたずねると、クッキーだということでした。それからハリーが持ってきたおもちゃの中の特にお気に入りのものは、小さなクマのぬいぐるみだとわかりました。

私はクッキーをひと袋買ってきて、仕事にかかりました。ハリーの正面にすわり、クッキーをひとつずつ渡し、そのたびに袋をクシャクシャにして音を立てました。それからクマを使ってゲームを始めました。クマを持って近づき「くるぞ、くるぞ…バア」とやったのです。ハリーは両方ともとても喜びました。私はそれからハリーの正面でほかの人に気をひいてもらい、後ろに回ってクッキーの袋で音を立て、ときどき右側、左側に回ってごく静かにしゃべってみました。どんなに静かに私がしゃべっても、ハリーは、いつでもちゃんと音の来るほうを向きました。

「語りかけ育児」を4週間行ったあと、ハリーはどんなときでも、まったく正常に音に反応するようになりました。

アレクサンドラは私が初めて診たとき、生後11か月でした。かわいい女の子で、よく遊び、私にもよくなつきました。ところが1歳近くなのに、6か月児程度の短い音節の喃語をつぶやくだけでした。特に目立ったのは、ちっとも聞こうとせず、声だけでなくまわりの音もほとんど無視することでした。聴力検査では正常と診断されていました。

お母さんによれば、アレクサンドラはしょっちゅう自分ひとりの世界にいるように思えるというのです。アレクサンドラは双子で、もう片方の子より弱く、その上とても活発なお兄ちゃんがいました。おとなとふたりだけの時間を過ごしたことがなく、もちろん静かな時間などないことは言うまでもありません。また生後3か月から何度も耳の病気にかかったので、聞こえないときがあったのかもしれません。

私たちは聞くことに重点を置いたプログラムを指導しました。ひと月たって来たお母さんからの手紙には、すぐに大きな効果が表れ、ぐんとよくなりましたと記されていました。音によく反応し、喃語もどんどん長く複雑なものになり、静かな時間にはとてもよく聞こえているというのです。

1か月後にもう一度診てみると、アレクサンドラの聞く力、出す音、ことばの理解はすべて年齢の正常値の中にちゃんとおさまっていました。

この子たちは音と音源をしっかり結びつけることが、できていなかったのです。音の世界全体が何の意味も持たないので、聞くことをやめてしまっていました。手を貸

聞くことを
楽しくするような遊びを
続けましょう

してあげなかったら、学校でとても困ったことになっていたでしょう。

この時期の「語りかけ育児」では、聞くことは簡単でおもしろいというメッセージを赤ちゃんにたくさん伝えましょう。それにはまわりのうるさい音をなくして、楽しく聞きやすい音を聞かせることです。音の出るおもちゃをたくさん用意して、どうやって音を出すかを見せてあげます。聞くための時間を与えるのを忘れないように。音と同時に話しかけてはいけません。どうすれば大きな音や静かな音が、違ったふうに出せるか、見せてあげるのもおもしろいでしょう。

ひとつ、気をつけてほしいことがあります。既製品の音の出るおもちゃ、特にコンピューター制御のものにはとてもかん高い音を出すものがあります。これは、赤ちゃんの耳にはよくありません。

「語りかけ育児」の時間には動きのついたわらべ歌を取り入れたり、ひざにすわらせて面白い音を立てながらくすぐったりしましょう。赤ちゃんは喜び、声を聞くのは楽しいと思うようになります。

「語りかけ育児」の時間以外では掃除機のスイッチを入れたり、呼び鈴を鳴らしたりするときに、決まった音が出るのだということを聞かせてあげるのも、赤ちゃんが音と音源を結びつける助けになります。

■話し方

これまで、赤ちゃんの注意を向ける力や、意識の目覚めや気持ちの通い合いを助けるような話し方をしてきました。

単語でなく文を言いましょう

その話し方が今度は、ことばを理解していく上で決定的に大切になります。

9か月から満1歳というこの時期は、言語発達にとってとても重要な時期です。

◆文は短く簡単なものにします

この時期には短い文を使うことがとても大切です。理由はいろいろあります。

まず短い文のほうが、ずっと簡単に意味がわかるからです。「ワンちゃんがいる」と聞けば、何のことかすぐわかりますが、「イヌとネコがちょうど道を横切ったところよ」と言われても、すぐにはわかりません。

次に、赤ちゃんはどの音がどの単語に含まれているのかわからなければなりません

が、これは大仕事です。短い文のほうが音のつながり（単語）を聞き取りやすいのは言うまでもありません。こうやってだんだんにことばを覚えて言えるようになっていきます。

どんな場合でも、おとなの話しかけは赤ちゃんの言語理解のレベルと合っていなければなりません。「語りかけ育児」の大切な原則です。

文と文の間に休みを入れます

この時期の赤ちゃんは1語の理解レベルですから、大切なことばひとつがはいった短い文で話しかけましょう。たとえば「ネコちゃんだね」とか「ボールよ」です。この段階になっても赤ちゃんの注意集中時間は短いので、短い文のほうがいいのです。

言い回しは簡単に、でも文法的にきちんと正しくします。「ワンちゃんが机の上にいるわ」ならいいのですが、「ワンちゃん、机」はよくありません。文法的に正しい話し方は、赤ちゃんの「言語獲得装置」（402ページ参照）を働かせるのに、とても大切な手助けなのです。お母さんがこの時期に簡潔な言い方をすればするほど、こどもの文の長さがどんどん長くなるという研究があります。

短い文の終わりに、ちょっと休みを入れて、赤ちゃんが取り込む時間を与えます。赤ちゃんは休みと休みの間の「ことばのまとまり（文）」に注意を向け、それからもっと小さな単位のひとつひとつの単語や音に注意を向けます。

話題が変わるときには、いくらか長めの休みを取りましょう。

このころの赤ちゃんは、そういう休みのはいった話し方を好んで聞くことがわかっています。ここでも赤ちゃんは、何がいちばん役立つかを、ちゃんと知っているようです。

赤ちゃんは同じことばを何度も聞く必要があります

少しゆっくりした大きめの声で、いろいろな調子で話しましょう。この時期の赤ちゃんはこういう話し方に注意を集中しやすく、いろいろな調子やアクセントのつけ方が、文法をわかりやすくしてくれます。

「ママが来ましたよ」と言うときに、少し高めの声で初めの「マ」の音を強調して言ってあげると、この文で大事なのは「ママ」ということばだとわかります。(話し方を変にゆがめないように気をつけてください。自然な話し方をしましょう)

物の名前をなるべく多く使うように気をつけます。「それ、そこに置いて」よりは「コップをテーブルに置きましょう」のほうがよいのです。

短くてめりはりのきいた話し方は、赤ちゃんの注意を引きつけ意識を目覚めさせておくのに、とても効果があります。

くり返しも大切です。私たちはある単語を覚えて使えるようになるには、いろいろな文の中で何度もくり返し聞かなければなりません。外国語を習うときや、あるいはニュースで聞いたばかりの外国の首相の名前を思い出そうとするときのことを考えてみましょう。外国語のことばや、こみいった名前を言えるようになるためには、何度もくり返し聞かせてもらいたいと思うでしょう。わかることと、覚えることに大きな差があるのは、赤ちゃんにとっても同じことなのです。

そのためには、ことばのくり返しのある遊びやわらべ歌はぴったりです。また短い文を使って何度も物の名前を入れて言うこともできます。たとえば「ワンちゃんがいる。かわいいワンちゃん。ワンちゃんおいで」というふうに。もちろんお風呂や着がえの時間も、大いに使えるでしょう。赤ちゃんにとって同じことばを何度も聞くのは

とても楽しいことです。この月齢の赤ちゃんは、すでに知っている単語でも聞くのが大好きなのです。

◆身振りをたくさん使いましょう

身振りを使うのは、とてもいい方法です。物の名前を言いながら指さすのもけっこうですが、この時期もっと大切なのは、赤ちゃんが指さす物の名前を言ってあげることです。

生後9か月で、赤ちゃんはまっすぐ前にあるものは見られるのですが、視界を横切るものを見つけるのはむずかしいのです。このことを知っておくと、赤ちゃんと同じものに注意を集中しやすくなり、その結果赤ちゃんは物とその名前とを正しく身につけていきます。

ことばと意味を間違って結びつけてしまったこどももたくさんいます。

ちぢれっ毛で3歳のモリーは、車をドアといい、シャツをくつと言っていました。

モリーは10番めの子で、目をかけてくれるおとなもいなかったので、当然のことですが、物を見ては違う名前を耳にして、間違った結びつけをしていました。

私たちは叔母さんに1日30分モリーの相手をしてもらうことにしました。その間は、叔母さんが見てモリーが明らかに注意を向けている物についてだけ、その名前を言ってもらうことにしました。モリーの家族や先生にも、できるだけ同じ

赤ちゃんにことばを
言わせようとして
質問しては
いけません

ことをしてもらうように頼み、またモリーが間違った名前を言ったら、ごく自然に言い直してもらいました。

ゆっくりと、でも確実にモリーは正しい意味をつかんでいき、間違った名前を言うことはめったになくなりました。

身振りは、あなたが言っていることをはっきりさせるのにも使えます。たとえばミルクをつぎながら「ミルクをついでいるのよ」と言います。ときには赤ちゃんの身振りをまねるのも、おもしろいでしょう。赤ちゃんは笑って、もっとコミュニケーションをとろうという気を起こします。

■赤ちゃんに質問するときには

赤ちゃんの注意を引くための話し方として、質問の形式をとっているかもしれません。これはけっこうですが、赤ちゃんにことばを言わせるために質問するのは、絶対やめてください。

■「語りかけ育児」の時間以外には

赤ちゃんが興味を持っていることなら、何でも話しましょう。お風呂を楽しんでいるなら「パシャ、パシャ、アヒルさん。もぐって、もぐって、ほら出てきた」、コップを重ねて遊んでいるなら「もうひとつ、ほら、もうひとつね」というぐあいです。

遊び

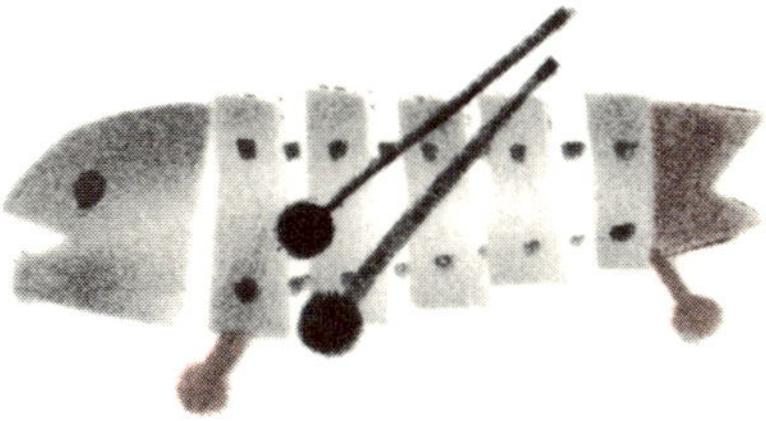

遊びはこの3か月間で急速に発達します。物の探索は続きますが、やり方がうまくなってきます。これは、目と手の協調が進み、からだの自由、中でも両手が自由に使えるようになってきたためです。

こういう能力のおかげで、箱への出し入れ、箱を開ける、包みを開ける、積み重ねる、車を押す、ボールをころがす、絵とおもちゃを合わせるなど、目的を持った遊び方ができるようになり、赤ちゃんはとても楽しそうです。

この3か月の間には、一生の楽しみとなる読書も始まります。これもうひとつの大きな到達点です。赤ちゃんは鉛筆をにぎり、紙になぐり書きをします。赤ちゃんは字を書くことへの第一歩をふみ出したのです。

やりとり遊びもまだまだ大好きです。始めるのも、続けるのも赤ちゃんにまかせましょう。

もうひとつ、大切なのは、こどもどうしのかかわりです。ほかの子におもちゃを見せたり、あげたり、おもしろいものを教えたりするでしょう。おもちゃを取り上げることもあります。仲よくしたり、けんかしたりの始まりです。

9か月

赤ちゃんは手のひら全体でつかむだけだったのが、人さし指でつついて調べたりできるようになり、物の手ざわりや形についての知識を増やしていきます。まだ、口に運んで確かめることもたびたびですが、目と手で調べるほうが多くなってきます。

細かいところに興味を持つようになり、人形のドレスの模様をじっとながめたりします。あちこち動き回り、いろんなものを手に取ったり調べたりするのが大好きです。そうやってだんだんにまわりのようすを理解していきます。

こんなふうに自分で動き回れるおかげで、まわりのようすの理解が進み、音源を探しに行くことができます。これは選んで注意を向ける力の発達を引き続き進めていく上でとても重要です。

こういう探索遊びは、概念やカテゴリー分類の理解を進める助けになります。概念や領域がわからなくては、ことばを意味あるものとして使えるようにはなりません。赤ちゃんはたとえば厚いと薄いの区別がつき、ころがす物と投げる物といった区別ができるようになります。ことばはこういうことにあとから付け加えられていくのです。

こうすればこうなるという原因と結果がわかっているのは、まだごく限られたものについてだけです。積み木でテーブルをたたくと音がするということがわかる程度です。音の出るおもちゃは大好きです。

赤ちゃんはおとながやっているのをまねておもちゃで遊びます。お母さんがやってみせれば、クマのぬいぐるみをピョンピョンさせたりもできます。

いろんなものを調べるのが大好きです。ティッシュにも夢中になります。

わらべ歌は、この時期に最適の遊びです。偉大な言語学者ピンカーは、人間の目は縞《しま》に引き寄せられ、同じように耳はわらべ歌に引き付けられる、と言っています。「言語獲得装置」（402ページ参照）がここでも働きます。赤ちゃんはおとなのひざで、わらべ歌を聞くのが大好きです。よく知っている人や動きを歌う単純な聞き慣れた調べが、お気に入りです。「ねんねんころり」といった子守歌や、「あがり目さがり目」のようにからだの一部を使うものや、服や着がえを題材にしたもの、動きがついた歌も大好きです。

赤ちゃんは自分から積極的に遊びに加わるようになり、この時期からおとなと対等なパートナーになります。何週間もあきることなく同じ遊びをくり返します。遊びのことばと動きがわかっていて、次を楽しみに待ちかまえていることが、身振りと声ではっきりわかります。くり返しやっているうちに自分の好みのリズム、調子、アクセントなどをつくり出していきます。

順番にやるゲームがこの時期、いちばんのお気に入りです。興味深いことに、赤ちゃんはちょうどこのころ、まるで階段を1段上ったみたいに声による会話を始めます。

おとなとかわりばんこに車を押したり、ボールをころがすのが、とってもおもしろいのです。かくれんぼや鬼ごっこのように、役割を交代するのも大好きです。

10か月

赤ちゃんは物をいろんなふうに区別して扱います。積み木を箱に出したり入れたり、箱をあけたりもします。車を押すのも上手になり、「ブルン、ブルン」といったことばのような音を添えます。おとながやってくれることをまねるのが大好きです。

カップと受け皿は対になる物といった関係がわかりはじめます。これはことばを組み合わせる上で、欠かせない力です。

赤ちゃんは絵と実物の関係がわかり、一生の楽しみである読書への第一歩を踏み出します。よく知っている物があざやかな色で描いてある絵が好きで、本をかじらずに、ちゃんと見るようになります。ページをめくるようにもなります。

10か月までには、わらべ歌についている動きがわかるようになります。

11か月

柔らかいおもちゃで遊ぶのをとても喜び、クマのぬいぐるみを抱っこしたり、人形のベビーカーを押したりする遊びが始まります。

本物のカップやヘアブラシで遊ぶのも大好きです。お母さんが使うのを見ているので、自分で使うときにはどういうふうにするのか、暮らしの中でどんな役割を果たしているのか知りたいのです。本物に似せたおもちゃの動物なども好きです。

赤ちゃんは、本をかじらずにちゃんと見るようになります。よく知っている物があざやかな色で描いてある絵が好きです。

赤ちゃんは物の使い方をわかっているような遊び方をします。車を走らせクマを歩かせますが、その反対はやりません。おとな用の道具の使い方、たとえば電話は話すためのものだとわかっていて遊びます。

赤ちゃんは目と手の協調が進み、手先も器用になるので、簡単な穴あきボードに棒を刺したり、広口コップを重ねたりできます。紙や段ボールでも遊び、自分がはいれるような大きな箱には大喜びします。

赤ちゃんは、物の使い方をわかっていて遊びます。

決まりきった遊びには、おとなが変化をつけてやると大喜びします。「いない、いない、バア」の「バア」の前で少し時間をとるなど、次の動きの前に少し間合いをとります。追っかけっこを始める前に、赤ちゃんのほうが、もう追いかけてもいいよと知らせる時間をとるようにします。赤ちゃんが自分のほうにボールがくると思っているときに、わざとクマのほうへころがすふりをしてびっくりさせるといったこともやってみましょう。

遊びの素材

遊びの種類が増えるにつれ、適切なおもちゃを与えることが、だんだん大切になります。

よいおもちゃなら、これから数か月間はとても役に立つでしょう。注意を集中できる時間は短いので、次々注意が移り変わってもいいように、おもちゃの数をたくさん用意する必要があります。

こういうもので遊んでいるときの赤ちゃんは、お母さんがそばにいて、ときどき遊び方を見せてくれるといいなと思っています。

赤ちゃんが物を手放すという新しい能力に気づいて、何でも落とすようになったら、くり返し拾って返してやります。赤ちゃんは手助けしてくれるおとながそばにいると、より豊かな遊び方をします。でも主導権をにぎってはいけません。この時期は、赤ちゃんがおもちゃの新しい使い道を発見したら引き下がるほうがいいでしょう。赤ちゃんが自分で調べ、自分で使いこなせるようになるための時間が必要だからです。

この時期、段ボールはとても素敵な遊び道具です。

TOY BOX おもちゃばこ

物が何のためにあり、何ができるかをわからせる種類のおもちゃ

◎柔らかい動物
◎簡単な木製の乗り物
◎人形用の乳母車
◎人形用のブラシとくし
◎ままごと道具

手先の器用さを高めるためのおもちゃ

◎布製の積み木
◎積み重ねられる輪

◎積み重ねられる広口コップ（割れる心配のないお椀《わん》、紙コップや透明なプラスチック製コップなどがこどもの関心を引きつけるでしょう）

◎大きな軟らかいボール

◎鉛筆と紙

◎違うサイズの段ボール箱。赤ちゃんがよじ登れる大きさの箱も含む（段ボール箱はトンネルにもなります。中にはいってびっくり箱のように飛び出してきたり、かくれんぼ遊びにもなります。いくつか用意すれば、歩けるようになったとき、またいだりして冒険遊びのおもちゃになります）

◎スプーン

◎軟らかいヘアブラシ、爪《つめ》ブラシ、洋服ブラシ、たわし、料理用の刷毛《はけ》、筆、素材の違うスポンジや小型のマッサージ器など（いろいろな感触のものは、触覚から快・不快を感じる遊びを提供できます）

赤ちゃんに音を立てたり、聞くことはおもしろいと思わせるためのもの

◎鈴

◎米、豆などいろいろな物がはいった入れ物

◎太鼓

◎鍋《なべ》ぶたとスプーン

◎木琴

◎しわになりやすい紙

◎マラカス

◎カスタネット

BOOK SHELF 本棚

赤ちゃんは絵と実物を結びつけられるようになり、本をかじったり、いじくり回したりせずに、ちゃんと見て、ページをめくろうとさえします。色のあざやかなカードや布の本で、見慣れたカップやおもちゃのアヒルなどを、実物そっくりに描いてある本を喜ぶでしょう。

「語りかけ育児」の時間に一緒に絵本を見るのもいいでしょう。とりわけ大切なことは、本を見るのをふたりの楽しい交流の時間にすることです。それによって、本は楽しいものだという思いを最初から持たせることができます。

赤ちゃんをひざにすわらせしっかり抱いて、一緒に絵本をながめ、どんなふうにページをめくるかを見せます。ふたりでくっついて同じ角度で本を見ましょう。ときには絵に関係のある本物を見せてやるのもおもしろいでしょう。アヒルの絵にはクワックワッというような、絵に関係した音を付け加えることもできます。

絵を見るのと同じくらい、本そのものを調べる時間もたっぷり赤ちゃんに与えましょう。赤ちゃんはまだ手でさわって調べる時期にいます。

TV & VIDEO テレビとビデオ

まだ見せないでください。赤ちゃんにとっては学ぶことがたくさんある大切な時期です。
テレビとビデオはじゃまなだけです。

まとめ

ここに書かれているのは平均的な発達のようすです。赤ちゃんによってそれぞれ発達は異なります。お子さんがここに書かれていることを全部できていなくても心配ありませんが、満1歳で、「気がかりなこと」にあてはまる場合は、専門家に相談してみてください。また、赤ちゃんについて疑問な点があれば、いつでも保健師や、かかりつけの医師のところに連れて行きましょう。

1歳ころの赤ちゃんのようす

◎音楽に合わせて歌おうとします。
◎自分の名前がわかります。
◎いつもの場面で人や物の名前を聞くとわかります。
◎首をふって「いや」を表します。
◎1語から3語くらいの単語を言います。

気がかりなこと

◎帽子のようなよく知っている物についてお母さんが話しているのを聞いても、見回して探したりしない。
◎名前を呼ばれても、そちらへ向かない。
◎調子のよい喃語によるおしゃべりをしない。
◎「せっせっせ」のような簡単な遊びをしようとしない。
◎おとなが指さすほうを見ようとしない。

9か月～1歳までの

参考文献

K.Kaye
The Mental and Social Life of Babies
（University of Chicago Press 1982）

L. Baumwell, C. Tamis- Lemanda, R. Kahana- Kalman & J. McClune
"Maternal Responsiveness and Infant Language Comprehension"
SRCD Conference New Orleans （1993）

1歳から1歳3か月まで

魔法のように、初語が出ます

この時期、大脳が再び急激に成長します。
この成長は、赤ちゃんが受ける刺激の量に
大きく影響されることがわかっています。
できるだけたくさん話しかけたり、
遊んであげたりしましょう。
赤ちゃんがことばに集中しやすいように
短く簡単な文でゆっくり、
調子をつけてくり返し話しましょう。
赤ちゃんは、何度も同じことばを聞く必要が
あるのです。

1歳と1歳1か月

ことばの発達

最初のことばは、たいてい食べ物やおもちゃなどの名前です

この時期、赤ちゃんは言語の法則がわかりはじめます。特筆すべき点はふたつあります。

まず、ことばの理解は、赤ちゃんによってかなりばらつきがあり、ここまでの経験によって左右されているということです。

次に、理解できることばの数は急激に増えるのに、話しことばは比較的ゆっくりとしか増えず、大きなギャップが生じることです。

赤ちゃんは、4本の足で歩く動物をすべて「ネコ」と言うのに、絵であればネコとウマとヒツジをそれぞれちゃんと区別して指さしたりします。

1歳まで順調に育ってきた赤ちゃんは、たくさんの単語を理解できるようになっていて、もう2語や3語は話しているかもしれません。人や物の名前を聞くとあたりを探すように見回すので、親は赤ちゃんが毎週新しいことばを覚えていることがわかります。

お父さんやお母さんが自分のしたことを喜んでいるか怒っているか、ことばから気持ちをおしはかることもいっそううまくなります。

よく知っているものが描かれている絵本を見るのが好きになり、描かれている物の名前を言ってもらいたがります。読書への前ぶれです。

赤ちゃんは、遊びの中でなら「お母さんにちょうだいな」というような注文が、よくわかるようになります。

人とのかかわりは、とても成長が見られます。1歳になると、赤ちゃんは自分は他人と違うひとりの人間だとわかりはじめ、一人前に相手をするようになります。音声による「会話」を始めたり、「お手々パチパチ」のような声を出す手遊びを始めます。

コミュニケーションのやり方次第で効果が違うこともわかるようになります。おどけたら笑いが返ってくることは承知のうえですし、おとなのほうを見てから物を指させば、取ってもらえると知っています。

1歳2か月までに、話しことばは4つか5つの単語をくり返し使えるまでに発達し、お気に入りの単語が出てくることもよくあります。(私の子のひとりは、抱いてほしいときばかりでなく、自分のほうを向いてほしいときはいつでも「だっこ」と言いました)

おもしろいことに、こういう単語を使う年齢と成長レベルは、赤ちゃんの置かれている環境が違ってもあまり差がないのです(もっと後になるとすごく差が出ます)。このことから、この時期にことばを言えるようになるということは、生物学的にもともと決められていると言えそうです。

最初のことば(初語)はたいてい、食べ物、服、からだの部分やおもちゃといった、なじみのあるものの名前です。「だっこ」のような動きに関することばがそれに続きます。この時期、赤ちゃんはこうしたことばを、それを聞いた場所でしか言うことができません。たとえば「スプーン」と言うのは、自分の家での食事どきだけでしょう。

こうした初期のことばの使い方はいろいろです。赤ちゃんは、私たちおとなとはだいぶ違った使い方をします。何かを指すことばとしてだけでなく、文全体のかわりとして、質問や、要求や、伝えたいことや命令としてしばしば使われます。たとえば「カップ」ということばは「飲み物がほしい」だったり、「それはぼくのカップ」だったり、「わたしのカップはどこ?」という意味だったりします。

赤ちゃんは自分の言いたいことを伝えるのが上手になり、抑揚を変えたり身振りをつけて、違う意味を表します。尻上がりの調子なら、たった1語でも質問になるとわかっています。この1語文段階でも、赤ちゃんはまわりのようすや、自分にとっていちばん大切なおもちゃや人について話をします。世界が広がるにつれて、新しい単語も増えていきます。

最初のことばは、たいてい食べ物、服、からだの部分やおもちゃなど、なじみのあるものの名前です。

ちょうどぴったりの単語を知らないとき、赤ちゃんは似たような意味の単語を使います。家で飼っているのどをごろごろ鳴らす毛のはえたかわいい動物は「ネコ」と呼ばれているのを知っているので、4本の足で歩く毛のはえた生きものを全部そう呼びます。文章のひと区切りが1語に縮められることもあります。

こういう初期のことばは、気まぐれな使われ方をします。2~3日あるいは数週間使われては、しばらく消えたりします。そのため「いくつぐらい単語を言いますか?」とたずねられると、親は答えに迷います。おもしろいことに、本当の「初語」はかなり長い間、消えることが多いのです。なぜだかわかりませんが、心配することはありません。そのうちまた出てきます。

赤ちゃんはまだたいてい、指さして「ア、ア」と言って、コミュニケーションをはかります。とても調子のよい長い喃語《なんご》の中に、本当の単語が混ざるようになります。ものまね上手になり、動物の鳴き声や乗り物の音だけでなく、おとなの使う単語もまねしようとします。よその赤ちゃんの使う音もまねします。こどもや赤ちゃんの声はよくわかり、単語のやりとり遊びを始めたりします。

発育のようす

ひとりで立っていられます 最初の一歩が出るかもしれません

この時期の初め、赤ちゃんははいはいして忙しく探索します。また、ひとりで立っていられるようになって、低い段差も上れます。この時期に最初の一歩が出るかもしれません。

自分とまわりのようすもよくわかってきます。ボールがころがって見えなくなっても、ボールを覚えていられるのでちゃんとその方角を見ています。みんなを笑

なぐり書きや、おもちゃを箱に出し入れするのが大好きです。

わせたやり方も覚えていて、同じことをくり返します。

この時期には、だいたいは言うことを聞き、着がえのときには手足を出してくれます。ユーモアのセンスまで見せて、いろいろな気持ちが表に出てきます。びっくりさせると、大声で笑います。

手の動きもしっかりしてきて、世界を探索するための新しい能力が、身につきました。1歳になってすぐに、積み木をうまく扱えるようになりますが、積み木を上手に積むには、もうひと月かかります。

早い赤ちゃんでは利き手がはっきりしてくるかもしれませんが、もっと後になってからわかるほうが多いでしょう。物をつかむ能力もおとなと同じぐらいになり、片手でふたつの積み木をつかめます。おもちゃを箱に出し入れするのも、なぐり書きもまだ大好きです。赤ちゃんは窓から外をながめて、見たものを指さすのもとても楽しみます。

注意を向ける力

たくさんのことばと意味を結びつけていきます

注意を集中できる時間は、ごく短いのですが、自分で選んだものや動きならときおり集中して見るようになります。

「自分で選んだ」という点が大切です。1歳ころには、おとなの見ているところを見ることはできますが、まだずっと見ていられる状態にはほど遠いのです。そんなときに、違うところを見なさいと言っても無理です。言うことを聞かないのではなく、できないのです。

このころ、赤ちゃんはたくさんのことばとその意味を結びつけています。また、短時間なら絵に注意を向けて、絵とその名前を関連づけられます。これができるためには、赤ちゃんとおとなが同じものに注意を向けて、おとながことばで絵の説明をする必要があります。

この時期に、赤ちゃんの注意が向いているものについて話すことが大切です。これを通して赤ちゃんは、おとなの言うものに注意を向けることができるようになります。これは学校での勉強には欠かせない能力です。ひとり遊びのときよりおとなとやりとり遊びをしているときのほうが、赤ちゃんが注意を集中していることがわかっています。

この時期、赤ちゃんがおとなに見てほしいものを示すときにはまずものを指さし、それからおとなを見ます。1歳2か月までには、ものを指さすこととおとなを見ることを同時にできるようになるでしょう。

聞く力 聞いた音を理解しようとしているとき、ほかのことはできません

順調に聞く力が育っていれば、赤ちゃんはある程度、聞きたい音に集中できますが、まわりの音がうるさくなくて、気を散らすものがないときにしかできません。この大切な新しい能力は、まわりの環境が悪くなるとすぐ消えてしまうので、気をつけて育てましょう。

メアリーは1歳2か月でした。先天異常のため片耳はまったく聞こえませんでした。両親にはこのことがこの先、特に問題になることはないだろうと告げられていました。

ところが、そうではありませんでした。私たちは両耳に届いた音の大きさの差と時間差で、音源を探します。メアリーはこれができないため、聞いた音がどこから来たのかわからず、何の音かもわかりませんでした。

そのためメアリーは音にはちっとも興味が持てず、見ることと手にだけ集中して、聞くことをほとんどやめてしまいました。特に話しことばには何にも興味を持ちませんでした。3人の兄姉がいて家の中はいつもうるさく、メアリーにとってはいっそう悪い条件でした。

私たちは聞くということに重点を置き、メアリー

が単語の意味をわかるように考えられた「語りかけ」を始めました。メアリーにとっては、まわりが静かで余分な音がないことが必要でした。

　音の出る楽しいおもちゃをたくさん置き、ゆっくり大声で調子よく話して、聞きやすくなるように工夫するとメアリーは聞くことはおもしろいと思うようになりました。

　メアリーの注意が向いているものについて話してあげると、ことばが意味を持つことがわかるようになりました。わずか4か月でメアリーは聞くことでもことばをわかる点でも、年齢相当のレベルになりました。


　子どもに聴覚障害がある場合、それが永続的なものであれ、乳幼児期によく見られる鼻や耳の病気によるものであれ、まわりが静かであることはとても大切です。音の持つ意味がわかるようになると、まわりの世界を理解する上でとても役に立ちます。たとえば、ご飯、お風呂、お客さん、お出かけなどと結びついた音がわかれば、生活のリズムや日課をとらえやすくなります。

　まわりがにぎやかだと、赤ちゃんは黙りこんでしまいます。愛嬌《あいきょう》を見せてほしいときに限ってと思うかもしれませんが、これは愛想が悪いのではなくて、まわりの音を全部聞いてわかろうとして、とても忙しいからなのです。そのうえ声まで出せなんて、無理というものです。

まわりがにぎやかなとき、赤ちゃんが静かになるのは、すべての音を聞きとろうとしているからです。

1歳2か月と1歳3か月

ことばの発達

喃語の中に単語が混じってきます

赤ちゃんは単語がどんどんわかるようになっています。

服や家具など日用品の名前をたくさん知っています。髪や耳といったからだの名称も、自分のからだだけでなく人形でもわかります。ものや動きだけでなく「中に」や「上に」といったことばもわかります。おとなが身振りで「あそこ」と指さすとわかるようになります。初めのうちは近いところだけですが、だんだん遠いところでもわかるようになります。赤ちゃんは身振りと一緒に声を出し、わかっていると伝えています。「飲む物はどこ?」と聞かれると、「アーアー」と言いながら指さすでしょう。

この時期、大きなできごとは、単語だけでなく文がわかり始めることです。「**台所**に行って、**コップ**をとって」といった、大切なことばがふたつ入った指示を理解します。

赤ちゃんの初期の話しことばは、ごく身近な人でないとわからないことが多いのですが、1歳4か月までには、喃語がまわりの言語（母国語）の音になっていく過程が完成しようとしています。

赤ちゃんのことばは、ふつうおとなのことばよりはるかに簡単です（たとえば私の娘はお気に入りの毛布〔ブランケット〕を「バンナ」と言っていました）。こういう赤ちゃんことばを、多くのお宅ではいつまでも楽しんで使っているでしょう。

話しことばの音の種類も広がっています。舌の前方でつくるtやdの音、舌の奥でつくるgやkの音、くちびるも丸めてしっかり閉じられるのでb、軽く閉じてpといった音も出ます。

1歳4か月までに、赤ちゃんの多くは6語から7語を話し、喃語の中にも意味のある単語が混じります。おとなたちがしゃべるのは単語でなく、長い音のつながりなのだとよく知っていて、せいいっぱい同じようにしようとしているようです。赤ちゃんはことばを一生懸命使おうとします。まだ身振りをつけますが、コミュニケーションの大部分をことばで行います。何を伝えたいかもはっきりしてきます。この月齢の終わりには、ことば数がどんどん増える赤ちゃんもいますが、もっとあとまでかかる子もいます。

このころ多くの赤ちゃんは何かが落ちたときには、おとなのまねをして「あーあー」と、うれしそうに大きな声で言ったりします。

知能と言語の発達は車の両輪です。言語が発達するには、知能があるレベルまで発達することが不可欠ですし、また、言語発達が知能の発達を促すようになります。

この時期には、赤ちゃんは物の概念が着実にわかってきます。たとえばカップと上着は自分に関係があるというだけでなく、カップというカテゴリーと上着というカテゴリーには、いろいろ違ったものがあることもわかります。

こういう概念は「食事のときに使うもの」という広いものから、「ナイフ、フォーク類」「食器類」といっ

「台所に行ってコップを取って」大切なことばがふたつはいった指示が理解できるようになります。

たふうに細かくなり、最後には「ナイフ」「フォーク」「スプーン」と分かれます。数やサイズを表す「ひとつ」と「たくさん」、「大きい」と「小さい」といったこともわかってきます。こういう概念がわかるようにならないと、意味のあることばが、身につかないのです。

発育のようす　ボールをころがすのはらくらく、箱に積み木も入れられます

ほとんどの赤ちゃんはこの時期に、ひとりでしっかり立てるようになり、手が自由になるので以前より探索がさかんになります。今まで歩いていなかった赤ちゃんも、2、3歩歩きだすかもしれませんが、急に立ち止まったり、角を曲がることはできません。足をしっかり開いて、ふんばって歩きます。はいはいで階段も上れます。ボールも投げようとしますが、ころんでしまいます。

自分のことは自分でやり始め、スプーンでこぼしながらも食べますし、帽子やくつやくつしたも脱げます。勝手気ままなふるまいも少なくなり、さわっていけないものに出合えば、「だめ」と言いながら手をひっこめたりします。

手先もいっそう器用になります。積み木を2個積み上げて、2個めから手を離せます。これが簡単にできるようになるので、物を投げることも減ってきますが、投げて拾う遊びは、まだ大好きです。おもちゃをちょ

自分のことは自分でやり始めます。帽子やくつしたもぬげます。

うだいと言われると、おもちゃをさしだして手を離すでしょう。らくらくとボールをころがし、箱に積み木を入れられます。おとなと遊ぶのと同じぐらい、ひとり遊びも楽しみます。

本も好きになって、ページをめくるのを手伝い、おもしろそうに絵をながめ、ときには絵をやさしくたたいたりします。

注意を向ける力

赤ちゃんの「したい」をかなえてあげることが大切です

自分で選んだものや動きに集中することが、多くなってきます。この時期には何かしたいと思ったときに、それをかなえてあげることが、いちばん大切です。

集中できる時間はとても短く、おとなの選んだものに注意を集中しつづけるのは無理です。おとなが赤ちゃんの視線をたどり、赤ちゃんが注意を向けているものについて話すことが、とても大切です。

赤ちゃんは、おとなの注意を向けさせるのがさらにうまくなります。1歳では物を指さしてからおとなのほうを見ていました。1歳2か月では物を指さすのとおとなを見るのが、同時になりました。

1歳4か月までに赤ちゃんは指さす前におとなを見て、おとなの注意を引きつけられるか確かめます。

聞く力

近所のこどもの声でわくわくして騒ぎ出します

赤ちゃんはだんだんまわりの音の意味がわかっていきます。お父さんがドアの鍵を回す音や近所のこどもの声で、赤ちゃんはわくわくして騒ぎ出します。

話しことばに対する興味も、この時期にぐんと増します。かなり長い時間、話している人の声に耳を傾けるようになります。表情やしぐさから、新しい単語をとてもおもしろいと思っているのがわかります。話しかけられているときも以前ほど気が散りません。

自分が出す音にも興味を示します。この時期には自分の音と他人の音を比べられるので、赤ちゃんの出す音は、まわりで話されていることば（母国語）の音に見る見る近づいていきます。

1歳から1歳3か月までの

語りかけ育児

1日30分間

■毎日、30分間だけは、赤ちゃんとしっかり向き合います

この毎日の一対一の語りかけ時間は、ことばを学ぶには最適の場ですし、赤ちゃんの情緒の発達のためにもとても大切です。毎日、大好きなお母さんが自分だけにしっかりつき合ってくれることが確実に決まっていることは、幼い子に何物にもかえがたい安心感を与えます。特にこどもがふたり以上いる場合、そういうふうに自分だけに注目してほしいとこどもが願っていることを知っておいてください。

おとなと同じに赤ちゃんやこどもにもいろいろな性格があります。人づき合いのよさもそうです。忙しい家庭では、こどもが長いこと自分ひとりで何かをやっていて、おとなの注意を引こうとしなければ、親は大助かりです。でも悲しいことにその結果、こどもが2歳ころになっても口をきかないということもよくあることなのです。

ナターシャが2歳半で私のところにやってきたときには、たった3語しか話せませんでした。頭のよさはみてとれました。すぐに私のおもちゃでクマちゃんに

部屋が
静かなことが
まだとても大事です

昼ご飯を並べたりして、とても積極的に遊び始めました。ところが私が近づいてもまったく無視して、私のことを遊びのじゃまとしか見ていないようでした。お母さんの話でも、いつもひとり遊びのほうが好きなようでした。

ナターシャのお母さんには、「語りかけ育児」では、特にナターシャの注意が向いているところに気をつけて、絶対に遊び方を指図しないように言いました。ナターシャはすぐに、お母さんがいれば遊びがおもしろくなると思うようになりました。ふたりの気持ちが通い合っていくのは心なごむ光景でした。ナターシャのことばは年齢レベルにすぐに追いつき、追い越しました。

ごく最近、ナターシャとお母さんが生後6か月の弟を連れて立ち寄りました。小さな弟は、私の顔を見たとたんに、私とコミュニケーションをとりたい気持ちを顔つきと身振りではっきり見せました。

私は応えずにはいられなくなり、ナターシャやお母さんとおしゃべりするのは、しばらく待ってもらいました。多くの親たちが感じることですが、お母さんはふたりのこどもの性格の違いにびっくりしていました。

■始める前にチェックすること

この時期の赤ちゃんは背景にある音を切り捨てて、必要な音に耳を傾けることができるようになります。でもこの能力はまだ身についたばかりで、しっかりしたものではありません。気をつけて伸ばしてやらなければ消えてしまいます。この時期も、「語りかけ育児」の時間には静かな環境がとても大切です。

この時期の赤ちゃんは、以前に比べてたくさんの遊び道具を使います。いろいろあれば、探索したりやりとりしたり、ふり遊びもできます。まだ注意していられる時間が短いので、遊び場にはいろいろ違う種類のものを用意しましょう。

前にもやったように赤ちゃんと一緒に床にすわり、顔が同じ高さになるようにしてください。おもちゃはふたりから手の届く範囲に置いて、一緒に注意を向けられるようにしてください。

赤ちゃんは部屋の中を動き回るかもしれません。その場合は赤ちゃんについて歩きましょう。お母さんが近くにいれば、赤ちゃんはお母さんのことばや発する音を全部聞き取れます。

■話し方

この時期に私たちが手助けできることは、たくさんあります。赤ちゃんがことばをよくわかるようになるのも、ならないのも、私たちのやり方次第です。

◆赤ちゃんの注意しているものに気づきましょう

このことは、何度言っても言い足りないほど大切です。おとなと赤ちゃんが同じものに注意することができればできるほど、のちのち赤ちゃんのことばは豊かになり、文も複雑になることがわかっています。ふたつの場面を比較した研究があります。

①おとなが選んだものや動きに赤ちゃんの注意を引きつけようとした場面

②赤ちゃんの視線に合わせて、見ているものについて話した場面

質問も指示も
赤ちゃんには
じゃまなだけです

赤ちゃんは②の場面で話したことばのほうを、①の場面でのことばより、ずっとよくわかっていました。ことばの意味を理解する力は、このころとても伸びます。

赤ちゃんの注意するものにおとなが合わせるとよい理由は、もうひとつあります。こどもがとても喜ぶからです。私たちおとなでも、大好きな人が自分と同じものに本当に興味を持ってくれれば、うれしいものです。

あなたがずっと「語りかけ育児」をやってきていれば、こどもの注意に合わせるのは、ごく当たり前のことになっているはずです。あなたと赤ちゃんは一緒に遊んだ共通の思い出を持ち、ふたりにとって何が大切でおもしろいかを知っているはずです。

これまでと同じように、赤ちゃんがおもしろいと思っているものについて話しまし

ょう。質問や指示は絶対してはいけません。これは今なおいちばん大切なことで、「語りかけ育児」の原則のひとつです。質問は赤ちゃんにとって答えを探すという重荷になりますし、指示に従おうかどうしようかと悩まなければなりません。両方とも聞くことのじゃまになります。ことばを添えるだけにとどめておけば、赤ちゃんのやっていることをいちだんとおもしろくすることができるでしょう。

赤ちゃんがそのとき何を思っているかわかればわかるほど、たくさん手助けができます。赤ちゃんがあるものに興味を持って、その名前を知りたいと思っているとき、「それはひよこよ」と言ってやったり、「ピヨピヨ」と音をつけてあげれば、赤ちゃんは喜ぶでしょう。積み木がくずれるときに「ぜーんぶ落っこちた！」と言ったり、お

聞くことを
楽しめるように
しましょう

もちゃの車がぶつかると「ガッシャーン」と言ったりします。何がぴったりかは、すぐわかるはずです。もう赤ちゃんはかなりコミュニケーション上手ですから。

私はああしなさい、こうしなさいと言われてきたこどもをたくさん診てきましたが、こういうこども達は、私がなんとか正面から向かい合おうとしても、そっぽを向いてしまうのです。でも、私がこども達の注意しているものに合わせて、こどもが車をつかんだときに「ブルンブルン」と音をつけ、車の名前を言ったりしていると、こども達は30分もしないうちに、私のところへやってくるようになります。こういうとき、私はいつもとてもうれしくなります。

◆聞くことを楽しめるように手助けしましょう

おもちゃの中に音の出るものを取り入れ、静かな時間に聞く楽しさを味わえるようにします。

音の出る絵本などで、どこから音が出てくるのかをできるだけ赤ちゃんに見せます。赤ちゃんが部屋中を動き回るときにも、物の音を聞かせることができるでしょう。窓ガラスを爪《つめ》でこつこつたたいたり、指でブラインドの羽根を鳴らしてみたりします。

わらべ歌や手遊び歌などは、お母さんの声を聞く楽しさがあるので、赤ちゃんは大好きです。赤ちゃんがあなたを見て、何かを始めてほしそうなときにやります。

かくれんぼや、「お手々パチパチ」といったかわりばんこの遊びも続けます。赤ちゃんはそういう遊びが大好きで、本当の会話が始まったときに役立ちます。

◆言語の規則がわかるようにしましょう

赤ちゃんがことばに集中しやすくなるように、話し方を調節します。それは効果的ですし、いっそう大切になってきます。自分が外国語を学ぶ場合を考えてみるとよくわかると思います。

◆短く簡単な文を使いましょう

これはもうやっていることですが、続けることが大切です。この時期の終わりになってやっと、赤ちゃんはことばがふたつはいっている短い文がわかるようになります。まだ、ことばがひとつの文を使うことが大切ですが、赤ちゃんがわかるように話しかけるという原則を守って、少しつけたしもしてみます。

「ママのくつ」「代わりのスプーン」といった具合です。（赤ちゃんが目下知りたいのは名前ですから、「さあ、これよ」などと言わないで、きちんと名前を言います）

大切な単語にちょっとだけアクセントをおきますが、変な話し方になってはいけません。ごく自然に話しましょう。

文法も正しく使います。「それ、車」ではなく「それは車よ」です。短い文の間にちょっと休みを入れて、赤ちゃんが取り込む時間をあげましょう。

この時期のお母さんの文が簡単なほど、こどもの表現する文の長さがあとで急に長くなるという研究があります。お母さんがたくさん話しかけてはいるものの、文が長すぎてこどもが理解できていないという例も、たくさんあります。

イズラのお母さんは、しょっちゅうイズラに話しかけていました。こんなぐあいにです。「おつかいに行く時間なんだけど、今日パンを買ったほうがいいか、それとも明日にしようか考えているの」

当然のことながら、イズラがやっとなんとかわかるのは、自分の名前と「パパ」と「だめ」だけでした。お母さんが間違いに気づいて短い文を使うように心がけると、イズラは信じられないほど急にことばがわかるようになりました。

◆こころもちゆっくり、大きめの声で話し、声にさまざまな調子をつけましょう

こういう話し方だと、赤ちゃんはお母さんの話に集中します。この月齢の赤ちゃんがいちばん好きな話し方だからです。こういうふうに話すと、赤ちゃんが一生懸命聞いているのがわかるでしょう。またこの話し方なら、ひとつひとつの単語の音がわかりやすいのです。

◆くり返しをたくさん使いましょう

外国語を習おうとしている自分を想像してみてください。何度も同じ単語を聞きたいと思うでしょう？　赤ちゃんもそうです。

赤ちゃんはもう母国語の音を自分のものにしています。音を正しい順番に並べてめざす単語を言えるようになるためには、同じ単語を何度も聞くのがいちばんです。またいろいろな場面で同じ単語を聞くと、よくわかってよけい覚えられます。たとえば帽子は頭にのっかっていようと、床にころがっていようと、お母さんのバッグの

赤ちゃんは
何度も聞く
必要があります

中でくしゃくしゃになっていようと、いつでも「ぼうし」と呼ばれているとわかります。

この時期にくり返しを行うのにいちばん良い方法は、赤ちゃんがおもしろがっているかぎり、短い文に物の名前を入れてくり返すことです。たとえば赤ちゃんがボールを拾いあげて遊んだら、「それはボールよ。あなたのボール。ボールがころがったわ」と言います。

服をぬがせるときに「くつしたぬいで、おぼうしぬいで、てぶくろとった」と言うのもおもしろいでしょうし、「ジョニーがとんだ、ママもとんだ、パパもとんだ」みたいな遊びもいいでしょう。目新しいことばを言うときには、少し強めに言ったほうが赤ちゃんにはわかりやすいのです。

◆赤ちゃんが出したのと同じ音を赤ちゃんに返しましょう
これは、引き続きとても大切なことです。この時期になると赤ちゃんは母国語に含まれる音はすべて発音できるようになってはいますが、お母さんが音を返してくれると、自分の出した音とお母さんの音とを聞き比べることができるからです。まだことばを使いこなせないこどもと「会話」をするには、音を使うのがいちばんです。出せる音が増えてくるにつれて、赤ちゃんが出した音を返すのも、少しむずかしくなってきます。もし赤ちゃんが長い音のつながりを言ったときには、最後の音節をいくつかまねしてみましょう。赤ちゃんは大喜びして、もっと音を返してくることでしょう。

◆状況に合わせたおもしろい音を出してみましょう

このことはぜひ続けてください。車の「ブルン、ブルン」、飛行機の「ブーン、ブーン」といった音は、赤ちゃんの注意を引くにはもってこいです。声を聞くことは楽しいという大切なメッセージを伝え、音をひとつずつ聞く機会を与えられます。赤ちゃんを抱き上げながらの「たかい、たかい」や、階段を上りながらの「ドスン、ドスン」などは、この時期も引き続き楽しめます。赤ちゃんの顔を見れば、どんなに喜んでいるかがわかるでしょう。たとえ赤ちゃんの機嫌が少々悪くても、耳ではちゃんと聞いています。

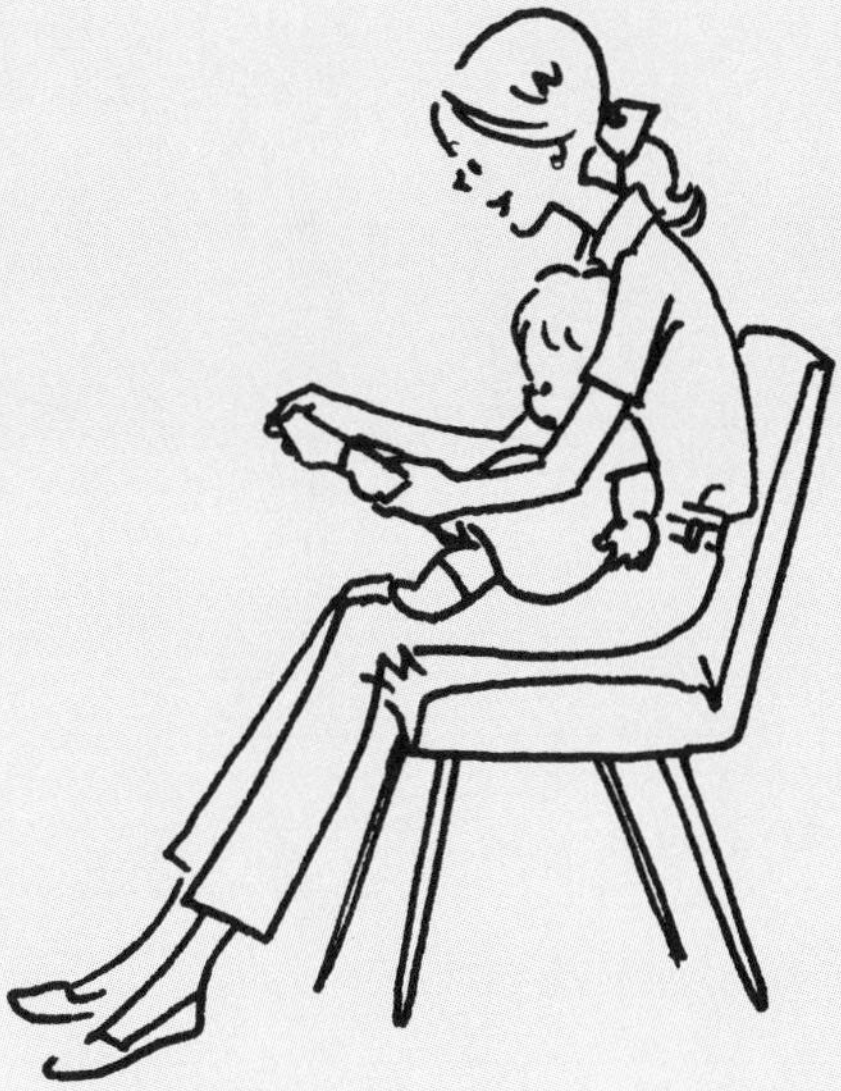

〝遊びの音〟は声の楽しさを伝えます

◆赤ちゃんの言いたいことに応えましょう

赤ちゃんがいくつか単語を言えるようになったからといって、無理に言わせようとしないでください。赤ちゃんは準備が整えば、ことばを言うようになります。話すようにと圧力をかけないほうが、ずっと早く準備が整うのです。

どんな方法であれ、赤ちゃんが伝えようとしていることに応えることが大切です。いままでは赤ちゃんは身振り、表情、しぐさ、こったものまねまで上手に使えるので、何を言いたいのかすぐわかります。赤ちゃんの表現したい気持ちに親がどれだけ注意を払えるかが、その後の言語発達に大きな影響を与えるのです。

◆あなたの言いたいことを赤ちゃんに見えるように示しましょう

この時期、赤ちゃんにことばの法則をわかってもらいたければ、あなたも身振りを使うことです。ここでも、外国語を習っているとしたら、と考えてみてください。どういうときにどの言葉があてはまるのかを知らなければなりません。あなたが物の名前を言いながら、そのものを指させば赤ちゃんは大助かりです。たとえば赤ちゃんがイヌを見ています。おとなが「イヌよ」と言って、指さしも加えれば、「イヌ」ということばの意味を間違えることはないでしょう。こうしないと間違った意味を覚えてしまうのは、こどもにはよくあることです。ことばの専門家なら、誰でもそういうこどもを見ています。

表情と身振りをつけると、ことばだけでなく気持ちや態度も理解する手助けになります。

物の名前を
言うときには
指さしも
同時に
行いましょう

ジェリーのことばはひどく混乱した状態でした。ボタンを上着、フォークを皿と呼んでいました。ジェリーの家族は大人数でしたが、お母さんは長い間うつ状態でした。そのためジェリーはあまり話しかけられることもなく、一対一の時間などまったくありませんでした。

ジェリーは何かを見ては関係ないことばを聞いて、間違った結びつけをしていました。どれほど混乱した世界に住んでいたか想像できますか？ ほんの少し基本のところを間違うと、そのあと大混乱におちいります。その混乱からジェリーを救いだすには、とても長い時間がかかりました。

「語りかけ」の時間とそれ以外の時間でも、まわりのおとなはできるかぎりジェリーの注意しているものに話しかけるように努力したので、だんだんと間違えなくなりました。

■この時期に「してはいけないこと」

ここでいくつか重要な「してはいけないこと」があります。赤ちゃんは活発に動くようになり、電気のプラグでも照明器具でも大切な飾り物でも、とにかくなんでも触って調べてみたがります。親としては「いけません」「さわっちゃだめ」「やめなさい」を連発するはめにおちいるに違いありません。でもそれは、やめたほうがいいでしょう。できるかぎり「否定的な」話し方を避けてください。声を聞くのは楽しいというメッセージを赤ちゃんに伝えるのに、多くの時間をさいてこれまで努力してきたのです。

否定的な言い方はしないでください

誰だってこういう否定的なことばは聞きたくありません。それにこの時期の赤ちゃんに、やめさせたり気をそらしたりするには、抱き上げたりそのものを遠ざけたりしてしまうことが必要ですし、そのほうがいいのです。（赤ちゃんには何をやらせてもいいと言っているのではありません。私が問題にしているのは、やめさせる方法です）

この時期、赤ちゃんの口からは、まるで魔法のような最初のことば（初語）が出てくるでしょう。だからといって、そのことばを「パパに言ってあげてごらん」「おばあ

赤ちゃんの
言ったことや
言い方を
あれこれ批評しては
いけません

ちゃんに…」「おばさんに…」とやらせるのはやめてください。これは正常なコミュニケーションではありません。赤ちゃんを神経質にさせ、ひきこもらせてしまうだけです。赤ちゃんが聞いていないときに、電話ででも吹聴してみんなで喜び合いましょう。しかし決して何を言った、どう言ったかを、赤ちゃんにあれこれ言ってはいけません。そのかわり、赤ちゃんのコミュニケーションの要求にきちんと応じましょう。特におそらくあなたにしか意味のわからない、ごく初めのことばに応えてやれば、赤ちゃんはとてもうれしいに違いありません。

私や同僚の多くは、ことばを言いはじめたたくさんのこどもが、6か月かそれ以上の間、言うのをやめてしまうのを見てきました。家族があまりに夢中になりすぎたためです。

もうひとつ、「語りかけ育児」全体を通して大切な原則は、決して赤ちゃんにことばや音をまねさせたり、言わせたりしないことです。そんな必要はまったくありません。私たちの仕事は、いちばんぴったりの方法で赤ちゃんに話しかけることです。そうすれば、赤ちゃんは自分から話すようになるでしょう。

■赤ちゃんに質問するときには

この月齢の赤ちゃんに、おとなはしょっちゅう質問します。ふたつの目的があります。ひとつは「リンゴをむいてあげようかな?」といった、ただちょっと聞いてみたというもの、ふたつめはこどもに答えさせようとする「これはなあに?」などです。ひとつめはけっこうですが、ふたつめはいけません。ひとつめはおとなが正しい答

テストになる
質問は
絶対に
すべきでは
ありません

えを知っているわけではないので、コミュニケーションにあたります。ごく幼い子でもそのことはよくわかっています。ふたつめのほうはコミュニケーションとは無関係で、実際はテストです。こどもはそれに気づいています。こどもがすでに答えを知っていたとすれば、質問されたからといって新しい知識を得られるわけではありませんし、もし知らなければ、こどもはいやな気分になるだけです。

私のクリニックでいちど診た坊やは、「これはなあに？」だけしか言いませんでした。坊やがくり返し何と聞かされてきたのかを見抜くのはたやすいことでした。

この月齢とこれからしばらくの間は、おとなが本当に答えを知らなくて、こどもが知っているかもしれないという場合以外、「これはなあに？」は厳禁とまで言いたいところです。（もっと大きくなれば、よく考えられた質問はこどもが考えを整理するのを助け、会話の進行を助けることにもなりますが、それはまだまだ先の話です）

■「語りかけ育児」の時間以外には

これまでとようすが違ってきますから、「語りかけ育児」の時間以外には、どんなふうに話したらいいかと迷うかもしれません。忙しいけれども赤ちゃんとふれあいたいと思うならば、〝実況放送〟を引き続き行うとか、赤ちゃんが興味を持つ物やできごとを指さしてあげるなどの方法があります。

でも赤ちゃんに話しかけるときは、なるべく短い文にすることを忘れないでください。おとなが話し方に気をつければ、その分だけ赤ちゃんはことばを学びやすいのです。この時期には、家族全員の協力をとりつけるのがよいでしょう。

遊び

この時期の赤ちゃんは「世界はどうなっているか」を調べるのに、まだまだ忙しいのです。探索遊びややりとり遊びのうえに、おもちゃのコップを本物のコップを表す象徴として使うふり遊びや、積み木を汽車に見立てる遊びといった、他の人をまきこむいろいろな遊びをします。ふり遊びや見立て遊びなどが始まるのは大切なことです。こういう遊びはすべての土台になって、創造性、想像力を養うものです。

手先が器用になり、からだの自由がきくことで、どんなものからでも学べるようになります。あらゆる経験がまわりの世界を理解する助けになって、固い、柔らかい、大きい、小さいといったことがどんどんわかってきます。こういうことがわからないとことばが意味を持ちません。

この時期も、赤ちゃんがひとり遊びをして、自分で何でも確かめる時間が必要です。もちろん、おとなが遊んであげることも大切です。どんなとき手を出して助けるべきか、どんなとき赤ちゃんがひとりで探索できるようにそっとしておくべきかをよくわかっている、感受性に富んだおとなの存在が大切です。

おとながやり方を見せることでふり遊びは大いに広がっていくでしょう。どんな遊びも、適切なことばを添えてくれるおとなによって、大いに豊かになるでしょう。

探索遊び

赤ちゃんは手先が器用になって、おもちゃをくわしく調べることができます。以前は物のサイズ、形、材質といった基本的な性質を知るのに、ふったりたたいたりかんだりしていました。いまでも見たりさわったりはしますが、はめこんだり、合わせたり、積み重ねたりするのがおもしろくなり、形をふるいわけるおもちゃで一生懸命遊びます。

赤ちゃんは物と物の関係をわかろうとして、箱に物を出し入れしたり、おもちゃをくっつけたり、離したりして楽しみます。こうした活動を通して、「どちらが大きいか小さいか」「上か下か」のような大きさや位置が判断できるようになります。

ペグ（短い棒）とハンマーといったおもちゃを使い始めるのもこのころです。ペグをたたくとひっこむといった、ごく単純な原因と結果がわかるようになります。

引っぱるおもちゃも扱えるようになります。水遊びも大好きです。これはことばの勉強にはすばらしく、「パシャッ」「チョロチョロ」「ジャブジャブ」「ポタポタ」といったすてきなことばをたくさん教えられます。

ペグ（短い棒）をたたくとひっこむ、といった、ごく簡単な原因と結果がわかるようになります。

水遊びを通して、「軽い、重い」「浮く、沈む」「いっぱい、空っぽ」のようなたくさんの概念が獲得されていきます。

赤ちゃんは以前のように本をかんだり破いたりするかわりに、ページをめくったり、絵をじっと見たりするようになります。

音の探索は、いまなおとても大切なことです。オルゴールやシンバルといった音が出るおもちゃで喜んで遊びます。

ここでどうしても言っておきたいことがあります。ある種のおもちゃ、特にコンピューターのはいっているおもちゃは、音が大きすぎて赤ちゃんの耳にはよくありません。おもちゃは使う前に必ず音をチェックしてください。

赤ちゃんの探索の目は、おとなの謎の行動に向けられます。赤ちゃんはお掃除などの家事を「お手伝い」して、どういうことか知ろうとします。この年齢の小さな女の子をもつお母さんに、お嬢ちゃんはお手伝いを楽しんでいますかとたずねたら、「娘に家事はさせません」という返事が返ってきて、ちょっと悲しかったことを覚えています。

この月齢の赤ちゃんは、電話など、おとなが使うものをまねたおもちゃを喜びます。どういうものかわかって、ものまねの腕前を見せられるからです。

やりとり遊び

わらべ歌や手遊び歌もとても楽しめます。特に赤ちゃんがよく知っている物や人や動きが主題で、メロディーも歌詞もよく知っているものが楽しいでしょう。からだを動かすのも大好きで、くり返しを喜びます。どんな歌でもいいのです。

ほとんどの文化の中で、伝統的な子守歌はこの月齢のこどもにぴったりのはっきりした調子、リズム、くり返しを持っています。

かわりばんこのやりとり遊びは、この期間を通じて遊びの大切な要素です。もう赤ちゃんのほうから始めることが多くなります。身振りでもっとやりたいと示します。こういう遊びにも、おもちゃやいろいろな物が加わります。バケツから積み木を出し入れする、棒

かわりばんこの遊びは、お互いにバイバイするといった、ふり遊びにつながっていきます。

に輪をさしていくようなことも、かわりばんこにやれます。こういう簡単なかわりばんこのあるものは、たとえばお互いにバイバイするといった、ふり遊びにもすぐに広がっていきます。

最初は親が赤ちゃんのまねをしてあげると、順番に遊べるようになります。赤ちゃんはちゃんと順番を守って、自分の番をやり終えると相手がするのを待ちます。おとなが変化をつけると、赤ちゃんもちゃんと新しい動きをまねることができます。

ことばを用いたこういう遊びを通して、どんなふうにことばを使えばものごとを動かしていけるのか、動きやできごとにどんな意味があるのかが理解できるので、赤ちゃんは人とかかわるのがうまくなります。

ふり遊び

簡単なふり遊びが盛んになる時期です。ふり遊びとは、あるもの（おもちゃのコップなど）を他のもの（本物のコップなど）を表す象徴として使うことですが、これはこどもの知能の発達に欠かせません。

あるものを、あるものの「つもり」で使うという能力は、問題について思考し自分で解決を見いだしていく力のさきがけをなしています。ことばを使って想像を自由に羽ばたかせる能力は、これからの一生に役立ちます。アインシュタインが「想像力は知識より重要である」と言ったと、誰かから聞きました。ふり遊びと言語の基礎となる知的能力は共通しています。それはものごとを抽象的に表す能力です。

こどもはおもちゃを使っていつもやっていることを遊びで再現します。おもちゃのカップで飲むまねをして、それから人形にも飲ませたりします。

ふり遊びは、最初、赤ちゃんが何でもやって人形はされる一方ですが、だんだんと人形のほうも何かを演じるようになります。クマちゃんがカップを返してくれたりします。

赤ちゃんはおとなが相手をしてくれるのも大好きです。お母さんにぬいぐるみを渡してだっこしてもらったり、ままごとでお母さんをもてなしたりします。

1歳3か月までに、赤ちゃんはあまり実物に似ていなくても、箱を人形のベッドに見立てたり、積み木をサンドイッチのつもりで使うようになります。またこの月齢までに、複数のものを一緒に使います。人形をベッドに寝かせるとか、ベッドにカバーをかけるなどです。

おとなが一緒にふり遊びをするのは、とてもよいことです。いつもとは違うことができますし、おとなが見せる手本をもとに、ふたりで遊びを広げてゆけます。

箱を人形のベッドに見立てたり、積み木をサンドイッチのつもりで使うようになります。

コンピューター

まだコンピューターゲームを与えようなどと思わないでください。

メーカーは5歳以下をこれから売れる市場とねらっていて、生後9か月から使えるソフトがすでに開発されています。幼いこどもがコンピューターを使うのは心配です。コンピューターはテレビやビデオと同じくらいこどもを引きつけて、何時間も自分だけで遊んでしまう危険性があるからです。

この年齢のこどもには、人とかかわりながらまわりの世界を知る経験が不可欠です。コンピューターとつき合うのはもっと後になってからで十分です。遅く始めたからといって、赤ちゃんのときに始めた子より不利にはなりません。

コンピューターとのつき合いを赤ちゃんのときに始めた子は、貴重な遊びや人とのかかわりの時間を失ってしまうのです。

TOY BOX おもちゃばこ

次のようなおもちゃや遊び道具は、この時期の赤ちゃんの遊びに適しています。この時期にもいろいろ使えますし、将来はまた違う遊び方ができます。

人形遊びなどのふり遊び用におもちゃを選ぶときには、必ず本物らしいものにしてください。しゃべる汽車とか空飛ぶ車はもっと大きくなってからならとてもおもしろいでしょうが、赤ちゃんが世界を知ろうとしているこの段階では、混乱を招きます。

ここでは、いちおう探索遊びとふり遊び用に分けてありますが、どちらもやりとり遊びにも使えます。赤ちゃんが思いもよらない方法でおもちゃと遊ぶこともあると思います。

この年齢のこどもに最適なおもちゃの多くは、家庭でお金をかけずに作ることができます。箱や布巾《ふきん》は人形のベッドや布団になりますし、穴のあいた箱や段ボールの筒にはおもちゃを入れられます。紙や箱自体もまだとても楽しめます。箱の中に米や豆を入れて音が出るようにしたものも作ってください。

探索遊び用

◎押せるおもちゃ（歩行器やトラック）
◎引っぱるおもちゃ（ひものついたアヒルなど）
◎大きなクレヨン
◎簡単な形合わせ

◎ボートに乗った木の人形
◎音を出すおもちゃ（太鼓、木琴、マラカスなど。キューキューと音を出すおもちゃ）
◎簡単なものを入れる箱（開き戸や引き戸などいろいろな開き方を発見して喜ぶでしょう。お菓子の空き箱、小さな引き出しなどもおもちゃになります）
◎ペグ（短い棒）とハンマーのおもちゃ

ふり遊び用

◎おもちゃの電話（糸電話、ラップ類の芯《しん》やホースなども電話ごっこが楽しめます）
◎単純な大きな人形やクマのぬいぐるみ、付属品のベッドや服
◎簡単な汽車
◎飛行機
◎料理器具
◎ちりとりやほうきなど家庭用品のおもちゃ

TV & VIDEO テレビとビデオ

こどものためのテレビ番組やビデオはこの月齢から楽しめるかもしれませんが、正しい見せ方が大切です。どんなに多くても1日30分にとどめておいてください。人とかかわり、遊びからたくさんのことを学ぶのに時間がたくさん必要な時期なのです。

いまその機会を失えばとり返しがつきません。赤ちゃんはテレビのあざやかな色、はげしい動きに見とれてしまって、ほうっておけば長い時間見続けてしまいます。

1日6時間以上も見ていた子を、私はたくさん知っています。その子たちはことばが大きく遅れただけでなく、人とかかわったり、遊ぼうとする意欲が見られず、まわりの世界を理解するのも遅れました。こども達はかわいそうに、混乱した状態におちいっていました。

テレビを見るときは、赤ちゃんと一緒に見てください。お母さんが同じものを見ていれば、赤ちゃんが見

たものを説明してあげられます。わらべ歌のビデオなら、ふたりで一緒に見て、やってみればとても楽しいはずです。
　内容に関しては、赤ちゃんの知っているものにしてください。番組の多くは、もっと年長のこどものためのものです。乗り物や動物がお話をしたり、空を飛ぶファンタジーは、それがファンタジーだとわかる成長したこどもにはいいのですが、この時期の赤ちゃんでは混乱してしまいます。赤ちゃんはまだやっと、人や動物や物がどういうものかを、わかりはじめたばかりです。
　赤ちゃんがことばをわかってきたからといって、テレビからことばを覚えると勘違《かんちが》いしてはいけません。赤ちゃんやこどもはあざやかな動く光と色に心をうばわれて、音は何も聞いていません。ある実験では、ドイツ語のテレビをかなりの期間見たオランダの赤ちゃんが、ドイツ語は何も学んでいませんでした。耳の聞こえない両親を持つこどもが、テレビからはちっともことばを覚えないで、親からは手話を学びとっていた例もあります。

　あなたがどうしてもひと休みしたいとき、テレビをつけておいたら楽ができるかもしれませんが、結果がどういうことになるかは肝に銘じていてください。テレビの恩恵を得るのはあなただけです。

赤ちゃんは、テレビの光と色に心をうばわれて、音は何も聞いていません。

BOOK SHELF 本棚

この時期赤ちゃんにとって、いちばん大切なのは、一緒に本を見る楽しさです。読書という一生続く楽しみの基礎づくりは、いまここで始まります。赤ちゃんをひざにすわらせ、ぴったり寄り添って本を見ましょう。あなた自身は本よりも赤ちゃんのようすに気を取られてしまうかもしれませんが、それでかまいません。

よく知っているものがあざやかな色で描かれている絵が赤ちゃんに向いています。本物の人や物の写真もいいでしょう。雑誌から絵を切り抜いて本を作ってもおもしろいでしょう。赤ちゃんは絵の細かい部分まで楽しめるようになっているので、最初のころより細かい絵や背景の本でも大丈夫です。

いま本屋さんに並んでいるこども向けの本には、指でなぞって手ざわりの違いを楽しめる本や、押すと音の出る本もあります。アヒルが実際に鳴いたら、大喜びすることでしょう。

赤ちゃんに好きなようにさせましょう。この時期半ばには、赤ちゃんがページをめくるのを手伝ってくれます。たたいたり絵に話しかけたりするので、どの絵が好きかはっきりわかります。赤ちゃんを無理に絵や本に集中させようとしてはいけません。この年齢によい本としては、次のようなものがあります。

おすすめリスト

『あか あお きいろ』デコボコえほんシリーズ（小学館）
『ロージーのおさんぽ』（偕成社）
『コロちゃんはどこ』（評論社）
『はらぺこあおむし』（偕成社）
『いないいないばあ』（童心社）
『くだもの』（福音館書店）
『したく』（文化出版局）
『おつきさまこんばんは』（福音館書店）
『だーれだだれだ！』きむらゆういちのパッチン絵本（小学館）

パクパクボトル

[用意するもの]牛乳パックがかぶさる大きさのペットボトル、厚紙、食べ物の絵や写真（雑誌や広告チラシ）、牛乳パック、輪ゴム、カッター。
[作り方] ❶牛乳パックを半分に切り、ペットボトルにかぶせる。❷厚紙に動物やキャラクターの顔を描き、口の部分を切り抜く。❸②の両脇に穴をあけ、輪ゴムを通し、お面に仕立てて①にかぶせる。❹③の口にあたる部分の牛乳パックとペットボトルを切り抜く（ポストのようになります）。❺食べ物の絵や写真を厚紙に貼り、お面の口に入る大きさに切る。
[遊び方]「アイスをどうぞ」とボトル人形の口に入れ、お面を上下させて「パクパク、おいしい」などと話しながら遊びます。おなかにはいるようすが見えるので興味が持続します。

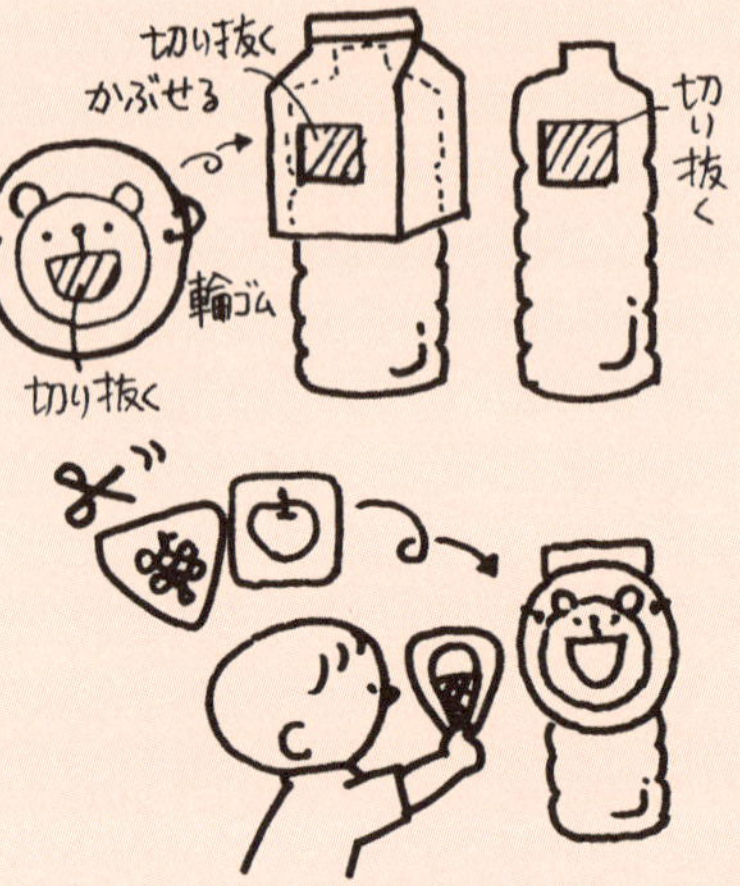

びっくり袋

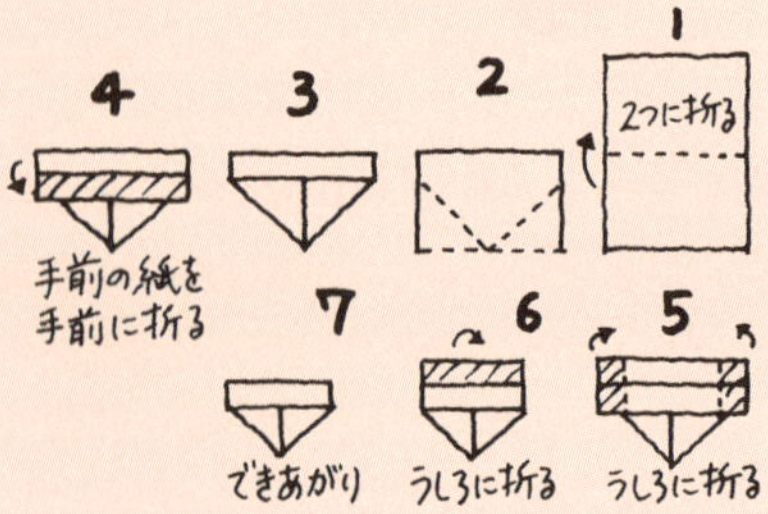

[用意するもの]A４やB５程度の色画用紙やチラシ、ポリ袋、フェルトペン、セロハンテープ、曲がるストロー、はさみ。
[作り方] ❶紙を図のように折り、袋を作る。❷横にストローを通す穴をあける。❸ポリ袋にフェルトペンで絵を描く。シールや折り紙を貼ってもよい。❹ポリ袋の口側から、ストローの曲がる口のほうを５㎝ほど差し込み、空気がもれないように開口部をセロハンテープでふさぐ。❺ポリ袋をたたんで紙袋に入れ、ストローを曲げて紙袋の穴から出し、こどもが吹きやすい長さに切る。
[遊び方]ストローを吹くと、中からムクムクと袋が飛び出します。スーパーなどに置いてある傘用のポリ袋があれば、高いビルや蛇など、楽しいものができます。

ここに書かれているのは平均的な発達のようすです。赤ちゃんによってそれぞれ発達は異なります。お子さんがここに書かれていることを全部できていなくても心配ありませんが、1歳3か月で、「気がかりなこと」にあてはまる場合は、専門家に相談してみてください。また、赤ちゃんについて疑問な点があれば、いつでも保健師や、かかりつけの医師のところに連れて行きましょう。

まとめ

1歳3か月ころの、赤ちゃんのようす

◎6語から8語、意味の通じることばを使えます。
◎絵本を見るのを楽しみます。
◎してほしいこと、ほしいものをわからせようと身振りをします。
◎名前を聞くと、その人や物を探します。

気がかりなこと

◎あなたとかわりばんこに声を出すようなことが、まったくない。
◎「ぼうしはどこ?」といった問いかけに、正しい方向を見ない。
◎まるで話をしているような、たくさん違う音の混じった喃語を出さない。
◎あなたと身振りつきの遊びをやろうとしない。
◎数秒間以上何かに集中することがない。

1歳から1歳3か月までの

参考文献

K. Nelson
Making Sense: the Acquisition of Shared Meaning
（New York, Academic Press, 1985）

M. Beeghley, "Parent Infant Play" in K. Macdonald（ed）
Parent-Child Play
（State University of New York Press, 1993）

J. Mandler, "The Development of Categorisation: Perceptual and Conceptual Categories" in G. Bremner, A. Slater & G. Butterworth（eds）
Infant Development: Recent Advances
（Psychological Press,Taylor & Francis, 1997）

質問や指示はいけません

1歳4か月から1歳7か月まで

毎日の、語りかけ育児時間は、
赤ちゃんのことばの学習だけでなく
心の成長にもすばらしいことです。
大好きなお父さんやお母さんが
いつも自分を見守っていてくれるとわかれば
こどもは安定した気持ちでいられます。
見守られていないこどもは
わざわざいけないことをやったりして
注意を引き、愛情を求めることに
たいへんなエネルギーを使います。

1歳4か月と1歳5か月

ことばの発達

ことばが見つからないと関係ありそうなことばを使います

この時期、赤ちゃんは物は何のためにあり、おとながそれをどう使うかがわかるようになり、周囲の世界や人への理解をどんどん深めていきます。

ことばの理解は、びっくりするほど進みます。この時期の初めには、家具や服といった生活用品の名前がたくさんわかってきて、「**コップは台所よ**」とか「**クマさんを、パパにあげてね**」といったふたつの内容を含む文がわかるようになるでしょう。とても大きな進歩です。

おとなは、ごく自然に、大事なことばにアクセントをつけます。赤ちゃんにはわかりやすいのですが、文章のリズムがくずれるほど強調するのはやめてください。

赤ちゃんはまわりのできごとに、ちゃんと反応しています。お母さんが外出のしたくをしていると、自分のくつを取りに行きます。お母さんが料理していると、いすにすわります。いまではことばを仲間どうしで関連づけることができます。たとえばチョッキは服の一種で、シャツやソックスと同じ仲間だとわかっています。

「ワンワンはどこ？」といった簡単な問いには、正しい方向を見て答えはじめますが、よく知っている場面でしかわからないことばもあります。たとえばボールと言われても自分のボールしかわからないかもしれません。

1歳5か月ごろには、ことばが急に進歩します。毎日新しいことばが増えていくようで、特にからだの部分、服や動物の名前を覚えます。おとなのことばの使い方もよくわかっていて、「リンゴ、ほしい？」といった質問や、「ニャーニャーいるね」などのコメント、「くつをとってらっしゃい」といった指示にそれぞれちゃんと応じます。ここまでに物の名前以外のことばもわかるようになって「おすわり」「おいで」といった簡単な動詞もわかります。

　ことば数が増えると、ふたつの内容が含まれた文がわかるようになります。「**お部屋**に行って、**上着**を持ってらっしゃい」といった指示がわかるでしょう。「**ブラシ**と**スプーン**をちょうだい」と言えば、ふたつ渡してくれるかもしれませんが、これはお手伝いをしたいと思っているときだけです。

　赤ちゃんがこんなにお利口さんになると、みせびらかしたくなるのが親の気持ちというものですが、他人の前ではうまくいかなくて、がっかりすることもあります。この時期、赤ちゃんの多くは、よく知っている人のことばのほうがずっとわかりやすいのです。もう少し大きくなれば、なじみのない人のことばでもわかるようになります。

　赤ちゃんの、話す力もどんどん進歩します。1歳4か月では、いろいろな種類の音が出せますし、高低と

赤ちゃんは、まわりのできごとにちゃんと反応しています。お母さんが外出のしたくをしていると、自分のくつを取りに行きます。

抑揚のある喃語《なんご》をたくさん使います。正確に言えることばは6、7語ぐらいですが、着々と増えていきます。多くの赤ちゃんは1歳8か月ぐらいまではことば数があまり増えませんし、ことばを使えるようになるのは、わかるよりずっとあとになります。あせらないでください。

最初に赤ちゃんの言うことばは、当然のことながらおもしろそうな物や人の名前のことが多いのです。赤ちゃんは仲間にはいるのが大好きですから、「やあ」とか「バイバイ」といったことばを早く覚えます。「だっこ」などよく知っている動きに伴ったことばも早いですが、たとえば、赤ちゃんのお気に入りのネコだけを「ニャンニャン」というように、この時期ではよく知っている特定の場面で使うことが多いでしょう。

赤ちゃんは、興味を持ったものは名前の長さに関係なく言えるようになります。

おもしろいことに、赤ちゃんは興味を持ったものは、名前の長さに関係なく言えるようになります。友人の息子はブルドーザーのおもちゃがお気に入りで、1歳4か月でまだことば数も多くないのに、はっきり「ブルドーザー」と言えていました。

赤ちゃんのことば数が急に増えているといっても、使える語数は限られているので、そのことばをしっかり使い回しします。たとえば「タ」は自分のうちのネコで、「ビ」は自分の哺乳《ほにゅう》びんというように、いくつかはごく限られたものにだけ使います。言いたいのにことばが見つからないと、関係ありそうなことばをうまく使います。たとえば月や車輪など丸いものを言い表したいときに「ボール」ということばをあてはめます。

こういう初期のことばは、やりたいこと、思っていることも表します。「くるま」と言うことで、「くるまがほしい」「それはぼくのくるま」から、「くるまはいやだ」まで全部表します。どの意味かは、表情や身振りではっきりわかるようになります。

会話もうまくなって2往復のやりとりもできるようになります。たとえば赤ちゃんが「くるま」と言い、あなたが「はい、ここよ」と答える。次に赤ちゃんが「ブルン、ブルン」と言いながら車を走らせてぶっつけて、あなたが「ガッチャーン」と言うのを待つといったぐあいです。

1歳6か月までに、赤ちゃんは物やできごとや人について、もっと抽象的に考えられるようになります。「イヌ」ということばは自分のうちのペットだけを指していたのが、すべてのイヌを指すことばになります。この時期、話しことばが急に進むのは、このようにことばがシンボルとして使われ始めるということが関係しているようです。

発育のようす

小さないすにすわれます しっかり歩けます

からだを自由に動かして手先を器用に使えるようになるにつれて、まわりの世界の理解が進み、それがことばにつながっていきます。おそらくこの時期いちばん大切な知的な力の発達は、理解できる概念の数が急速に増えていくということです。

部屋の中を動き回り、物をつまみあげ、おもしろそうな物を調べるのが上手になります。こうして実際にやってみて、概念を広げていきます。たとえば重い物

「くるま」と言うときは、「くるまがほしい」だったり、「それは、ぼくのくるま」だったりします。

を持ち上げようとがんばってみない限り、「重い」ということはなかなかわかりません。

目と手を一緒に働かせる能力が成長して、いろいろなものを自由に扱えるようになり、概念形成にとても役立ちます。入れ物がいっぱいになるまで積み木を入れては空にしたり、鉛筆やクレヨンで線や点を書いて、おもしろそうにそのできばえを調べたりします。大きなおもちゃや乗り物を押したり引いたりするのも好きで、そうやってもののサイズや位置を理解していきます。始めたことはなんとか最後までやれるようになります。たとえば乗り物全部を1か所に止めてみたり、積み木を全部トラックに積み込んでみたりします。

からだが自由に動かせるようになると、まわりの世界を探索しやすくなります。支えがなくても背筋を伸ばしてひざをつけますし、小さないすにすわることもできます。歩幅も広く、しっかり歩けますし、おもちゃのバスだって押せるようになります。おもちゃに届くようにいすを押していったり、手を持ってやると階段も少し上れます。ボールもけってみたいのですが、まだ歩いていってぶつかるだけです。

まわりの世界を知ることに関係しているのは、運動面の発達だけではありません。社会的なこともさかんに知ろうとします。おとながやっていることを見て、同じようにやってみるとどんな気分がするか確かめたり、他人は自分とどれほど違うのかを確かめようとします。

ほかの人にゲームに加わってもらうのも大好きで、おもちゃをさしだして一緒にやろうと誘います。

注意を向ける力

おとなが注意を向けるものに興味を持って注意を向けます

まだ注意を集中させるのは難しく、今までの16か月間と同じように、あちこちに注意が移ってしまいます。けれども強く興味を持ったものにはじっと集中していられることがあります。そういうときの赤ちゃんは、じゃまされるのをとてもいやがります。

それほど熱中していないときなら、おとなが注意を向けるものに自分も興味を持って注意を向けます。でも、何かに一生懸命に注目しているときは、何を言っても聞いてはくれません。唯一聞いてくれるのは、赤ちゃん自身が、いま注目していることに関連することで、しかも、もっとおもしろくなりそうなときだけです。

赤ちゃんがどうやって袖に手を通そうかと考えているときに、「お手々はどこ?」と声をかければ聞いてくれますが、そのときに庭のネコを指さして何か言っても、聞こえてはいません。

大きな乗り物を押したり引いたりするのが好きで、そうやってもののサイズや位置を理解していきます。

聞く力

ことばが大好きで、おとなの話の最後の部分をくり返したりします

音がどの方角から聞こえてきても、ちゃんと探せるようになり、どこから来た何の音なのかがわかります。順調にいっていれば、まわり中の音の中から聞きたい音を選び、聞きたくない音を無視できるので、前よりは少しだけ長い時間、集中して聞いていられます。それでもこの力はまだしっかりしたものではありません。良い環境が必要です。

見ることと聞くことを同時にやるという感覚の統合も進みます。でもまだまわりに気を散らすものがなく、見るものと聞くものとが同じものであり、赤ちゃんが自分から注意を向けているときに限られます。

ことばを聞くことへの興味はますます高まります。ときどきおとなの話の最後のことばをくり返したりすることからもわかります。誰かがしゃべっているのをあまり気を散らさず聞いているときは、聞くことに集中していることがわかります。

1歳6か月と1歳7か月

ことばの発達

単語の数が増えていきます

1歳4、5か月には、ことばの理解が急速に進みましたが、この2か月間の進み方にはもっと目覚ましいものがあります。まわりが気をつけてあげれば、毎日新しいことばを9つ覚えることだってできます。

わかってくるのは単語そのものの意味だけではありません。1歳7か月ぐらいになると、いつも聞いている場面以外でも、言われていることがわかってきます。たとえば自分の家ではなく、ご近所の家でも「おやつよ」がわかります。

同じように目の前にない物や、いない人をことばで表すこともわかってきて、おばあちゃんがいないときでも「おばあちゃんはどこ?」といった聞きなれた言い方がわかります。こどもは本当にことばの意味がわかり始めたのです。

ことばをシンボルとしてとらえるようになってきているので、おもちゃの車やドールハウスの家具の名前が、本物と同じようにわかり始めます。絵の中の物の名前もわかります。2分間ぐらいはじっと絵を見ていられますし、描かれている人のからだの部分とか、服や小物の名前を言ってやると、ちゃんとそれを指させます。

買い物とかお風呂とか何度も経験したことは、順序もわかっています。ものごとの順序がわかれば、意味の理解も進みます。たとえばお風呂から出るときに「さあタオルでふきましょうね」と言われたとします。次に起きるのはタオルでからだをふいてもらうことだとわかっていれば、「タオル」ということばの意味を考えるのはごく簡単なことです。

　身振りや、話しかけられたときの状況や、話し手の顔つきといったことば以外のヒントを読み取るのもうまくなって、お母さんはいまこんなことに関心を持ってるんだなと、わかるようになります。

　以前もそうでしたが、わかるようになったことばでも、話すのはそれより後になります。この月齢の赤ちゃんの多くは、いろいろな音、高低の調子、抑揚パターンの声を出しますが、ことば数にはとても差があります。9語か10語の子もいれば、この期間の終わりには50語も使う子もいます。

　1歳7か月ごろ、急にことば数が増える子もいます。まだ家族やペットやお気に入りのおもちゃの名前がほとんどですが、「バイバイ」といった動作のことば、救急サイレンの音といったものもあります。「バイバイして」と言われると、初めは「バ」と音をひとつだけ出したり身振りをしたりしていたのが、「バイバイ」とことばに出すようになるでしょう。

　コミュニケーションはほとんどことばでできるようになり、身振りはかげをひそめてきます。急にことば数の増えた赤ちゃんは、「飲む」といった動詞、「大きい」「小さい」といった形容詞まで使っていろいろな種類のことばを言います。「リンゴほしい?」といった簡単な質問にはことばで答えます。

　それでもまだ、ことばはいろいろな意味や目的で使われます。「パパ」という言い方には「パパ、だっこして」の意味もあれば「パパのくるま」や「パパの番よ」という意味でもあるのです。言えることばの数が増えれば、こういう省略した使い方も減っていきます。

「おばあちゃんはどこ?」と言われると、探したりするようになります。

1歳7か月ごろに50語ぐらい話せるこどもは、2語を組み合わせ始めます。もちろん1語だけもまだしばらくは使います。はじめて2語文を言ってくれたときの気分はとてもすばらしく、忘れがたいものです。組み合わせとして初めのうちに出てきやすいことばは「ママ、こっち」「パパ、バイバイ」「ブーブ、あったー」などです。

このころの赤ちゃんはとてもものまねが好きです。消防車が通れば「カーンカーン」と言ったりします。

しかし初期のふたつの語の組み合わせは、まったく無関係なことばをくっつけたもののほうがふつうです。「ジイジ、チワー」は「おじいちゃんのうちに遊びにいってこんにちはをしたよ」という意味です。ことばの順序も正しくなかったりします。こういう初期の2語文は、複数の意味を持つことが多いものです。「メアリー（自分の名前）、ぼうし」は「自分のぼうしがほしい」「ぼうしをちょうだい」あるいは「ぼうしがきらい」まで意味します。赤ちゃんが話す文に対しては、少し解読が必要です。

このころの赤ちゃんはとてもものまねが好きだと言いましたが、これは話しことばにも言えます。2語文をよくまねしますし、まわりの音もまねて消防車が通れば「カーン、カーン」、イヌを見れば「ウー」と言います。

発音はまだ未完成で、こどもの言っていることは親にしかわからないということも多いのです。こどもはまだどんな音をどんな順番につなげていけばいいのかを覚えきっていませんし、舌とくちびるもまだ細かく動かせないからです。自分の出す音と周囲のおとなが聞かせてくれる音を比べる機会がたくさんあれば、こどもの発音は正しくなっていきます。

いちばんありふれた発音の誤りは次のとおりです。

◎難しい音は、もっと発音のやさしい、よく似た音におきかえられます。たとえば「ロボット」が「ドボット」、「おかあさん」が「ちゃあちゃん」になります。

◎よく似た子音がふたつあると、同じ子音を2回使います。たとえば「ニンジン」が「ジンジン」になります。

◎全部の音がまだわかっていないので、発音を間違えます。たとえば語尾が省略されて「ボート」が「ボー」になったり、「バナナ」が「バナ」になったりします。

◎よく似た音におきかえられることもあります。たとえば「スプーン」を「シュプーン」などというように「ス」は「シュ」になります。

◎数音節の語では、似たような音節におきかえられます。私の末息子は「うさちゃん」を、かわいく「うちゃちゃん」と言っていました。

◎語尾だけ、あるいは語頭だけ言うことが多く見られます。「リンゴ」が「ゴ」や「ンゴ」、「ジュース」が「ジュー」。

発育のようす

四角や丸を型にはめこめます

手先がどんどん器用になります。ふたをねじって開けたり、ドアを開けたり、一度に数ページをめくったりします。積み木を3つ積んだり並べたりもできます。穴あきボードにペグを6本させますし、四角や丸を型にはめこめます。同じようなものを合わせることが好きで、同じ車を2台並べたりします。ボールも投げられますが、とんでもない方向にいったりします。

体の動きもよくなります。かかととつま先を使って歩き、歩き始めも止まるのもしっかりしてきます。おもちゃを拾うためにしゃがみ、大きないすによじのぼって、向きを変えてすわれます。空間と自分の体の大きさがわかってきて、箱がはいれる大きさかどうかがわかるようになります。

おとなのやることをなんでもまねたがり、本を読む、お茶をいれるなど身のまわりのことを、いちいちそのつもりでやってみます。これらのことがどういうことなのか、とても知りたくて、まわりの世界についてできるだけ知ろうと固く決心しています。

注意を向ける力

お母さんが注目しているものを見ようという気持ちになります

注意していられる時間の長さは、1歳4か月から5か月でも、6か月から7か月でもあまり違いはありません。あるものからあるものへと注意を移すことは前よりすばやくなりますが、じっと集中する時間はまだ短いでしょう。本当に集中しているときは、他のものに注意を向けさせることはまだできません。

以前と比べてひとつだけ違うのは、満1歳6か月までにお母さんが離れたところのものをじっと見ていると、自分もお母さんの視線の先の目的物を確実にとらえられるようになるという点です。そのため、お母さんが注目しているのと同じものを見ようとする気持ちが、高まってきます。

聞く力

音と音源を結びつけるのがぐんと楽になってきます

1歳4～5か月（209ページ）とまったく同じですが、もっと熱心にことばを聞きます。おそらく音と音源を結びつけるのが、楽になったからでしょう。

何でも知りたくて、おとなのやることをまねします。本を読むまねや、おそうじのまねもするかもしれません。

1歳4か月から7か月までの

1日30分間
語りかけ育児

1日30分間の時間を過ごすことでこどもは「見守られている」という安心感を得ることができます

■毎日、30分間だけは、赤ちゃんとしっかり向き合います

あなたと赤ちゃんはここまで、毎日の「語りかけ育児」時間を楽しんできたと思いますが、ぜひ続けてください。これは赤ちゃんがことばを学ぶ上で、最高によい機会であるだけでなく、心の成長にとってもすばらしいことです。愛するおとながいつもずっと自分を見守っていてくれるとわかれば、赤ちゃんに限らずこどもは安定した気持ちでいられます。見守られていないこどもは、愛情を求めることに多くのエネルギーを使います。しかも悲しいことに、わざわざいけないことをやって注意を引こうとします。

チャーリーは年のくっついた3人兄弟の3番めでした。最初に会ったのは3歳のときですが、たった2語か3語の文しかしゃべらないために連れてこられました。チャーリーが片っぱしから遊びをめちゃくちゃにするので、お母さんはお手上げでした。いちばん好きな水遊びも、何度も水びたしにしたせいで、もうだめ

テレビも音楽も
ラジオも電話も
ほかの人の声も
聞こえない
静かな部屋で
やりましょう

と禁止されていました。

チャーリーがあまりにも不幸せそうなので、私は胸をつかれました。顔は青白く、ぴりぴりしていて、めったに笑いませんでした。私はお母さんにチャーリーのために時間をさくことの大切さを話しましたが、お母さんにとってそれが簡単なことでないのはよくわかっていました。それでもお母さんが友人や親戚に助けてもらって、毎日のように少しでも時間をつくると、効果はてきめんでした。

2週間後には、チャーリーは別人のようでした。背筋はぴんと伸び、ほおは血色がよく、自信に満ちた幸せそうな坊やでした。ことばもとても早く覚え、お母さんによれば、わがままなふるまいもほとんどなくなったそうです。4週間で、チャーリーについては何の心配もなくなりました。

■始める前にチェックすること

どんなに強調しても、したりない注意事項は、「静かな状態をつくること」です。こどもは、聞きたい音だけを選んで他の音を無視する力が、まだ確立していません。まわりが静かでないと、この力が身につきません。

テレビ、音楽、ラジオ、電話、みんな消してあるのを確かめてください。家の中にいる人にも、本当に緊急の場合以外はじゃましないように言いましょう。

ザーラという女の子のお母さんが、「語りかけ育児」をしても、以前ほどの進歩が見られなくなった、と言うので、私は不審に思いました。ザーラのお母さんはきちんと「語りかけ育児」のやり方を守った、と請け合うのです。そこで私は家庭を訪ねてみました。

ザーラとお母さんが遊ぶ部屋には、となりの人がかける大音量の音楽がはっきり聞こえていました。おとなには気にならない大きさの音なので、お母さんは気がついていなかったのです。

早速、遊ぶ部屋を家の反対側に移すと、またザーラは進歩を始めました。

あまり気が散らないですむ環境にいる赤ちゃんでも、注意力の発達には大きな差が出てきます。それはおもちゃの与え方によってうまれるのです。気が向けばつぎつぎ

赤ちゃんに
おもちゃが
よく見えるように
置きます

におもちゃをかえていけるように、たくさんのおもちゃを置くことは大切ですが、多すぎて気が散る環境になることとのバランスを、よく考えてみなければなりません。

私は赤ちゃんが選べるようにたくさんのおもちゃを置いておくときには、床に遊べるスペースを十分に空け、おもちゃをうまく配置して、赤ちゃんが全部を床にばらまかなくても、何があるかすぐわかるように心がけています。

探索遊びとふり遊びが両方できるようなおもちゃを、与えるようにしましょう。形を分類できるもの、積み木、パズル、人形、音を出すもの、数冊の本などです。

こどもの注意を
移させようと
してはいけません

■話し方

この時期、赤ちゃんへの話しかけ方には、ほんのわずかですが、新たな注意が必要です。ここで赤ちゃんは、信じられないほど急にことばがわかってくるからです。赤ちゃんはたくさん遊ばなくてはなりません。物やできごとの意味を知り、それに関連することばを知るためには、おとなが手助けする必要があります。

ここであなたが赤ちゃんにしてあげられることは山のようにあります。しかも、それは赤ちゃんの一生を通じて大いに役立つに違いありません。

◆赤ちゃんの注意力のレベルに気づきましょう

赤ちゃんの注意力が、どのレベルかを知っておかなくてはなりません。いまは注意があちこちにとぶときと、自分で選んだものであればかなり長く集中していられるときと、両方があります。

このことを知っておくと、こどもの状態を理解するのはそんなに難しいことではありません。

◆おとなの考えを押しつけてはいけません

この時期には、赤ちゃんの注意を無理に方向づけてはいけません。赤ちゃんの注意を引こうとしても、赤ちゃんがほかのことに集中しているときは絶対に無理なので、ふたりとも不満がつのるだけです。待つよりしかたありません。

こどもが
考えていることを
表情から読み取って
それについて
語りかけましょう

私も、息子にすてきな新しいおもちゃを見せたくてたまらなかったのに、彼が延々と段ボールの筒に積み木を入れ続けるので、いらいらしながら待っていたことがあります。あなたが選んだおもちゃに赤ちゃんをむりやり集中させることは、絶対にできません。

実況放送的な話し方をしても赤ちゃんがちっとも聞いてくれないのは、赤ちゃんの注意がほかへ向いているときです。赤ちゃんが、その瞬間に考えていることにぴったり合っていることを話しかけてやれば、ちゃんと聞いてくれるものです。

◆赤ちゃんの注意しているものに気づきましょう

お母さんがどのくらい同じものに注目しているか、それがこどものことばの学習にはいちばん大切なことです。そして、注意するものをこどもが自分から選ぶことが大切です。もちろんときには、おもしろそうなものにこどもの注意を引きつけることもできますが、それは別な時間にやることにして、この大切な時間にはこどもに従いましょう。

こうしたことが、こどもに及ぼす影響については、たくさんの研究があります。おとながこどもの注意に合わせれば合わせるほど、こどもはことばをどんどん覚えていくということははっきりしています。たとえば1983年のアメリカの調査では、1歳から1歳半のこどもの母親が、こどもの注意に合わせて過ごした時間量と、後のこどものことばの数との間には高い関連性が見られました。1993年の英国での1歳6か月児の調査でも、同じような結果が見られました。

こどもがいま、何に関心を向けているかを見つけて、それについて話しましょう。物の名前を知りたがっているなら「それはカバよ」、何かをやってもらいたがっているのなら「ブーブをジャンプさせようか?」、何が起こったのか知りたいと思っているのなら「こわれちゃったのかしら?」と説明できます。

赤ちゃんは身振りや表情でとてもうまく考えていることを伝えてきます。自然にまかせて、こどもがやりたいだけいろいろなものに注意を向けさせましょう。

ただし、今後もずっと赤ちゃんペースで、というわけではありません。この時期を自分のペースで過ごせたこどもは、そのうちにおとなの指示にすばやく従えるようになります。

ナシームは2歳近くになってもまったくしゃべれなかったので、家族は絶望的になっていました。お父さんと遊んでいるのを観察すると、お父さんがひっきりなしに質問し、指示しているのがわかりました。

「ナシーム、これをごらん。何の色だい？　どうやって動く？　それじゃ、これをごらん？　いくつ積み木がはいっている？　どんな形だい？　三角って言ってごらん」

ナシームはそれを無視して、お父さんに背中を向けることもしょっちゅうなので、お父さんはよけいいらいらしていました。お父さんはこどもというものは、覚えなさいと言われたときだけことばを覚え、こうやって遊びなさいと言われたときだけ遊ぶのだと信じ込んでいました。ナシームがしゃべらないのは、まだ少ししかことばを覚えていないからだと思い込んでいたのです。

ナシームの発達を促すかかわり方をお父さんに伝えると、お父さんは自分のやり方を変えようと、努力しました。1か月ぐらいかかりましたが、そうできるようになったとたん、ナシームが見違えるようになったので、お父さんは納得しました。お父さんとナシームが一緒に楽しんでいると聞いたときは、とてもうれしく思いました。

4か月後、ナシームのことばは、年齢よりずっと進んでいました。

何よりも大切なのは、「語りかけ育児」の時間には質問や指示はまったくしないということです。こどもが興味を持っていることについてだけ、話すようにしてくださ

質問や指示は
いけません

音の出るおもちゃや
わらべ歌は
聞いて
楽しいものです

い。質問されると、こどもは答えに気をとられ、答えようかどうしようか悩みます。指示されると、言うことを聞こうかどうしようか悩みます。ただ、聞いていればいいだけなら負担になりません。実際のところ、聞いていればいいだけの内容を話しているおとなの声は、いちばんやさしく、引きつけられる調子なのです。

私の見るところでは、多くのお父さんにとってはこれが難しいらしく、つい質問や指示をしてしまいます。でも、お父さんががまんする練習をして、こどもの反応がどんなに違ってくるかがわかると、だいたいのお父さんはこどもに合わせることができるようになります。

◆聞くことを楽しめるように手助けを続けましょう

赤ちゃんが静かな環境の中で、音を聞くのを楽しめるようにすることが大切です。外に出れば、店でもレストランでも路上でさえもうるさい音があふれていますから、「語りかけ育児」の時間だけがこどもにとってしっかり聞ける時間かもしれません。この数か月続けてきたことを、やり続けましょう。

◎楽器や、ふればいろいろな音の出る容器で遊びます。

◎わらべ歌を歌います。

声を聞くのは楽しいと教えるばかりでなく、わらべ歌を聞いて育った子のほうが読書家になることがわかってきました。はっきりしたリズムとくり返しはこどもに音節とことばの組み立て方をわからせるので、書きことばにも役立ちます。

わらべ歌を聞いて育った子は読書家になります

◆文法がわかるようにしてやりましょう

こどもにことばの意味をわからせるためには、あなたが短く簡単な文を使うことが、いちばん大切です。「車は机の上よ」といった文のことばならわかりますが、「あなたの車を全部大きなトラックに入れて、机を海岸に見立てて、そこにわたしたちは持っていこうとしているところなのよ」なんていうと理解できません。これはちょっと極端な例ですが、私は、1歳4か月の子に向かって長い複雑な文を使う親たちが少なくないことに驚いています。

新しいことばはどんどん使ってけっこうです。伝えたいことがわかるように短文にして、何を指すかをはっきりさせれば、こどもは多いときで、1日に9語ぐらい覚えられます。

こどもが知らないことばを使うなら、知らないことばがひとつだけの短文にします。「ほらヤマアラシよ」「ひろびろしているわ」といったぐあいです。正しい文法で話してください。「パパはお仕事よ」はいいですが「お仕事パパ」は違います。

この時期の大きな変化は、こどもがふたつの内容を含む短い文をわかるようになることです。「**くつは玄関にあるわ**」「**ワンワンもごはんがほしいのね**」「**指がべたべたよ**」「**ジョニーは公園にいる**」といった文で話しかけます。

金髪のとてもかわいいレイチェルは、2歳近くでクリニックに連れてこられました。健康そのものに見えましたが、お母さんはレイチェルが何かの障害を持っていると信じ込んでいました。というのも、2か月前まではレイチェルは毎日どんどん新しいことばを覚えていたのに、この数週間はたった2語しか覚えなかったのです。

お母さんがレイチェルに話しかけるのを聞いていると、謎が解けました。お母さんはとても長い文を使っていたのです。「あら見て！　ちょうどピクニックにぴったりのとってもかわいいちっちゃな買い物かごがあるから、この粘土でたくさん小さなサンドイッチとケーキと果物を作りましょう」。レイチェルはぽかんとして、まったく聞くのをやめました。

「パシャパシャ」
「ブルン」
「モウモウ」
からも
たくさんのことを
学べます

この数週間、どんどんことばがわかるようになったので、お母さんは娘はもう何でもわかる、おとなのように話しかけてもいい、と思い込んだのです。

レイチェルの程度に合った短い文で話すようにすると、またどんどんことばを覚え出しました。2歳半のときには、3歳児のように話せ、よく意味を理解していました。

短い文を使うことは、本当に大切です。どんどん長くしないようにしてください。順調に発達していたのに、長い文章をあびせかけられたせいで発達が頭打ちになったこどもを、私はクリニックでたくさん診てきました。

◆遊びの音（擬声語や擬態語）を使いましょう

遊びの音は、こどもにとって聞くのが楽しくて注意を集中しやすく、会話の中の音に比べてひとつひとつの語音を聞くよい機会になります。遊びにそういう音がたくさんはいってくるようにしましょう。

◎「パシャパシャ」「ジャブジャブ」「ジャー」は水遊びにぴったりです。

◎「ガッシャーン」「ブルンブルン」は乗り物遊びにつきものです。

◎「メェメェー」「モウモウ」「ニャオ」はおもちゃの動物遊びをおもしろくします。

◆ゆっくり、大きく、調子をつけて話しましょう

この時期の赤ちゃんにとっていちばん聞き取りやすく、注意を引きつけられやすい話し方です。あなたの話に注意を向けやすくし、どの音がどの語にあてはまるのかを探るのに、とても役立ちます。

マーカスは4歳近くになって私のところにやってきました。何を言っているのかわかるのはお母さんだけなのに、もうすぐ学校が始まろうとしていたのです（イギリスは5歳で小学校に入学する——編集部注）。彼はとても頭がよく、コミュニケーションにも敏感でした。ことばはよくわかっていて、ことばの数も文をつくる力も心配はありません。問題は発音で、まるでめちゃくちゃなのです。語音はほとんど出せましたが、マーカスはどの音がどのことばのものなのか、まったくわかっていませんでした。

お母さんは、いままで私が会った人の中で、いちばん早口でした。ちょっとでも話の流れが変わると、私でもついていけないときがありました。お母さんの早

口を直してもらい、いろいろな音が、ことばの中にどんな順番で出てくるのか、マーカスに聞き取れるようにしました。

話しかけるちょうどいい速さをお母さんがやってみせたところ、1時間もしないうちにマーカスはいくつかの音をちゃんとしたところで使うようになりました。

くり返すと ことばが わかりやすくなります

◆くり返しをたくさんしましょう

まだ、くり返しはとても大切ですから、同じことばを違う文、違う場面で使います。こどもにそれぞれのことばの意味をわからせるためにも、また音を何回も聞くことで正しく覚えられるようにするためにも欠かせません。

◎同じことばをいろいろな文中に使います。

「ゾウさんがいるわ。ゾウさんは大きいね。大きなゾウさん」

◎名前を言う遊びはまだ役立ち、楽しめます。

この時期の赤ちゃんはこういうくり返しが大好きです。「クマちゃんのおはな。クマちゃんのおみみ。クマちゃんのおめめ。サリーのおはな。サリーのおみみ。サリーのおめめ」

◎日常の習慣もくり返しにうまく使えます。

寝るときには「ズボンをぬいで、ソックスぬいで、シャツをぬいで」。お風呂なら「おててを洗って、おかおを洗って、あんよを洗いましょ」。

物の名前を言いましょう

◆名詞をたくさん使いましょう

赤ちゃんはまだことば数を増やしている最中です。代名詞ではなく、ちゃんとしたものの名前を使いましょう。「それ、そこに置いて」ではなく「本を机に置いて」のほうがいいのです。

よくこのころ「ぽんぽん」や「コッコ」といった赤ちゃんことばを使ってもよいかと質問を受けます。答えはもちろんイエスです。わらべ歌にまで使われているこういうことばは、赤ちゃんにとって音を取りやすく、言いやすいのです。たとえば「ぽんぽん」と「胃腸」を比べて言ってみてください。「コッコ」は「ニワトリ」よりやさしくありませんか?

心配はいりません。永久に赤ちゃんことばのままではなく、赤ちゃんはすぐにおとなのことばを使うようになります。

◆赤ちゃんの言ったことを返してやりましょう

ご存じのように、赤ちゃんはおとなと違う発音をすることがあります。大きな理由は、音の順番をまだ覚えていないからです。何度も聞いて、だんだんと覚えていきます。正しく言い返してやれば、赤ちゃんはとても助かります。

でも、ちょっと気をつけてください。間違いを直しているように言っては、絶対にいけません。鉄則は「そうね」で始めることです。もし赤ちゃんが「ナナ」と言えば「そうね、バナナね。バナナがほしいの?」と言います。

内容をふたつ含む文を赤ちゃんが少し間違って言ったときにも、おとなができる手

赤ちゃんの
ことばの間違いを
正しく言い返す
ときには
かならず「そうね」で
始めます

助けは正しく言って返してあげることです。もし赤ちゃんが「くるま、パパ」と言えば、あなたは「そうね、あれはパパの車ね」と言いましょう。そういう言い方なら、こどもが何か間違ったことを言ったようには聞こえません。
コミュニケーションをとろうとするたびに、いちいち言い直された結果、だんだん引っ込み思案になった赤ちゃんを私たちはたくさん見ています。

3歳のアンナのお母さんは、アンナがきちんと話すことにとりわけこだわっていました。アンナがしゃべると、じっと娘の目を見て、ゆっくり1語ごとにくり返すのでした。

アンナはおもちゃ箱の中に小さなゾウを見つけて、うれしくなりました。見つけたことをお母さんにも喜んでもらおうと、アンナはゾウをさしだして「ゾイ！」と言いました。お母さんはアンナの気持ちを受けとめるよりも、表情を変えずに、ごくゆっくりと「ゾ、ウ」と言いました。

アンナががっかりしたのは、横で見ていてもわかりました。おもちゃを落とし、それ以上お母さんと一緒に楽しもうとはしませんでした。お母さんがアンナへの返事のしかたを変えると、ふたりの間がまったく違ったものになったのは、いつもながらうれしいことでした。

◆こどもが言いたいことを言ってやりましょう

赤ちゃんがうまくことばで言えないとき、言いたいことをくみとってあげることはとても大切です。赤ちゃんが言おうとしたことを、私はわかっていますよ、と伝えましょう。赤ちゃんの言い方ではなく、言いたいことの中身に気をつけましょう。たとえば赤ちゃんが空を指さして「イーウー」と言います。その表情と身振りを見れば、飛行機がとってもおもしろいと思っていることがわかります。赤ちゃんはこの気持ちを一緒に楽しみたいのですから、あなたも表情と声に熱をこめて「そうね、なんて大きな飛行機でしょう」と言って、おもしろいと思っている気持ちを表しましょう。相手をするおとなが気持ちに応えてあげればあげるほど、ことばの発達は望ましいものになっていきます。

身振りに
ことばを添えることは
大切です

◆何を言っているか、赤ちゃんにわかるようにしましょう

おとなが何を言っているのか、赤ちゃんにもはっきりわかるようにするのはとても大切です。何かをしているちょうどそのときに、身振りをしてことばも一緒に添えます。たとえば「紅茶をいれているの。ミルクも入れるわね」というぐあいです。

■してはいけないこと

赤ちゃんの話し方や言ったことについて、絶対にあれこれ言ってはいけません！

ウマールは待ち望まれていた最初の子で、大家族にかこまれて目の中に入れても痛くないほどかわいがられていました。ウマールがひとことしゃべるたびに、ウマールの目の前で、誰かがうれしそうに誰かに伝えました。おかげでウマールはとても神経質になり、しゃべらなくなってしまいました。ウマールは人とかかわりたいのに、すごくはずかしくて、どうしていいか、わからなくなっていました。

家族が態度を改めて、ウマールに聞こえないところでこっそり喜び合うことにしたところ、ウマールはしじゅう楽しくおしゃべりするようになりました。

◆否定的な言い回しを避けましょう

赤ちゃんはいすによじのぼろうとしたり、高価な飾り物をいじってみたりと、あいかわらず危なっかしく動き回ります。赤ちゃんを腕ずくで引き離したりしなければな

「これは何？」
「ウシはどう鳴くの？」
などという質問をしてはいけません

らないでしょうが、そのときに「やめなさい」「さわってはだめ」「すぐに下に置きなさい」といったことを言わないことが大切です。

そういうことばは誰だって聞きたくありません。あなたの声が、赤ちゃんにとって聞きたいものと感じられるようにしてください。

■赤ちゃんに質問するときには

答えが必要でないかぎり、質問するのはやめましょう。これが鉄則です。「これは何？」とか「ウシはどう鳴くの？」などと聞く必要はありません。もし赤ちゃんが答えを知っているなら何の足しにもなりませんし、もし知らないなら赤ちゃんをきまり悪くさせるだけです。

お父さんには、もしかしたら難しいかもしれません。私の経験では、これはお父さんにとっていつも最大の難問です。ほかのプログラムは難なくこなしているのに、赤ちゃんにことばを言わせようと、質問する誘惑に勝てないお父さんがたくさんいるのです。

たいへん難しいでしょうが、答えが必要でない質問をしないように心がけてください。これはとても大切なことです。「語りかけ育児」の原則のひとつは、完全に話しかけに徹するのみで、絶対に赤ちゃんに言わせようとしないことです。

私たちが正しい方法で赤ちゃんに話しかければ、赤ちゃんは自分から話すようになっていきます。

クリストファーの両親がとりみだしたようすで坊やを連れてきたのは、2歳半のときでした。クリストファーはとても早く口をききはじめたので、家族全員は大喜びしたのだそうです。ところが、2歳の年に何回か耳の病気にかかり、聴力に影響があったようです。この問題を抱えた多くの子と同じように、クリストファーは見ることと手でさわることに集中し、どんどん話をしなくなりました。お兄ちゃんやお姉ちゃんがいてうるさい中では、聞くことはたいへんだったのです。

こどもが話さなくなったのに気づいた両親は、心配な親がたいていやってしまうのと同じことをしてしまいました。クリストファーにしゃべらせようと「この色は何？」「これは何？」と質問をあびせ続けたのです。クリストファーには両親が質問の答えを知っていることはよくわかっていましたから、よけい気が重くなりました。その結果、さらに口をきかなくなる悪循環におちいりました。

私たちのアドバイスでこの悪循環がなくなると、クリストファーのことばは、目を見張るように伸びていきました。最近5歳になった坊やと会いました。学校ですごくよくできると聞いて、とてもうれしく思いました。

■「語りかけ育児」の時間以外には

◎たくさん話しかけましょう。起こっていることについて何でも話しましょう。
◎いろいろな活動にこどもを参加させましょう。友人を訪ねたり、公園や店に連れていきます。

◎お風呂ならからだの部分、着がえるときは服の名前遊びをやりましょう。
◎もしできるなら、なるべく多くの時間、「語りかけ育児」の30分間と同じようなやり方で話しかけましょう。

遊び

探索遊び、やりとり遊び、ふり遊びなど急激に進歩していく遊びを通して赤ちゃんは、まわりの世界がどんなふうになっているのか、知識を増やしていきます。学習する速度がとても速いので、おもちゃも遊びの場面も、数多く用意することがとても大切です。

赤ちゃんはひとり遊びも、相手をしてもらう遊びも大好きだということを知っておいてください。どんなときでも、赤ちゃんが何を望んでいるのかを注意深く感じ取るようにしてください。一緒に遊んでほしければ、赤ちゃんははっきりそう示します。

探索遊び

赤ちゃんはここに来てぐんと成長します。からだの自由がきき、手先も器用になり目と手をうまく協調させられるようになるので、わくわくするようなことをたくさん発見します。

いろいろなことを前より確実に関連づけられるようになるので、人形のベッドにていねいにカバーをかけたりします。部分と部分をつなげるようなこともおもしろくなってきて、簡単なジグソーパズルにピースをはめ込むといった、前よりは難しい遊び方もできます。

パズルの一片が大きすぎるとか、小さすぎるとか、向きを変えれば、はまるといったことを、学んでいきます。

太鼓《たいこ》をたたく、車を押すといった、おもちゃの本来の使い方ができるようになります。遊びが前より長続きし、上手になります。たとえば積み木も、そう簡単にはくずれないように器用に積みます。物を合わせたり分類したりするのも楽しみますし、箱に出し入れするのもとてもおもしろがります。ふたつのものを関連させるこういう遊び方は、ちょうど赤ちゃんが2語を結びつける時期に出てくるのです。

粘土も好きになってきます。実際に何かの形をつくるというより、こねたりたたいたりがおもしろいようです。砂場にすわりこむのも、特にほかのこども達がいれば楽しいものですが、まだ砂で形をつくったりはしないでしょう。

色鉛筆やクレヨンでなぐり書きするのは、一貫してお気に入りで、いままでは縦に線を引くのもまねしてできます。水遊びも大変ですが、楽しいものです。いい音の出る物は何でも大好きです。新しく見つけた遊びは何でもお母さんに見てもらいたがるでしょう。

一緒に遊ぶには、ほんとうに楽しい時期です。

積み木を器用に積みます。粘土をこねたり、たたいたりも大好きです。

やりとり遊び

この数か月遊んできたやりとり遊びのわらべ歌やことば遊びは、「語りかけ育児」の大切な部分です。

これまでは決まりきったくり返しを喜んでいたのに、ここに来るとちょっと変えてあげると大喜びします。おとなが間違えたふりをすれば、赤ちゃんは大騒ぎして喜びます。

もうすっかり一人前で、自分のほうが主導権を取ることも多くなります。たとえばふたりがお互いに役割を交代する、かくれんぼやおにごっこが大好きになります。

これらは、同じものに注意を向けるためのすばらしい遊びです。かわりばんこに相手をまねたり、クマのぬいぐるみなどのおもちゃにも動きをまねさせるのは、とりわけいいですね。

ふり遊び

ふり遊びがやりとり遊びにとってかわろうとします。お母さんやほかのおとながやっていることを見て、自分でもやってみたがりますが、まだほうきで掃《は》く、ちりとりを使うといった簡単な短い動きだけです。

男の子でも女の子でも、小さな人形やぬいぐるみと遊ぶのが好きで、食事をさせたり、お風呂に入れたり、ベビーカーに乗せて散歩させます。ほかの人にも同じようにしてもらいたがります。

小さな人形やぬいぐるみと遊ぶのが大好きです。

この時期ずっと、まねは続きます。お母さんが本を読んだり料理するようすをまねるさまは、ちょっとした見ものです。お母さんの何げない癖《くせ》まで、赤ちゃんはすっかりまねしてくれます。

TOY BOX おもちゃばこ

この時期、おもちゃばこに入れたい遊び道具を、いくつかあげてあります。赤ちゃんはいろいろなものに、自分なりの遊び方を見つけるのが上手です。おとなが買ってあげたすてきなおもちゃが、とんでもない使われ方をしているからといって、がっかりしないようにしてください。

ふり遊び用

箱を押して車のつもりといったふうに、象徴的に物を扱えますが、本物らしいおもちゃならもっと気分が出るでしょう。

◎お皿とおもちゃの食べ物
◎おもちゃの掃除機など、生活用品のおもちゃ
◎小さな人形
◎人形の乳母車、ベッド用品、風呂、タオル
◎おもちゃの乗り物

探索遊び用

◎浮く物、沈む物、水遊び用の容器
◎ごく簡単なジグソーパズル
◎ねじるおもちゃ
◎長さの違うペグ（棒）を刺せる穴あきボード
◎粘土（ビニールシートを敷いた上やビニールプールの中で、小麦粉に少しずつ水を混ぜ粘土にしていくと、さまざまな感触を体験できます。食用色素を混ぜれば各色の小麦粉粘土がつくれます）

BOOK SHELF 本棚

赤ちゃんは本を開いたり、閉じたりするのが大好きになり、ページをめくるのを手伝って、めくってはじっと絵を見ているでしょう。

　本を見るのは、からだを近づけてふれあいの時間を持つことが目的なのですから、赤ちゃんが自由にページをめくれるようにして、見たいものを見たいだけ見せてあげましょう。絵に描いてあるものを話して聞かせるだけにして、これは何？　などと質問ぜめにしないでください。

　これまで紹介した本でも、材質のおもしろいもの、音の出るもの、めくる仕掛けのあるものなどはまだこの時期にも楽しめます。

　本を選ぶときに注意しなければいけないのは、

◎赤ちゃんが生活の中で経験するような内容のものであること。

◎細かいところまで描いてある、色のはっきりしたわかりやすい絵を喜びます。物だけの絵より、赤ちゃんがよく知っていることをやっている場面の絵がよいでしょう。

　買い物や公園に行くような毎日の暮らしを描いた物語からもたくさん学べます。大切な内容がふたつ含まれている文でも、「**ワンちゃん**がほえています。**ごはん**がほしいな。**ごはん**が来たよ」のような知っている場面の説明なら、赤ちゃんはよくわかるでしょう。

◎くり返しが大好きです。

　この月齢向けにはすばらしい本がたくさんあります。次の本はおすすめです。（2歳くらいまでくり返し読んであげられます）

おすすめリスト

『ねんねんネコのねるとこは』（評論社）
『コロちゃんのおとまり』（評論社）
『キッパー』シリーズ（小学館）
『ちいさなうさこちゃん』（福音館書店）

『ゆかいなゆうびんやさん』（文化出版局）
『うたえほん』（グランまま社）
『しゅっぱつしんこう』（福音館書店）
『とらっく』（金の星社）
『おとうさんあそぼう』（福音館書店）
『がたんごとんがたんごとん』（福音館書店）
『もこもこもこ』（文研出版）
『たまごのあかちゃん』（福音館書店）
『きんぎょがにげた』（福音館書店）
など

TV & VIDEO テレビとビデオ

これまでと同じ大切な3原則があてはまります。

◎1日30分以上は見せないでください。このとても大切な時期には、たくさんやることがあります。遊んだり、実地に経験したり、何よりも人との交流が必要です。テレビからはこういうことが何も学べません。

◎もしどうしても赤ちゃんにテレビ番組やビデオを見せるのなら、絶対にひとりでは見せないでください。やりとりができるように必ず一緒に見てください。

赤ちゃんにテレビ番組やビデオを見せるのなら、必ず一緒に見てください。

◎赤ちゃんは世界について、知りはじめたばかりです。物は何のためにあるのか、人はなぜいろんなことをやるのかを学んでいる最中です。たとえば赤ちゃんは汽車は口をきかないことを知りませんから、口をきく汽車があるとやすやすと信じ込んでしまい、ひどく混乱します。

こども用のビデオはとてもおもしろいので、毎日何時間も見てしまいがちです。私は深刻な影響をうけてしまったこどもを、数多く診てきました。

3歳のビリーは、両親にも保育の先生にとっても、心配の種でした。少しも人に興味を持たないし、お母さんにまで無関心でした。ことばもひどく遅れていて、いっぷう変わった遊び方をしました。おもちゃをどうしていいかもわからないで、ただ並べるかふり回すだけでした。

1歳のときから、毎日6時間もビデオを見ていたことがわかりました。これまでに普通ならやっている遊びや人とのやりとりが、まったく見られませんでした。

私たちはビリーの生活をがらりと変えることにして、まずテレビを禁止し、「語りかけ育児」のプログラムをつくって、こどもらしい生活をさせることにしました。ビリーは着実に進歩して、4歳半で年齢レベルに追いついて学校に行きました。しかし、私は、もしもっと早く「語りかけ育児」を始めていたら、ビリーはもっとずっと伸びただろうと思っています。

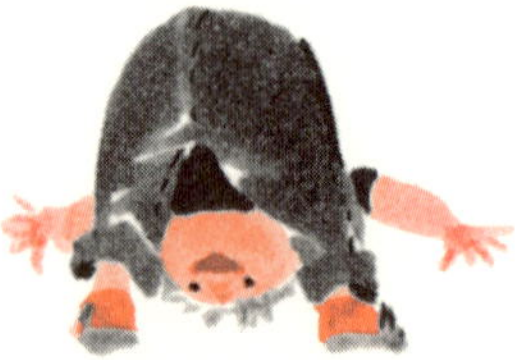

ここに書かれているのは平均的な発達のようすです。赤ちゃんによってそれぞれ発達は異なります。お子さんがここに書かれていることを全部できていなくても心配ありませんが、1歳7か月で、「気がかりなこと」にあてはまる場合は、専門家に相談してみてください。また、赤ちゃんについて疑問な点があれば、いつでも保健師や、かかりつけの医師のところに連れて行きましょう。

まとめ

1歳7か月ころの赤ちゃんのようす

◎飛行機や動物の出す音をまねします。
◎「さあ行こう」といった短い文句をまねします。
◎たずねられれば、人形の髪、耳、くつを指させます。
◎10〜50語を話します。まわりの音のまねをします。
◎名詞以外に「食べる」「寝る」といったことばがいくつかわかります。

気がかりなこと

◎まだことばが出ない。
◎「くつは玄関よ」といった文がよくわかっていないようすが見られる。
◎おとなに見ていてもらいたいというそぶりを見せない。
◎一緒に遊んでほしがらない。
◎音が聞こえても、どこからか確かめようと見回したりしない。

１歳４か月～１歳７か月までの

参考文献

J. Cooper, M. Moodley & J. Reynell
Helping Language Development
（London, Edward Arnold, 1978）

急速に知識が広がって
過去や未来についても
話すことができます。
「ジョニー、ボール、ころぶ」
とこどもが言えば、
「そうね、ジョニーがボールを打ったわ。
ころんだからお母さんがおこしてあげたわね」
と、こどもが思い出しやすいように
付け加えてあげましょう。
こういう会話は複雑な文法を聞く機会になります。

ことばをふくらませましょう

1歳8か月から2歳まで

1歳8か月と1歳9か月

ことばの発達

話しことばの数が急に増えていきます

この年齢グループの言語能力にはかなりばらつきがあります。多くのこどもは本当にことばを理解して使い始めます。このくらいのこどもとおしゃべりするのは、とても楽しいものです。おとなと同じように、きちんと順番を守って会話を続けられるようになるからです。また、こどもは会話の中にわかりにくいことがあると、言いかえたり、話題をはっきりさせようとするという点でも、一人前の役割を果たします。

たとえばお母さんが「あとでメアリーと遊ぼうね」と言ったときに「メアリーのおうちで?」と聞き返したりします。以前はおおまかにしか気づいていなかったことも、細かいところまでわかるようになります。たとえば、一日のどの時点で洋服を着るかがわかり、服を着る順序までわかっています。同じようにスーパーマーケットに買い物に行けばお金を払うこともわかっていますし、買い物袋に詰めたり、出したりすることも知っています。

このような知識によって、新しい単語に意味づけすることがとても簡単にできるようになります。たとえば初めての衣類の名前や「お金」ということばは、すでに知っている状況を呼びおこすので、簡単にわかります。せっけんの用途や、それが、つるつるしていてお風呂の中に落ちやすいことを知っていれば、「せっけん入れ」ということばがすぐわかるようになるのと同じです。

ことばの使い方について、とてもよくわかるようになってきているということも非常に重要な発達です。

どのような状況でどのようなあいさつのことばを使うかなどです。

また、他人が何を知っているかということについても理解し始めます。これは、他人と会話をするためにとても大切な力です。たとえばお兄ちゃんのことを名前で言ったとします。家族ならそれが誰のことかわかりますが、会ったばかりの人にはちゃんと説明しなければならないということがわかってきます。

こどもはもう、スーパーマーケットに行けば、何をするかがわかっています。

こどもが理解していく単語の数は、たいへんな勢いで増えていきます。おそらく毎日数語ずつ増えているでしょう。1歳9か月までには、家の中で自分に関係あるものの名前は、全部わかっていることでしょう。

大切な内容がふたつ含まれる文もますます理解できるようになります。「**戸棚からぼうしをとって**いらっしゃい」といえば、てきぱきやってくれます。「**戸棚を開けて、ボール**を出して、パパにあげて」といった3つの内容を含む簡単な指示にも従えます。こどもはまた、直接名称を言われなくてもわかるようになります。たとえば、「ガスレンジの横のもの」とか、「それをあの人にあげて」など場所や代名詞で言われたものでもわかります。

この時期の初めにはおそらく200語かそれ以上のことばをわかっていますが、使うほうはせいぜい10語から50語くらいです。とても早い子なら、2語文をまねして言ったりするかもしれません。

こどもはいろいろな種類のことばを新しく獲得します。動詞が増えますし、「太った」「やせた」といった形容する語もあります。そのためいろいろな種類のふたつのことばのはいった文を使うようになります。

こどもの初期の文には、動きを表すことばが名詞と結びつくのが共通の特徴です。「ママ来て」「ワンワン、ねんね」「パパ、バイバイ」などです。

見たりやったりしたおもしろいできごとを話そうとし始めます。

話しことばの数と品詞の種類が増えるにつれて、ことばの使い方もずっと広がってきます。ただし、個人差はかなりあります。見たりやったりしたおもしろいできごとをほかの人に話そうとし始めます。

全部ことばで言うには手持ちの語彙《ごい》が足りないので、しばしば身振りを使って補ったり、足りないところをムニャムニャことばで埋めたりします。何を言っているのかわからないこともあります。興奮してしゃべるときには、なおわかりにくくなりがちです。

「あれ、どこ?」といった質問形も出始めます。友人の孫娘がした最初の質問は「流し、どこ?」だったそうです。

否定形も使い始めます。「ごはんない」は「ぼくはごはんいらない」という意味です。

もうひとつ、大きな一歩は、ことばが「動物」や「服」のようにものごとの大まかな分類を表すのがわかってきて、そのように使うことです。

発育のようす

視力がおとな並みになってきます　大きな穴にひも通しもできます

動き回ったり周囲のことを探索する能力がどんどん発達するおかげで、ことばの発達に必要な経験が得られるようになります。からだの動きが前より自由になり、物にどう手を伸ばそうかとか、どう扱うかと思案しなくてすみます。その結果、自分がいましていることや学んでいることにもっと十分に集中できるようになります。

スムーズに走れるようになり、後ろ向きに歩くこともできます。しゃがむこともでき、バランスをくずさずにかがみこんでおもちゃを拾うこともできます。ボールを投げてもひっくり返らずにすみ、おとなに言われてけることもできます。手すりにつかまって階段も上れるし、おもちゃの乗り物にまたがって足でけって進むこともできます。

手先が器用になり、目と手の協調がさらによくなるので、納得ゆくまで探索することができます。こども自身もこういった新しく獲得した能力を、心ゆくまで楽しみます。

鉛筆を親指と2本の指でにぎってなぐり書きもできます。本のページを一枚ずつ上手にめくれるようになります。視力もおとな並みになってきますし、大きな穴ならひも通しができます。お手本を見せれば□○△などの3種類の穴の形を見分けてはめる遊びができ、積み木も7つ積み上げられます。

数の概念もわかり始めて、「ひとつ」と「たくさん」の違いがおぼろげにわかってきます。

後ろ向きに歩くことも、バランスをくずさずにかがんでおもちゃを拾うこともできます。

こどもはおもちゃの遊び方を知りたくて、おとなを引っぱってきておもちゃを見せます。おとながやってみせたとおりにまねして汽車を引っぱったりします。

ほかのこどもたちと遊ぶことはまだできませんが、そばで遊ぶのは楽しみます。分け合う気持ちはまったくなくて、おもちゃを取られそうになると、必死で抵抗します。この時期にちょっとしたごっこ遊びが始まり、手紙を書いているお母さんになってみたり、買い物に出かけるお父さんになってみたりします。

注意を向ける力

今やっていることについておもしろく話してあげましょう

こどもは自分が、していることや見ているものに集中することが増えてきます。この注意はまだひとつの感覚回路だけに偏《かたよ》っています。それでもこどもがやっていることに関連したことを話してあげると、耳を傾け、よけい喜ぶことに気づくでしょう。

上着を頭から着せるのに、「ジョニーはどこ?」と歌ってやると、「さあ、ちゃんと着て、そうしたら出かけられるから」と言うよりはずっと喜びます。前者の場合では、こどもが考えていること、興味を持っていることと、していることが同じだからです。

聞く力

日常の多くの音の意味がだんだんとわかってきます

このプログラムに従ってきているなら、こどもは聞きたい音を選び、聞きたいと思う間は聞き続けていると思います。それでもまだ、聞きたい音がそれ以外のまわりの音よりずっと大きい音でなければ、集中して聞くことができません。まだまだ気が散りやすいのです。「注意して聞くためには、こども自身が聞きたいと思っている音であることが必要」というただし書きは、まだとても重要です。選んで聞く能力は、まだ自分で選んで注意しているものに対してしか、働きません。

こどもは掃除機の音や身近な人の声など、家庭での暮らしに関係した日常の多くの音の意味がだんだんとわかってきます。

1歳10か月と1歳11か月

ことばの発達 会話に熱心になります おとなの返事を待っています

1歳8か月ころから、こどものコミュニケーションは以前より活発になり、変化に富んできます。

こどもは感情を表すのに、泣いたりぐずったりするかわりにことばを使い始めます。たとえば「ジョニー、おこってる」とはっきり言ったりします。

名前を言って会話を始めることもあり、お母さんの注意を引こうと「ママ」と叫びます。もっと重要なのは、喃語《なんご》、ことば、身振り、ものまねをたくみに混ぜて、必死に自分の経験を他人に伝えようとし始めることです。また「パパどこ?」といった質問もします。

ことばの意味もどんどんわかってきます。

前の時期と同様に、毎日のいろいろなできごとを通してことばの意味や順序を知っていくので、聞いたこととの理解が進みます。お母さんと買い物に出かければ、食べ物が買い物かごにはいってから食卓に出てくるまでの順序がわかります。結果として「このトマトは卵と一緒に料理して、夕ご飯に出すわ」という文中の「トマト」という単語の意味を推理することは、とても

ことば、身振り、ものまねなど、できる限りの方法で自分の経験を伝えようとします。

「雨がはいらないように窓を閉めるよ」などという、こみ入った文もわかるようになります。

簡単です。この段階ではこどもは新しいことばを知って、からだの部分とか服といった広い分類にあてはめます。このこともことばの理解を助けています。

もうひとつ、興味深い小さな一歩は、ことばが目の前の物だけを指すのではなく、物がないところでも、ことばを使えばその物を表せるとわかることです。

ことばの使い方、たとえば、いつあいさつしたらいいのか、いつ伝えたらいいのかなどがわかるようになります。会話の規則がよくわかるようになったこともあって、新しいことばの意味を考えるのはたいへん楽になります。いつもなら「バイバイ」を聞く場面で、「じゃあね」と聞けば、新しいことばが「バイバイ」と同じ意味だとすぐにわかります。

2歳までにかなり長くこみいった文と、そこに込められた意味や理由もわかるのが普通です。たとえば「お父さんが帰ってきたら、かくれんぼして遊びましょ」といった文がわかり（そのときまで覚えています）、お父さんが「雨がはいらないように窓を閉めるよ」と言った理由もわかります。

理解は驚くほど速く、ことばを言う能力のずっと先をいっていますが、話すほうも大きな進歩をとげています。話しことばの数も急に増えて、2歳までに多いと200語、あるいはそれ以上を使うでしょう。

　このころまでに、品詞の種類も増えています。「およぐ」「あそぶ」といった動詞、「おおきい」「ちいさい」といった形容詞、「いそいで」「ゆっくり」といった副詞、それに代名詞もあります。ただ、間違いもよくあります。

　これだけ種類が増えると、ことばをつなぎ合わせて、「ジョーがすべる」「早く行く」のように文をつくるのもずっと楽になってきます。文法も使い始めます。

　誰のことかよくわかるように、自分のことを名前で言うのもよく見られます。

　否定の「いや」や「……ない」も使い始めます。「落ちる、ない」というのは「ぼくはお皿を落とさなかった」の意味です。質問も「パパ、どこへ行った?」というふうに聞いて、質問形の使い方も広げていきます。

　ときには、大切な内容が3つはいった文もまねし始めます。2歳までに「ジュースちょうだい」といった文を自分から言うかもしれません。ことばだけでなく、文法も使えるようになったのです。

　この時期にはまだ抜けていることばがあったりしますが、かなりはっきり言いたいことを伝えられます。

　教えられると、名字と名前が言えるようになるのも、ちょっとした進歩です。

　こどもの話しことばから母国語以外の音は完全に消えますが、発音はまだおとなの発音とはかなり違っています。「おいす」を「おーちゅ」、「おかあさん」を「ちゃあちゃん」のように発音の難しい音をやさしい音におきかえることは続きます。「バナナ」を「バナ」というように、短く縮めたり、音や音節を省いたりします。

　おもしろいことに、他人の話しことばの中のこういう間違いには、こどもはすぐに気がつきます。おとながこどもと同じように誤って発音すると、こどもは変な顔をするでしょう。

　自分は誤った発音でお話しするのに、あなたの発音を直そうとします。

　ことばを使用する能力がかなり上達してくるので、会話に熱心になります。こどもはおとなとおしゃべりするのが楽しみになって、返事がもらえるまで断固待っています。忙しくて相手をしてやらないおとなに対しては、こどもは、押したり引っぱったり何度も声をかけたりします。こどもは、言い方を変え、身振り手振りを混じえて、なんとかわかってもらおうとがんばります。

知能と言語は並行して伸びていきます。この時期で特に重要なのは、概念形成と分類能力が発達し続けていくことです。その結果、「ざらざらとつるつる」「広いと狭い」といった概念に関係することばを使う能力と、ことばを「服」や「動物」といった種類に分類して使う能力を身につけます。

発育のようす

手先が急に器用になります　小さな物をつまめます

この時期、運動能力がとても伸びるので、こどもは世界を探索しやすくなります。窓の外を見ようといすによじのぼり、階段を一段ごとに足をそろえながら上ります。さらには、おもちゃを引っぱりながら後ろ向きに歩いたり、ころばずに床からおもちゃを拾ったりします。ふりかぶってボールを投げ、三輪車にすわって自分の足でこぎます。

すぐれた小児科医アーノルド・ゲゼルのことばによれば、「2歳児は筋肉で考える」のです。ゲゼル博士はこの段階の運動能力と精神活動の完璧な結びつきをこう言っています。2歳児は「活動しながら話し、話しながら活動する」。

手先の器用さも急に増します。こどもはピンや糸といった小さな物をつまみあげたり、積み木3つで汽車をつくったり、本のページを一枚ずつめくったりできます。目と手の協調動作により、正面からだけでなく違う角度から見て、簡単な型はめ遊びができます。

日常の生活動作でもいくらか自立してきて、2歳までにほとんどの服はぬげますし、ひとりで手を洗い、スプーンでこぼさずに食べられます。

感情面でも複雑さが増し、他人の気持ちにも敏感になります。やっと毎日の生活パターンがわかったところですから、急な変化はいやがります。

注意を向ける力

こども自身のペースで進ませるのが最良で最速です

注意の発達については、前の2か月からあまり変化はありません。自分でやりたいときにはあれほど集中できるのに、どうして親が言うときには集中できないのだろうと思うかもしれませんが、心配することはありません。次の段階に進むのはすぐです。

あなたが手助けすれば、指示に従って集中できるようになります。こどもの用意が整うまで、とにかくあせらないでください。こども自身のペースで進ませるのが、最良で最速なのです。

聞く力

音を出すおもちゃで遊ぶのが大好きです

いまや、聞こえてくる音の大部分はこどもにとって意味を持ち、その音の出どころを簡単に見つけだせます。

聞くことは生活の中の大きな楽しみで、話しかけられたり、歌ってもらったりすることだけでなく、音を出すおもちゃで遊ぶのも大好きです。

それでも気をつけてください。まわりの音があまり多いと、まだ聞くのはたいへんなのです。スーパーマーケットのようなうるさい場所では、あなたの声が聞こえていないこともあるでしょう。

日常の生活動作がだんだんひとりでできるようになります。

「語りかけ育児」の時間はこどもの心の安定にとても役立ちます

1歳8か月から2歳までの

1日30分間

語りかけ育児

■毎日、30分間だけは、こどもとしっかり向き合います

いままでは親子ともこの時間が、とても楽しみなのではないでしょうか。よほどのことがない限り、この遊びの時間をやめてしまったりしていないことを願っています。この時間はこどもがことばを学ぶのに最高の場であるだけでなく、こどもの心の安定と人生全体を支える信頼感を育てるためにとても役立っているのです。

この時期、遊ぶ能力も伸びます。たくさんほめて、もっと難しいことに取り組めるように、やさしく手助けしてあげましょう。そうすればこどもはがっかりしたりいらいらしたりしなくてすみます。

ショーンは1歳8か月で何もことばが出ないため、お父さんに連れられてやってきました。お父さんはなぜか、この年齢のこどもはたくさん話しかけられる必要はなく、自分からものごとがわかるようになるべきだと思っていました。

ふたりが遊んでいるとき、ショーンはおもちゃを見つけましたが、小さな手に

はねじがきつすぎました。やってもやってもだめなので、数分もするとショーンは真っ赤になって泣きだしました。

手を貸さずにはいられなくなった私が、ちょっとねじをゆるめてあげると、とたんにショーンは笑顔になって、そのおもちゃからいろいろなことを学びました。

アントニアのことも思い出します。お母さんはこどもがちょっとでもいらいらするとがまんできませんでした。アントニアが気づく前にすべての問題を解決してやり、自分の考えだけを話し続けていました。私がよく覚えているのは、アントニアがジグソーパズルで遊んでいると、ピースを手に取ったとたん、お母さんがここよと教えてしまう場面です。

これはショーンのお父さんの不干渉と同じぐらい、アントニアにとっては問題でした。親たちが自分の考えでなく、こどもの考えにそって話すことを学び、遊びも適切に手伝ってやれるようになると、ふたりとも明るくなりました。

■始める前にチェックすること

部屋は静かにしましょう

うるさい音や気の散るものが知らず知らずはいってきていないか、確かめてください。まわりからはいってくる雑音で意味のあるものなどありません。また、あなた自身がこどものじゃまをしていないかどうかを確かめてください。こどもには静かで聞きやすく、楽しめる時間がまだ必要です。

おもちゃを取りやすいところに置いて、探索したり、ごっこ遊びをするのにいろいろ選べるようにしてください。同じ場所に置いておけば、こどもは見つけやすいでし

すべてのおもちゃが
故障していないこと
欠けていないことを
確認しましょう

ょう。おもちゃに問題がないかあらかじめ確認してください。この年齢のこどもは人形が飛び出さないびっくり箱や、ピースが欠けたパズルにはがまんできません。

床は十分に空けて遊べるように、おもちゃを置いてください。床と壁がおもちゃや絵で埋めつくされているのは刺激が強すぎて、こどもが集中できません。

■話し方

◆同じものに一緒に注意を向けましょう

あなたとこどもが同じ興味と注意を共有し続けることはまだ必要です。こどもの注意しているものに常に気を配ってください。

こどもは何をおもしろいと思っているか、ことばでどんどん伝えてくれます。ことばで言えることが増えたので、前ほどあれこれ考えなくてもすみます。

こどもが指さして笑顔で「あっち、ネコ」と言えば、何に興味があるのかは疑問の余地なしです。あなたがわからないときは、こどもはすぐになんとかわかってもらおうとするでしょう。たとえば「クマちゃん、飲む」と言われて、あなたはクマちゃんに飲み物をやります。でも本当はクマちゃんのカップを自分に渡してほしかったとすると、こどもは身振りで一生懸命わかってもらおうとします。

おそらくこの時期でいちばん重要な変化は、急速に知識が広がってことばが使えるようになり、こどもの考えていることが必ずしも「いま、ここ」で起きていることだけではなくなったことでしょう。これまでに起きたできごとを、何度も何度も、あなたに伝えようとします。私の娘は1歳9か月のとき、初めて行った動物園にすっかり

のぼせあがって、会う人ごとに「お母さんキリン、赤ちゃんキリン、小鳥ちゃんハローって言った」と言っていました。

こどもの言ったことを少しふくらませて、こどもが思い出しやすいように少し付け加えます。もし公園で遊んでいるこどもたちを見たことについて、「ジョニー、ボール打った。みんなころぶ」と短い文や、わけのわからないことばで引き伸ばした長い文を混ぜて使っているなら、あなたは「そうね。ジョニーがボールを打ったわ。ころんだから、ジョニーのお母さんが起こしてあげたの。みんなで家に帰って、おやつにしたわね」と言えるでしょう。

これから起きるだろうことについても話し始めるでしょう。この時期ならふつうはごく近い未来、たとえばその日遅くのことなどです。こういう会話にはしっかり相手をしてあげてください。いま現在起きていることについて話すのでないと、こどもの興味に合わせることにならないのではないか、と心配する必要は全然ありません。未来のことについての会話でも、十分こどもの興味に添っています。

こどもはもうすぐ起こりそうなことを考えて、「トム、公園行く。ウサちゃん見る」と言うかもしれません。ここでも、あなたはほかにも公園で見られそうな、花やブランコやすべり台のことを思い出させることができます。

こういう会話は、こどもがもっと複雑な文法、たとえば過去や未来時制を聞いて覚える機会になります。また「もし雨が降ったら、公園には行けない」といったもっと複雑な文を、こどもが覚える機会を与えることにもなります。

この時期では、よく考えられた質問形式で問いかけると、こどもが考えて思い出す助けになります。たとえば「今日は公園で何が見られるかしらね？」と言えば、いままで公園へ行ったときのことをあれこれ思い出すでしょう。こどもが答えないときは、必ずあなたが自分で答えるようにしてください。

２歳までに会話の半分近くが、過去や未来のできごとについてになってきます。これはこどもの言語習得にはとても役立ちます。

同じ体験についての
会話が増えると
会話の相手がどれほど
「知っているか」を
考えるように
なります

もうひとつ、具体物について以外の話題として、気持ちについての会話が新たに始まります。「メアリーがボールをとっちゃった。ジョニー怒った」は、とてもおもしろい会話になっていきます。

同じ体験についての会話が増えるにつれて、こどもは会話の相手がどれほど「知っているか」を考えるようになります。たとえば、こどもとお母さんがびっくり箱をすごくおもしろいと思ったとします。こどもは「飛び出した」と言えば、お母さんならきっと笑うけれど、そのおもちゃを見たことがない人には、たくさん説明しなければならないとわかるようになります。

こういう点でも、毎日の「語りかけ育児」の時間がどれほど大切かおわかりになると思います。クリニックにはこの点が欠けているこどもたちがたくさん来ました。相手のことを上手に考えられないということが、会話を本当に難しくしているのです。

セーラは初めて部屋にはいってきたとき、「あの子、おおきく、おおきく、こわれた！」と言いました。遊びのグループで、セーラとほかのこどもたちが割れるほど大きく風船をふくらましていたとわかるまで、相当時間がかかりました。風船について話しても、そこにいなかった私には内容がわかってもらえないということが、セーラにはわからなかったのです。

この時期、こどもの関心は急に方向を変えることがあります。
こどもがそれまでの会話を切り上げて「いま、ここ」にもどる瞬間に注意すること

指示はまったくしないようにしましょう

が大切です。それまでの会話がどんなに楽しかったとしても、そのまま続けようとしては絶対にいけません。

注意の発達の面から言うと、いまは移り変わりの時期なのです。注意が急にあちこちに移ることは、まだ何度もあるでしょう。それでかまわないということを、こどもにも話しましょう。そしてこどもの関心がどんなに急に変わったとしても、ひとつひとつに添いながら話をしましょう。

以前のように、こどもの興味にできるだけ関連づけて、「実況放送」をしましょう。「なんて大きな車。どんどんあがって行くわ、あの坂道、てっぺんに着いた、今度は下りてくる」おとながこんなふうにこどもの注意に合わせて話すことが、こどもに耳を傾けさせる唯一の方法であり、ことばを習得するための最善の方法なのです。

命令しないようにすることも、まだとても大切です。こどもの注意レベルは、着がえのときに「お手々はどこ?」というような指示を聞くのがやっとというところです。毎日の生活の中ならそれもいいでしょうが、「語りかけ」時間には実況型の話しかけがいちばん聞きやすく、いちばん楽しいものです。こどもにとって、おとなはやっていることをじゃまするのでなく、おもしろくしてくれる存在になります。こどもがいたずら書きしたいようすのときに「クレヨンを取っていらっしゃい」と言うのは、むろんかまいません。それはこどもの興味に合わせた行為です。

この段階では、こどもの注意を変えさせようとしないでください。こどもはおとなに言われれば注意を移せる段階に来ていますが、もう少したてばもっと簡単にできるようになります。この時期はこどもの注意の発達を遅らせるのも簡単です。こどもが

遊びに干渉する
母親のこどもは
干渉しない
母親のこどもより
言語発達のレベルが
低くなります

何かに熱中しているときに、おとながが注意をそらさせれば、こどもの注意力はバラバラになってしまうのです。

これがたび重なると、結果として非常に注意散漫なこどもになってしまいます。

クリニックには7、8歳ぐらいの非常に注意の移りやすいこどもがたくさん来ます。ここには、いろいろな種類のおもちゃが用意されているのに、たった30分くらいで遊びあきてしまい、何も学んだり獲得したりできないのです。

私はつい最近、保育園でダナという小さな女の子に会いました。保育園の先生によれば、ダナはときどきおとなの指示に従うことができますが、いつもそうするとは限らないのが悩みの種だそうです。私が部屋にはいると、先生はダナの頭を押さえて、数を数えるのに集中させようとしていました。先生がダナの頭を押さえるたびに、ダナの目はひょいと動いてあらぬほうをながめていました。私はダナと先生のどちらが悩みの種なのかよくわかりませんでした。

1986年に英国で行われた、おとなとこどもの共同注意（同じものに注意を向けること）についての研究によると、注意集中している対象を変えることは、こどもよりおとなのほうがたやすいことが指摘されています。それに関連するカナダでの研究では、遊びに干渉する母親のこどもは、こどもの選択にまかせて自由に遊ばせる母親のこどもより、言語発達のレベルが低いという結果が出ています

みなさんは、もうこどもの興味について十分にわかっているでしょうから、こども

新しいことばを
たくさん
使いましょう

新しい音を工夫して
〝聞くことは
楽しいことだ〟
と思わせましょう

の興味に添いながら、新しいことばをたくさん使いましょう。こどもはどんどん吸収していきます。

いろいろな種類のことばを使いましょう。長くても複雑でもかまいません。あなたがこどもの興味に添って、それらのことばを使えば、こどもはとてもおもしろく感じます。私は最近2歳になろうとする坊やの飛行機が落ちてしまったときに「大事件」という語を使いました。坊やはキャッキャッと大喜びして、まねをして言おうとしました。

◆楽しんで聞き続けられるように手助けしましょう

この点については、静かなことがいちばん重要ですが、音を聞くことが楽しくおもしろいと思える機会をこどもに与えることも大切です。

おもちゃ箱にひとつかふたつ、缶の中に豆を入れたものや楽器などのような音の出るものを加えるようにしてください。そうすれば、こどもは進んで遊ぼうとするでしょう。

わらべ歌もまだ十分に楽しめるので、機会さえあれば歌いましょう。音楽に合わせて踊るのも、とても楽しいでしょう。

この段階では、おもちゃ箱に本を入れておくのもおもしろいでしょう。本を見ながら「遊びの音」を聞かせるだけでなく、登場人物ごとに、やさしい声、大きな声などの声色を使い分けることもできます。

水遊びをしているときには泡の音、粘土をこねているときには押しつぶす音など、

大切な内容は3語以内に

こどもがやっていることから出る音に注意を引きつけるのも、よいやり方です。

◆「語りかけ育児」の時間には短い文を使い続けましょう

この月齢の終わりには、あなたの言ったことを、こどもはほとんどわかっているでしょう。そのためこどもに向かって、かなり長い文で話しかけてしまいがちです。1日30分間の「語りかけ育児」の時間以外ではかまいませんが、この時間には文の長さを制限することがとても役に立ちます。

大切な内容が3つ以内の文を使うようにしましょう。「ジョニー、**あとで公園**まで**行こう**ね」といったふうに。この段階で文がもっと長くなると、こどもはそれぞれのことばの中の音を聞き分けるのにもっと時間がかかります。また意味を追っていくのに気を取られて、文中のちょっとしたことばを聞き落とすかもしれないのです。

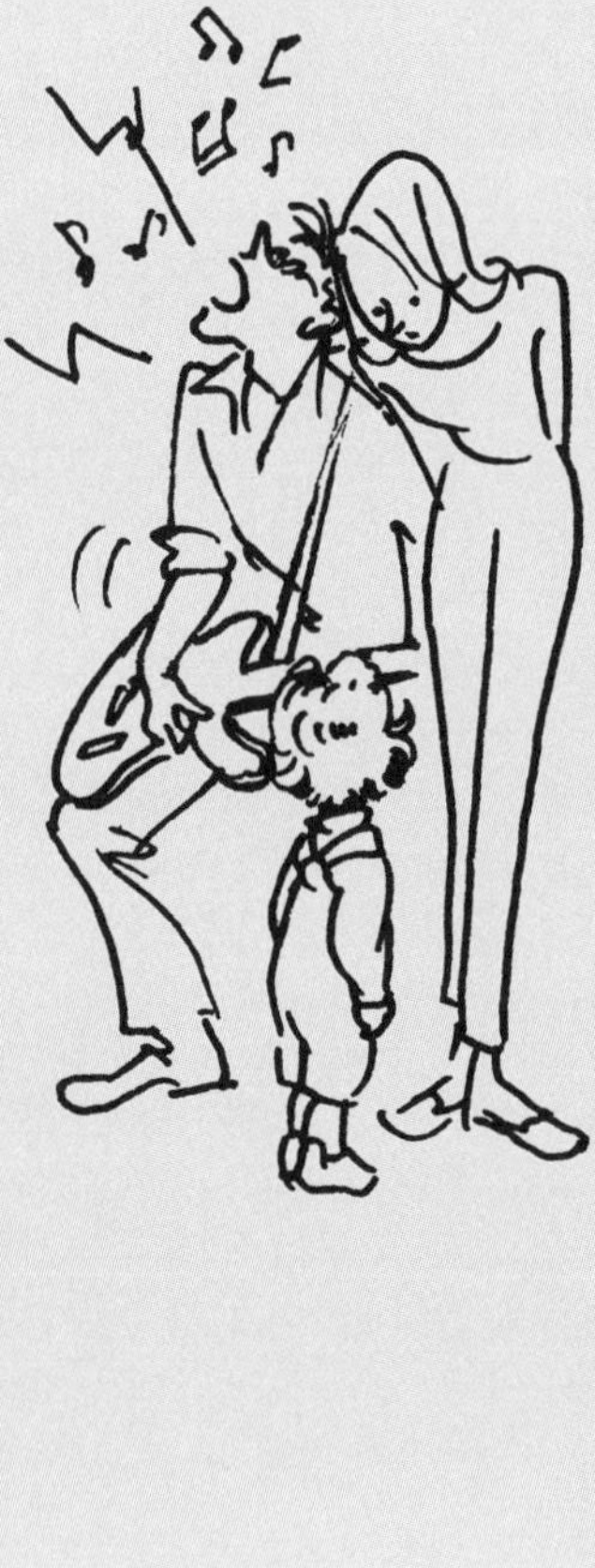

2歳半のスージーは、聴力の悪い子に見られるような音や音節の多くを省略する話し方をするので、聴力検査にやってきました。検査してみると聴力には問題がなかったので、みんなが不思議に思いました。

お母さんの話し方を聞き、そして特に家庭がいつもとても騒がしいことを知ったとき、納得できました。スージーのお母さんはものすごく長い文で話すうえに、声がとても小さいのです。

かわいそうにスージーは、お母さんの言っていることの意味をとらえるのに必死で、小さく弱い音や音節にはとても気づくどころではなかったのです。お母さんが問題の原因を悟り、話し方を変えると、スージーの話しことばはよくなり始め、ほんの数か月で年齢並みの話し方になりました。

ゆっくり
そして大きめに
いろいろな調子で
話しましょう

おとなに対するよりももう少しゆっくり、大きめに、いろんな声の調子で話すことを続けましょう。このことは、小さなこどもの心をもっとも引きつける話し方です。ひとつひとつの単語の中にある語音をしっかりとらえる、最適な話し方なのです。文と文の間にひと息入れ、あなたが言ったことをこどもが理解できるように時間を与えましょう。

パトリックは話しことばがとても不明瞭《ふめいりよう》なので、私のところに連れてこられました。8人兄弟ですが、お母さんはそれぞれの子にしっかりと目を注いでいました。忙しいお母さんの話し方は早口で、息もつかないようでした。お母さんがパトリックとだけいる時間をつくり、その時間は短い文を使い、文と文の間にひと呼吸入れるように指導すると、パトリックの話しことばは急速によくなりました。

代名詞よりは名詞を使うことを、ぜひ続けてください。もうこどもがすっかりわかっていると思いがちですし、実際そうかもしれませんが、名詞を使って悪いことはひとつもありません。こどもにとって名詞の中の音のならび方がまだ不確かな場合や、思ったほどわかっていない場合には、とても助けになります。

◆こどもの言ったことを少しふくらませてあげましょう

この時期、いちばん役立つのは、こどもが言ったことを少しふくらませて返すことです。たとえばこどもが「ママ、行く」と言えば、あなたは「そうよ、ママはお仕事

決して
子どもの言い方を
直していると
思わせない
ようにしましょう

に行くのよ」、あるいは「お茶ほしい」と言われれば「お茶がほしいの？　はい、ここにありますよ」と答えられるでしょう。

これはこどもに文法をわからせるのにとても役立つだけでなく、ふたりで同じものに注意を向ける時間が長くなります。（決してこどもの言い方を直していると思わせないように、気をつけてください。必ず「そうね」で始めるという鉄則を守ってください）

こどものことばの中に他人だとわからないようなものがあれば、そのことばを短い文の中に取り入れて、こどもに正しい音を聞かせましょう。私の子のひとりは、この時期ビスケットのことをビットと言い、誰もわかってくれないとすごく機嫌が悪くなりました。私はこのことばを入れた短い文をたくさん使うようにしました。「おいしいビスケット」「お茶のときのビスケット」「ビスケットが好き」といったぐあいにすると、こどもが正しい音をとらえるまでそんなにかかりませんでした。

こういうときに、間違いを直されていると思わせないように、細心の注意を払ってください。

◆あなたの言っていることが目で見てわかるように示してあげましょう

身振りを使って、あなたが言いたいことを、こどもにはっきり伝えるのはとてもいいことです。新しいことばで、こどもが知らないだろうと思うときは、特にそうしてください。

おもちゃを「ぐるぐる」と言いながら回したり、あるいは「引き出しを開けて、鉛

ことばと一緒に
身振りを
使いましょう

筆をしまいましょう」と言いながらそうすれば、きちんと意味を伝えられます。

◆していることに合わせて遊びの音をつくり続けましょう

遊びの音はいろいろな目的に役立ちますから、ずっと続けましょう。こどもがそれぞれの語音を聞き取ることができるようにしてくれます。

掃除しながら「シュッシュッ」、水が流れれば、「ザァ」と音をつけます。声を聞くのは楽しいという大切なメッセージをこどもに伝えることができます。この時期には絵本の絵にぴったりした音を添えることは、特に役に立ちます。音と絵の間に結びつきがあるというメッセージを早いうちに伝えられます。後になってこどもが耳に聞こえる音と書かれたものを結びつけるときに、たいへん役に立ちます。

◆くり返しをたくさん使い続けましょう

くり返しも前の時期と同じようにとても大切です。こどもはまだ何度も何度もことばを聞く必要があります。そうすることで単語の中の音すべてを正確に覚え、いつかは正しく言えるようになるのです。急速に理解がすすむ時期ですので、ひとつのことばをいろいろな場面で聞けば聞くほど、それだけ早くきちんと理解できるようになります。たとえばこどもの家で自分が飼っているイヌにだけ「イヌ」という言葉を聞いていたとします。その場合、「イヌ」というそのことばが、ある特徴をもっている4本足の動物全体にあてはまるということを理解するのに、さまざまな場面で「イヌ」ということばを聞いているこどもに比べて、ずっと時間がかかってしまいます。

マークは長い間重い病気にかかっていたので、遊びやことばの経験がずいぶん少なくなっていました。学校でマークは先生とこんな会話をしたそうです。
マーク「G先生に会いたい」
先生「G先生はお忙しいのよ」
マーク「B先生に会いたい」
先生「B先生はお忙しいわ」
マーク「忙しいに会いたい」
マークは「忙しい」ということばを、意味がわかるほどいろいろな場面で聞いたことがなく、ことばの種類もわからないので、それが名前であるかのように使っていました。マークがそのことばの意味を本当にわかるようになるためには、

ひとつのことばを
いろいろな場面で
聞くことが
重要です

「マークは積み木で遊ぶのに忙しい」「パパは夕食のしたくに忙しい」「ママは手紙を書くのに忙しい」といったふうにいろいろな使われ方を聞く必要があります。

ひとつのことばをいろいろな場面で聞くことが、こどもの概念形成を手助けする際に重要となります。「イヌが食べている」「イヌを追いかけている」「イヌが暑がっている」「人なつこいイヌね」といったいろいろな文も、どんな種類の動物なのかというはっきりした考えをこどもに伝えます。

ごく限られた場面のことばしか聞けないこどもは、その意味を完全にはわかりません。この時期、あなたが新しいことばを使うときには、くり返しが特に有効です。たくさんくり返せばこどものことばをどんどん豊かにできます。こんなふうに言ってみましょう。「クマちゃんはココアがほしいって。クマちゃんのココア。これがクマちゃんのココアですよ」

◆こどもの言いたいことを言って返してあげましょう

こどもが何を言いたいか、あなたにははっきりわかるのに、こどものほうはそれを十分に表現できるだけのことばを持っていなくて、身振りをたくさん使ったり喃語で引き伸ばしたりしている場合が、まだまだあると思います。

こどもが言いたいことをあなたが言って返すのが、いちばんの手助けです。たとえばこどもが窓の外をながめていて、興奮して腕をふり回しながら「コトリちゃん、コトリちゃん!」と言っていれば、あなたは「そうね、小鳥がたくさんいるわね。飛ん

こどもの言ったこと
言い方を批評すると
こどもは
神経質になります

答えのわかっている
質問は
決して
してはいけません

でいる。一緒に飛んでいる」と言ってあげます。

■この時期、してはいけないこと

こどもにことばや音をまねて言わせないでください。「語りかけ育児」の大原則のひとつは、おとなはこどもが理解できるように注意を払い、こどもは自由に話すだけでいいということです。

こどもが発音を間違えたり、文がぐちゃぐちゃになったり、音を省略したりするときは、ことばや文を何度もはっきり聞かせてあげればいいのです。うまく言えなかったと批評してみたところで、こどもは何も得るものはありません。

こどもの言い方や言った内容について、何も批評しないことも大切です。言い方をあれこれ言うのは、自然なコミュニケーションではありません。こどもを神経質にするだけです。

■こどもに質問するときには

過去や未来のことについて話すときに、思い出しやすいようにいくつか問いかけることは役立ちます。その場合、質問に答えさせるというよりは、あなたの言うことをこどもが熱心に聞くようにすることが目的です。こういう質問の数は、会話のごく一部だけにしておいてください。こどもが答える様子を見せなければ、いつでもあなたが自分で答えてください。

いままでと同様、こどもを試すような質問はしないでください。わざと答えを言わせるための質問は自然なコミュニケーションではありませんし、もし答えを知らないと、こどもは負担に思うだけです。

■「語りかけ育児」の時間以外には

◎日課をくずさないようにしましょう。
◎こどもに日課やその日のできごとについてたくさん話しかけましょう。
◎毎日一緒に本を見ましょう。
◎何が起きているかこどもに説明できるときは、いつでもこどもを会話に加えましょう。

遊び

探索遊び

こどもは、まわりの世界を知ろうという意気ごみに燃えています。いろんなものを探索するのが大好きで、あらゆるものについてたくさん学びます。

水遊びはまだ十分おもしろくて、これからもしばらく楽しめます。入れ物から入れ物へ水をつぐのが大好きで、何が浮いて何が沈むのか、すぐ沈むのはどれでゆっくり沈むのはどれかを見つけて喜びます。

この遊びによって、「速い」と「遅い」、「近い」と「遠い」、「最初」と「最後」といった概念がわかるようになり、そういったことばを使えるようになります。

こういう経験をしなかったり、少ししかしなかったこどもは、ずいぶん損をします。

メリッサという4歳の女の子が最近、私のクリニックにやってきました。両親の選んだ学校は、ごく小さな子にも入学試験をしていたのですが、メリッサはそれに受からなかったのです。

お母さんは家をきれいにしておくことにとてもこ

だわっていたので、メリッサはごく限られた遊びしかさせてもらえませんでした。水、砂、粘土遊びはだめ、クレヨンや絵の具はもってのほかでした。はさみもだめ、積み木のような遊び道具を床に広げることも、ちょっとでも家具を動かすことも許されませんでした。

そういう制限のため、メリッサはかわいがられ、よく世話されていたにもかかわらず、経験不足で概念を学べず、ことばの理解と使い方については年齢よりかなり遅れていました。

「語りかけ育児」を始めて6か月たたないうちに、ことばのレベルは追いつきましたが、もしもっといろいろな経験をしていたら、あの子はもっとずっと伸びていたのは確かだと思って、とても残念です。

粘土や小麦粉粘土は、この段階でもとても楽しめます。2歳に近づくと、粘土を切ったり、伸ばしたりといった基本的な手作業を始めます。クレヨンや鉛筆のいたずら書きも長時間になり、紙いっぱいに書くようになります。砂遊びもお気に入りです。以前のようにただ砂にすわっているのではなく、トラックや一輪車に積むことが好きになります。

ボール投げもおもしろく、何人かの人と一緒に遊ぶことを体験できます。

こどもの手先の器用さが増し、集中する時間が長くなるので、細かい操作を必要とするおもちゃを楽しめるようになります。穴のあいた大きなビーズを棒に通

水・砂・粘土遊びも、クレヨンや絵の具も禁止されたメリッサは、経験不足でことばが年齢よりかなり遅れていました。

すよりはひもに通すほうがおもしろく、単なる型はめよりは簡単なジグソーパズルをするほうが好きになります。重ねるようなおもちゃが大好きで、特にマトリョーシカのような入れ子になったものを楽しみます。

組み合わせたり、分類したりすることにもあいかわらず興味を持ち続けます。絵合わせや色合わせが大好きです。

大きくてやりやすいものなら、連結ブロックのように作り上げるおもちゃを楽しめるようになります。何を作るというわけでもありませんが、手先を使い、どんなふうに組み合わせるかを考えることは、とても役立ちます。

原因と結果についてはよくわかってきて、びっくり箱や飛び出すおもちゃといった、何かをするとすごいことが起きるものもお気に入りになります。

やりとり遊び・ふり遊び

この月齢のこどものお気に入りの遊びは、おとなの「お手伝い」をして、あとで同じことを遊びでやってみることです。こどもは、おとなのやることをじっと観察し、あとでまねをします。ふつうは、鍋にポテトを入れるといったひとつの動作だけです。ぬいぐるみや人形を相手に遊びますし、おとなが加わってくれるのも大歓迎です。

知っていることが増えるので、物の扱い方も正しくなってきます。たとえば人形の枕《まくら》とカバーを正しく置き、ナイフやフォークとお皿はちゃんとテーブルに置きます。アイロンやアイロン台のようなおとなが使っている道具のおもちゃは大好きです。

農場や動物園やガレージといった模型のおもちゃで遊ぶのも大好きです。簡単なドールハウスも大いに楽しめるでしょう。こういうおもちゃは、いろいろと遊び方を工夫して長く楽しめます。

手先を使ったり、探索する遊びでは、おとなにおもちゃの使い方を見せてもらったあとは、自分でやってみたいので手出しされることをきらいます。

この時期のこどもにとって、基本的な技能を身につけたあとで、おとなが違うやり方をして見せるかかわり方がいちばんいいでしょう。たとえばこどもが穴あきビーズをひもに通せるようになったあとで、おとなが色を変えて模様を作って見せれば、遊びが広がります。

　ふり遊びにおとなが加わるのも、大歓迎されます。かわりばんこはまだとてもおもしろく、ぬいぐるみや人形にご飯を食べさせたり、お客さんとお店屋さんとのやりとりをするのも楽しいものです。こういう遊びでは、おとなはドールハウスのここに家具を置いてみたらと助言したりとか、買い物ごっこの材料をそろえてやったり、こどもを手助けできます。

　わらべ歌もとてもお気に入りです。この時期のこどもは動きがついた歌が大好きです。こどもは自分の知っているものや人を歌った歌詞がついていて、よく知っているメロディーの歌が大好きです。

　前の時期と同じに、ひとり遊びをしたがることもありますが、たいていは親のそばがよくて、親がいなくなると泣くことが多いでしょう。いつどれぐらい、こどもがおとなに加わってもらいたいか、そしていつひとりでやりたがっているかを見極めるのに、親にかなりの敏感さが必要になります。

　まだほかのこどもたちと本当に一緒に遊ぶことはできません。よちよち歩きの赤ちゃんがふたり、となりどうしでふり遊びをすることはあるかもしれません。しかしかかわりを持つのは、お互いのおもちゃの取り合いをするときくらいのものです。

簡単なジグソーパズルやマトリョーシカのような入れ子になった物が大好きです。

TOY BOX

おもちゃばこ

次のおもちゃや遊び道具はこの段階に適したものです。探索遊び用とふり遊び用に分けられていますが、こどもは、思いがけない遊び方を考えつくかもしれません。

探索遊び用

◎水をしぼり出せるボトルなど水遊び用のいろいろな容器（大きめのペットボトルを半分くらいで切り、切り口にはけがをしないようにビニールテープを貼ったおもちゃが人気です。上半分はじょうごに、下半分が容器になります。水だけでなく、大豆や使い古しのストローを切ったもの、大きなボタンなどを入れるのも喜びます）
◎粘土用ののし棒やカッターになるプラスチックのへラなど
◎砂場用のトラックや手押し車
◎大きな穴あきビーズとひも（牛乳パックや厚紙を、○、□、△などの形に切って中央に穴をあけ、ストローや綿ロープに通すのも喜びます。ロープの先端にセロハンテープを巻くと厚紙を通しやすくなります）
◎マトリョーシカ人形や入れ子の箱
◎大きな絵合わせ

◎色合わせゲーム（たとえばアサリの貝殻、プリンやゼリーの空きカップなどにマジックで色を塗ったり折り紙を貼ったりすれば、色合わせや形合わせのおもちゃができます）
◎大きな連結ブロック
◎新しい音を出すおもちゃ、楽器、中に何かがはいっていて、ものめずらしい音を出す容器など
◎びっくり箱や飛び出すおもちゃ

ふり遊び用

◎買い物袋
◎アイロンとアイロン台などの、身近な生活用品のおもちゃ
◎食器洗い用のスポンジやたわし
◎動物と動物園の模型
◎動物と農場の模型
◎ガレージといろいろな乗り物
◎ドールハウスと家具

BOOK SHELF 本棚

毎日こどもと一緒に絵本を見る習慣をつくることが、とても大切です。「語りかけ育児」の時間でも寝かしつけるときでも、都合のよいときにしてください。この時期から将来にわたり、これはとても大事な習慣です。学齢期前におとなとこどもが一緒に絵本をどの

くらい見たかが、あとの読書力をはかるものさしなのです。

これは早期に読書を教えこむこととは違います。あまり早すぎる教え込みは逆効果です。大切なのは本を楽しむことです。それが親子の心豊かなかかわりの時間になるということです。

追跡調査の結果を調べたところ、話しことばではとても高い能力を持っているのに、読書力ではがっかりするほど平均的なこどもが何人かいました。これは学齢前にあまりおとなと一緒に本を見ることがなかったためでしょう。悲しいことにとても多くのこどもが、そういう状態のまま学校に進みます。中には本の開き方も、どの向きに読むのかも、お話が前のページから次のページに続くのも知らないこどもがいます。

本を読む楽しさを伝えましょう。

内容で言えば、「1歳4か月から7か月」の章で紹介した本を、まだきっと喜ぶと思います。乗り物や動物についての本で、あなたがたくさん「遊びの音（擬声語や擬態語）」を付け加えられるものがいいでしょう。

こういうものは、音が本の中にもあると気づかせるのに役立ちます。これがわかると、音と文字を結びつける能力になっていきます。「遊びの音」はこどもにことばの中のひとつひとつの音をわからせ、あとで読書にも役立ちます。

わらべ歌の本もこの時期とても大切です。音に気づき、ことばの響きに気づくことが読書へつながります。ことばの響きがわからないと、読書家にはなれません。

ことばの理解力が増して、注意を集中する時間が長くなると、やさしいお話を楽しめるようになります。現実味があることはとても大切です。こどもはまだファンタジーを受けとめられません。まだまわりの世界を知ったばかりで、もっと知ろうとしているところですから、すぐに混乱してしまいます。

お話ししてあげるのなら、こども自身が経験した話がいちばんです。ことばに意味を持たせるには、これがいちばん役立つからです。このような話なら、先の見通しがつけられるので、世界はどうなっているのかが、よくわかります。お話の中のできごとを、こどもの経験と結びつけて話してあげられます。

こどもができごとの順序をわかれば、その中に出てくる新しいことばの意味はすぐわかります。

おもしろいことに、こども達は自分がよく知っている手順について話すときは、ほかのことより正しい文で話します。お話の中にくり返しがあるのも、たいへん楽しめます。

写真を見ながら、こどものことをお話に仕立ててやるのは、とてもすてきです。写真と家の中の実物とを照らし合わせて、とても喜ぶことでしょう。

おすすめリスト（1歳4か月〜7か月までと共通）

『ねんねんネコのねるとこは』（評論社）
『コロちゃんのおとまり』（評論社）
『キッパー』シリーズ（小学館）
『ちいさなうさこちゃん』（福音館書店）
『ゆかいなゆうびんやさん』（文化出版局）
『うたえほん』（グランまま社）
『しゅっぱつしんこう』（福音館書店）
『とらっく』（金の星社）
『おとうさんあそぼう』（福音館書店）
『がたんごとんがたんごとん』（福音館書店）
『もこもこもこ』（文研出版）
『たまごのあかちゃん』（福音館書店）
『きんぎょがにげた』（福音館書店）
など

TV & VIDEO
テレビとビデオ

以前と同じ3原則です。

◎こどもがテレビ、ビデオを見る時間を1日30分に限りましょう。

◎あなたも一緒に見ることが大切です、ふたりで見れば、こどもの見た映像とこども自身の経験とを関連づけることができます。

◎内容は、必ずこどもが学ぼうとしている現実世界にかかわるもの。前章でも言いましたが、非現実的な話は、こどもの限られた経験ではまだ受け入れる準備ができていません。

ちょっとしたお話にはついていけるようになったので、こどもが理解できる内容でこどもや動物を描いた番組は楽しめます。本と同じようにくり返しがあり、同じ登場人物が同じようなことをしたり言ったりするシリーズものは、とてもおもしろがります。

ここに書かれているのは平均的な発達のようすです。こどもによってそれぞれ発達は異なります。お子さんがここに書かれていることを全部できていなくても心配ありませんが、2歳で、「気がかりなこと」にあてはまる場合は、専門家に相談してみてください。また、こどもについて疑問な点があれば、いつでも保健師や、かかりつけの医師のところに連れて行きましょう。

まとめ

2歳ころの、こどものようす

◎かなり長くこみいった文を理解します。
◎50語ぐらいを使えます。
◎2語、ときには3語をつなぎ合わせて文にします。
◎間違いもありますが、代名詞を使います。

気がかりなこと

◎家具やスプーンといった日用品の名前をわかっていないように思える。
◎2語をつなぎ合わせることがまったくない。
◎自分で選んだものや遊びに、集中していることがあまりない。
◎お母さんのやっていることを手伝おうとしない。
◎ふり遊びをしない。

１歳８か月～２歳までの

参考文献

R. Griffiths
The Abilities of Babies
(University of London Press, 1954)

C. Wells, "Adjustments in Adult Child Conversation: Some Effects of Interaction"
in H. Giles, W. Robinson & P. Smith (eds)
Language; Social and Psychological Perspectives
(Oxford, Pergammon, 1980)

聞くことは楽しい！

2歳から2歳5か月まで

過去の経験について話してあげると
日常のできごとがわかるようになります。
こういった会話をする機会がないと、
見たことややったことの意味が
わからないままで終わります。

聞くことは楽しいと思える経験を、
こどもにたくさんさせましょう。
くり返しや動きのある
わらべ歌が向いています。

2歳から2歳2か月まで

ことばの発達

「これなあに?」という質問がどんどん出てきます

この年齢になると、こどもはかなり長くて複雑な文を理解できるようになっています。毎日の生活でいろいろなことに出合うので、知っていることが増えていきます。ことばがどのカテゴリーにあてはまるかもわかってくるので、理解も早く効率的になってきます。着がえをすれば「チョッキ」という新しいことばを、ボール遊びをすれば「ゆっくり」ということばを自然に覚えます。毎日の暮らしが、すばらしい学習の機会なのです。

細かい部分にとても興味をもち、からだでいえば「まゆげ」や「ひざ」、服でいえば「えり」や「ボタン」といったより小さなカテゴリーがわかります。

概念もどんどん広がってくるので、楽にことばをあてはめられるようになり、「大きい」や「小さい」、あるいは「ひとつ」と「たくさん」までわかるようになります。

動詞もさらにわかってきます。絵の中の登場人物がやっているいろいろな動きを、正しく指さすことができるでしょう。

ことばの使い方も大きく変化します。この時期の初め、単語の数は200語ぐらいになることも多く、さらにどんどん増えていきます。一日に10語覚える子もいます。ほとんどの子はふたつのことばがはいった文を使い、ときにはことばが3つはいることもあります。2語文は物や人の名前と動作を表す語の組み合わせがほとんどで、「あかちゃんねんね」や「ボールいっちゃった」などです。

遊びながら誰にというわけでもなくいろんなことを言うでしょう。まるでことばの組み合わせを練習しているみたいです。ゲゼル博士によれば、活動しながら話し、また話をしながら活動するのです。

自分から会話を始めたり、話を進めたり、間違いを直したりすることがだいたいできますが、一対一でないときは会話の中身がちぐはぐになりがちなので、おとなが会話を進めなければなりません。

細かい部分にとても興味を持ちます。
「まゆげ」や「ボタン」がわかります。

自分がおもしろかったできごとについて話すときがいちばんなめらかです。手伝ってほしいときには「て、あらう」といった短文を使います。あるいはうちの娘がよく言ったように「ゆび、べたべた」だけかもしれません。

3つのことばがはいった文も増えてきます。いろいろなやり方があります。いままで使っていたふたつのことばをふくらませて、「ジェニーのくるま」が「ジェニーの大きなくるま」になります。「ママあらう」「かみ、あらう」のふたつの文が組み合わされて「ママがかみあらう」になります。または単語を3つ組み合わせて「ごはん、もっとほしい」や「クマちゃん、ボール、うった」などです。

こどもの会話文はまだぎこちないものですが、これからの数か月で、かなり上達します。語順も正しくなってきます。自分のことを「○○ちゃんが」と言い始めるでしょう。

質問も増えて、「これなあに?」と聞いたりします。「ママどこ?」とか「ごはんは何?」と、知りたいことをどんどん質問します。もっとも通じないときは、あいかわらずわかってもらえるまでおとなを引っぱったり押したりします。

これまでと同じように、ことばの発達はすべて他の分野の発達と結びついています。

発育のようす

片足立ちやつま先歩きができるようになります

もう、どっちのほうへでも歩けますし、つま先歩きもできます。しゃがみこんだ姿勢から手を使わずに立ち上がれますし、いろいろな遊具にもうまくのぼったり、いすにあがって物を取ったり、片足立ちしたりもできます。いままではからだのバランスやコントロールに注意を取られていたのがぐんと楽になるので、その分まわりのできごとや言われていることに集中しやすくなります。

自分は人と違うとわかって、他人の気持ちにも気づきます。ほんのちょっとだけ手を添えてもらえば、あとは自分ひとりで手を洗えると自己主張します。（疲れていたり機嫌の悪いときは、まだべったりと甘えてきます）

ほかのこども達との交流は、まだ少なくあっさりしたものです。ときにはおもちゃを一緒に使ったりして、ごく初歩的な協力が見られます。

疲れていたり、機嫌の悪いときはべったりと甘えてきます。

注意を向ける力

条件が整えば、おとなの指示にも従えます

このころのこどもは、注意の面で大切な発達があります。特定の条件下でなら、初めておとなの指示に従えます。しばらくの間だけ、集中した状態を続けることができます。それほど集中していないときには、おとなが声で指示するものに注意を移すことができるようになります。

まだひとつの感覚にしか注意を向けられないので、何かをやっているときはまったく聞こえていないことは覚えておきましょう。やっていることをやめなければ聞こえませんし、聞くのをやめなければ、やっていたことを再びやり始めることはできません。

気が散りやすく、外で雑音がしたり何かが起きれば、おとなの声に耳を傾けるのをやめてしまいます。

注意力がうまく発達できないような環境で育ったこどもは、この段階になかなか進めません。注意していられる時間がごく短く、しかもその間は言われていることをまったく聞けない状態で、注意があちこちにとんでしまいます。この状態は小学校からもっと後まで続くことも多く、学校ではさまざまなトラブルが予想されます。

私が初めて会ったとき、モーリスは4歳で年齢より大柄でしたが、ことばはとても遅れていました。ふたつのおもちゃ箱からおもちゃをどんどん取り出して、お母さんの遊びの誘いにも全然耳を貸しませんでした。いつもこんなようすなので、お母さんは思案にくれていました。

幸いに、こどもの注意はまわりの環境をよくすれば、すぐに発達します。モーリスのお母さんはこどもの注意レベルに気づいて、一対一の静かな時間をつくってこどもの注意を引くものについて話すようにしました。

3週間後には、モーリスはやっていることを中断し、お母さんの話に耳を傾けることができるようになり、言われている内容もずっとよくわかるようになりました。

聞く力

聞いたことのない音がすると「何の音?」と質問します

「語りかけ育児」を実践しているこどもは、まわりが静かであれば、聞こうとする音だけを選んで聞く能力が十分に働くようになっているでしょう。

まわりの音がどこから出ていて何の音なのか、とてもよくわかっています。新たな進歩は、聞いたことのない音に出合ったときに「何の音なの?」と質問できるようになることです。

聞こえてくる音がうるさくていやなときは、おとなにそう伝えることができるようになります。

2歳3か月から2歳5か月まで

ことばの発達

ことばだけでものごとを理解できるようになります

さらにたくさんの動詞の意味がわかるようになります。絵の中で「~しているのはどの子?」とたずねられれば、ちゃんと指さして答えます。

質問もよくわかるようになり、「どこ?」という質問にその方向を見たり、それを取りにいったりして答えます。

食べ物や食器や家族といった分類がさらによくわか

ってきます。家族には「おばあちゃん」や「おねえさん」といった名前があるのを知っているので、新しく「おばちゃん」に出会えば、簡単に意味がわかります。

物を使い方によって理解するようになります。たとえば「食べるもの」と「着るもの」を間違えることはありません。

概念も確かになってきて、色や大小を表すことばがわかるようになります。数は、この時期の終わりまでに2か3までわかるでしょう。

いちばん目覚ましい成長は、一日の生活の流れやほかの人の動きなどの手がかりがなくても、話の内容がわかることです。つまり、ことばだけでものごとを理解できるのです。たとえば買い物に行くと言っただけで、くつを取りにいったりします。以前ならあなたが買い物かごを取り出すまで、わからなかったはずです。

ことばを話す点でも同じぐらい成長します。こどものことばの使い方は以前より応用がきいたものになります。たずねたり、答えたり、気持ちを表すのも上手になります。自分を主張するにもことばで言います。以前ならべたべたの指をふいてくれるおとなの手を押しのけていたのが、いまでは「自分でやる」とはっきり言います。

もうひとつ、ことばの使い方が広がるときに大切なのは、新しいことばの意味を知ることです。「それなあに?」という質問が、物だけでなくことばに対しても使われます。

さまざまな形の文法表現をとれるので意味が伝わりやすくなりますし、語順もおとなと同じようになって

「食べるもの」と「着るもの」を間違えることはありません。

きます。文を正しくつくるための文法に、どんどん気づいているようです。

こどもからの質問はさらに増え、何を知りたいかはっきりしてきます。「どこ？」という質問や、「はい」か「いいえ」の答えを必要とする質問をします。

過去や未来を話すことも、だんだんと増えていきます。

音声によるコミュニケーションがうまくなったとはいえ、仲間入りしたばかりですから、上手に会話を進めることはできません。「語りかけ育児」の時間にうまく会話できるとしたら、それはコミュニケーションがいちばん取りやすい環境にいるせいで、ほかのほとんどの場面では助けを必要とします。

気楽なおしゃべりにのってこないこともよくあります。こどもの注意が、まだひとつの感覚に集中するだけでせいいっぱいだからです。また、「語りかけ育児」の時間以外には、おとなは必ずしもこどもが注意を集中していることについて話すわけではないので、こどもにとって会話はかなり難しくなります。

「スプーン」を「シュプーン」と言うように、難しい音をやさしい音におきかえるような発音は、ほとんどのこどもにまだしばらく見られます。

社交性も出てきて、家族以外の人ともひとりとならないで一緒に遊べます。かなり協力的になり、やりたくなくても交渉に応じてくれます。あなたが「ビスケットはご飯のあと、いまはあげない」と言えば、こどもは納得します。これはこどもが現在のことばかり考えているわけではない一例です。

発育のようす

三輪車のペダルがこげます　ジグソーパズルもできます

からだは、以前にも増して思い通りに動かせるようになります。両足をそろえてジャンプでき、遊具にのぼれます。やっとボールもけれるようになりますが、まだ力は弱いし、からだを傾けてバランスをとらなければなりません。三輪車のペダルもこげるようになります。おもちゃを押して歩くのも上手になります。

目と手の協調もスムースになります。簡単なジグソーパズルは完成できますし、8個の積み木を積めます。積み木の汽車に煙突を付け、積み木3つで橋も作れます。鉛筆の持ち方が上手になり、お手本を見て十字形を書けます。赤、青、黄色の3つの色なら仲間あつめができますし、大きさで物をよりわけられます。

片づけも喜んでしてくれます。後ろ前になりがちですが、ひとりでちゃんと着がえます。スプーンだけでなくフォークも使え、ほとんど手助けなしに手を洗ってふくことも、トイレにひとりで行くこともできるでしょう。

赤、青、黄色の3つの色なら仲間あつめができます。

注意を向ける力

こどもが言うことを聞くからと指示しすぎてはいけません

こどもはあなたの指示を聞き入れやすくなりますが、それは何かに集中していないときに限られます。この新しい能力を育てるには、注意が必要です。前にも言ったとおり、この能力はごく限られた場合にしか発揮できません。こどもが言うことを聞くからと大喜びして、あなたがあれこれと言い過ぎれば、ふたりともいらいらがつのるだけです。

本当にこどもに指示しなければならないとき、守るべきことがいくつかあります。

◎もし何かをやめてテーブルにつかせたいときは、前もって何度もそう言っておくことです。急に言っても、2歳児の「恐るべき」かんしゃくが起きるだけです。

◎こどもはあなたに注意を向けているときだけしか指示を聞けません。こどもが忙しいときはだめです。

◎いまやっていることがもっとおもしろくなるような指示がいちばんです。たとえば、スプーンを口にもっていきながら「ひこうきブーン、ブーン」というようにやりましょう。

◎よく知っている着がえの手順なら「次はズボン」と、その直前に言ってあげるほうがいいでしょう。

おもしろいのは、こどもが自分自身に指示を出し始めることです。積み木をやりながら「それはここ、それからあれをのっけて」などと言います。

聞く力 耳、鼻、のどの病気で聴力障害が起きないように気をつけます

まわりが静かなら聞き取れる力は、十分に発揮されるでしょう。以前ほどよく聞こえていないようすがあったら、聴力を調べてください。

学齢前のこどもなら、耳、鼻、のどの病気はありふれたものですが、これが軽い聴力障害を起こすこともよくあります。問題のなかったこどもの聴力が低下することもあります。こういう聴力障害の程度は日によって時間によって変化します。そのため、聞くことが難しくなり、こどもは混乱してしまいます。その結果こどもは見たりさわったりすることにだけ、集中することになりやすいのです。

「これが終わったらごはんね」と前もって言っておくと、テーブルにつくのもスムーズになる。

2歳から
2歳5か月
までの

1日30分間
語りかけ育児

できるだけ
「だめ」ということばを
使わずに
いけない理由を
こどもに
説明しましょう

■毎日、30分間だけは、こどもとしっかり向き合います

中だるみに気をつけてください。この時間はこどもにとってことばだけでなく、遊びや注意力や心の発達にも大いに役立ちます。

あなたはこどものことばの理解を進めるのに最適の30分間を実行しているわけですが、これはこどもの心の成長と関係が深いのです。英米の多くの研究では、ことばの遅い子の多くが心の面でも問題を抱えているとしています。これは当然です。言われていることがわからない、あるいは自分の言いたいことをわかってもらえない、その欲求不満がどれほどのものか想像すればわかります。

ことばと心の発達の関連は、「恐るべき2歳児」と呼ばれるこの年齢ではとても重要です。この年齢のこどもは、自分を独立した人間だと思うようになります。自分を主張する気持ちが強くなり、何かしなさいと言われると、よく「いや」と言います。こどもにどうしてだめなのかを説明して納得させれば、こどももかんしゃくを起こさずにすみます。（どうしても必要なとき以外「だめ」と言わないのがいちばんです）

ことばをよくわかっているこどもにはこれは簡単ですが、そうでないこどもは、おとなが自分のやりたいことをじゃまし、やりたくないことを押しつけると感じてしまいます。これがこどもの問題行動を引きおこすのです。

こどもどうしのやりとりも、それぞれの子のことばの理解と使い方の程度により違ってきます。米国の研究では、こどもの間で人気者になれるかどうかは、ことばの理解力で判断できると言われています。

4歳のダンは2歳児のようにしか話せないため、私のクリニックへ連れてこられました。とりわけダンが友だちをつくれないことで、お母さんはとても落ちこんでいました。お母さんは友だちを家に呼んだり、おもしろい場所へ連れていったり、努力していましたが、いつでも最後はけんかと泣き声で終わってしまいました。

愛するおとなが自分にかかりきりになってくれていると感じると、こどもは自分に自信を持ちます。

おとなが
ヒントを与えれば
こどもは
ひとつのおもちゃで
いろいろ
遊べます

ダンとお母さんが「語りかけ育児」を始めると、ダンは急によく話せるようになり、友だちと何をしたいか相談したり、けんかの代わりにルールを決められるようになりました。そうなると人気も出てきて、ダンは6か月後にはことばのレベルも友だちとのつき合いも、年齢相当になりました。

愛するおとなが自分にかかりきりになってくれていると感じると、こどもは自分に自信を持ちます。なんとかして愛情を得ようとするストレス（悲しいことに、多くの場合わがままになります）を感じなくてすみます。「語りかけ育児」を始めて、とても落ち着きが出たこどもに、私はこれまでたくさん会いました。

3歳のテディを初めて見たとき、とても緊張していて、いつ爆発するかわからないという感じを受けました。やることも騒々しく、まとまりがない感じでした。お母さんの注意を引こうと悪さをしては、お母さんにきつくしかられるという悪循環になっていました。

毎日お母さんと遊べる時間があるとわかったとたん、テディのようすはびっくりするほど変わりました。数日後には、わがままなふるまいが影をひそめていました。

こどもの遊びを豊かにするために、手助けできることはたくさんあります。おとながヒントを与えてやれば、こどもは想像力を働かせて、ひとつのおもちゃでもいろい

いつも一緒に
遊んでいれば
経験を通して
会話の内容が
豊かになります

ろに遊べるようになります。

言語指導を受けるこどもの数はこの年齢が最も多いのですが、遊んでもらっていないこどもを見るたびに、私は悲しくなります。おとなからいろんな遊び方を学んだこどもたちに比べて、ごく限られた経験しかしていないからです。

マンディは黒髪のとてもかわいい女の子でした。おもちゃもたくさん持っているようでしたが、本当に限られた遊び方しかしないのです。たとえばドールハウスに近寄っても、ただむやみに家具を積み上げるだけなのです。人形はそこらに押しやられて、本当の意味では遊べていませんでした。

スコットは多くの人の手で育てられましたが、誰も本当には遊んでやっていませんでした。最初にやってきたときはただおもちゃをひねくりまわすだけで、おとなが遊んでくれるなんて思ってもいないようでした。

お母さんが「語りかけ育児」を始めてから2週間後に会ってみると、その変わりようにうれしくなりました。スコットはお母さんに何度かおもちゃを手渡し、お母さんが何か言ってくれるだろう、とじっとお母さんを見ていました。そしてお母さんの考えをすぐに遊びに取り入れました。ふたりは一緒に楽しめるようになっていました。

「静かな時間」が
まだとても大切です

いつも一緒に遊んでやれば、同じ経験を通して会話の内容が豊かになります。そういう会話はこどものことばを伸ばし、まわりの世界をわからせます。

こどもの注意は、新たな段階に進んでいこうとしています。おとながそのことに気づいてどう手助けするかを考えてやれば、こどもは大きく成長します。しかもそれは一対一の場でいちばんうまくいきます。（反対にそれに気づかないと、ふたりとも欲求不満がたまって、かんしゃくを引きおこすことになります。たとえばこどもの注意というものはひとつの感覚だけにしか向けられないことを知らないでいると、こどもが忙しいときに返事をさせようとしたあげく、ちっとも言うことを聞かない子だと思ってしまうでしょう）

■始める前にチェックすること

静かでじゃまのはいらない場所であることが、まだ大切です。

おもちゃはすぐ手が届くように、いつも同じ場所において、こどもが探し回って気

親が一緒に遊んであげなければ、こどもはおもちゃを使って遊ぶことはできません。

を散らさなくていいようにしてください。

床や机の上には空きスペースがあって、遊べる場所がたっぷりあるようにします。ごっこ遊びにはかなりの場所がいるものもあります。ひと晩そのままにしておいてほしいというかもしれません。

■話し方

◆こどもの注意しているものに一緒に注目しましょう

「語りかけ育児」の間中、ふたりが同じものに注意を集中することがいちばん大切です。こどもが成長するにつれて、会話は現在のことばかりでなくなり、過去にやったことやこれから先のことも含まれてきます。これはことばにはよいことです。

「レストランで食事をする」などの体験は、あとで「メニューを見て注文したね」などと楽しく思い出せるように話してあげましょう。

こどもが
考えていることを
表情から
読み取って
それについて
話しかけましょう

おとなが複雑な文、たとえば「公園についたら…」とか「買い物に行ったとき…を見たわね」といった文を使っても、こどもはわかります。

2歳のアンドレアはレストランに行った翌日に、初めてクリニックにやってきました。レストランに行ったことは、アンドレアにとってはすごいできごとだったので、遊びに取り入れたかったのですが、どういう順序だったのかがはっきりしていませんでした。

アンドレアはやってくるなりウェーター（私のことです）に支払いをして、それから私にパンを手渡すというぐあいに順序がめちゃくちゃでした。

レストランでの経験を誰も整理して説明してあげていないことが明白でした。

過去のことについて話してやることは、日常のできごとをしっかりわからせるのに、とても役立ちます。

こういった会話をする機会のなかったこどもの遊びを見ていると、見たり行ったりしたことの意味や目的がまるでわかっていないのが見て取れます。その結果、こどもの世界は混乱したものになっています。

現在以外のことについての会話は、いつもこどもから話し始め、こどもの注意がそれた瞬間に終わるように気をつけてください。「語りかけ育児」のための30分間の「いま、ここ」での話題については、全部こどもにまかせてください。

こういう会話にはいろいろな話がはいっています。どうしてそう思ったかとか、な

いつでも
こどもの
注意しているものに
気づいてください
そして新しいことばを
どんどん
使ってみましょう

ぜそうしたかというようなこともはいります。

どんどん新しいことばを使いましょう。ことば数を増やすことをためらわないでください。こどもの興味に合わせている限り、こどもはごく自然に覚えていくでしょう。前と同じように身振りを使い、その瞬間に起きていることにぴったりしたことを言って、あなたの意図をはっきり伝えましょう。たとえば積み木の塔を作って、「ぐらぐらぐら。あれれれ、ひっくりかえった」と倒れる瞬間に言うといったことです。

この同じものに注意を向けるということが、後々、コミュニケーションを取り、社会生活への参加のしかたを学ぶ上で、いちばん大切な準備なのです。この年齢で他人と同じものに注意を向けられるかどうかによって、4、5歳になってから、他人の考えや感情をわかるようになるかどうか、心のふれあいができるかどうかが決まるのではないかと、研究者の間では言われています。

◆遊びを発展させられるようにしてあげましょう

これまでずっと一緒に楽しんできましたから、こどもはあなたと一緒に遊びたいと思っているに違いありません。

一緒に遊んでいるときはこれまでと同じように、こどもの注意していることに「実況放送」をしてやります。これはいまでも、ことばを学ぶためのすばらしい方法です。

こどもは場合によっては、おとなの指示に従って注意の対象を移せる段階にはいっています。それでも「語りかけ育児」の中では、これをやらないほうがよいでしょう。なぜならこどもがいちばん学習するのは、こどもの選んだものにおとなのほうが合わせてくれたときだからです。こどもが言うことを聞けるようになったと気づいたとたん、あれこれさせたがる親を、私はたくさん見てきました。

ナイジェルはことばがはっきりしないので、4歳で私のところへ連れてこられました。おもちゃ箱に近づいたのですが、私が話し始めたとたん、手で耳をふさぎました。あとで両親と遊んでいるところを見て、すぐにわけがわかりました。

ふたりとも、同時にナイジェルに「来てこれを見て」「さあこのジグソーをやって」「やめなさい」「さあ、積み木を積んで」といったことばを浴びせかけるのです。家族全員、いらいらする一方でした。

もっともこの時期には、こどもの遊びを豊かにするためのおとなからの提案はとて

遊びを豊かにする提案をしましょう

も役立ちます。一緒にお医者さんごっこをしているときは処方箋《しょほうせん》を見せたり、店員を演じているときは、はかりの使い方を教えられます。

遊び道具のいろんな使い方を見せるのもいいでしょう。こどもが塔を作れるようになったら、二重の塔の作り方を教えるとおもしろいでしょう。

新しいやり方を見せたら、ちょっとしりぞいて、こども自身にやらせてみましょう。もっとやってほしければ、こどものほうからそう言うはずです。

おとなが遊び相手としてこどもの信頼を得ていれば、こどもは助けを求めたいときにあなたを見るでしょう。そのときを選んで参加すれば、何も問題は起きないはずです。こどもが何かに熱中しているときは、何か提案するつもりなら、こどもの注意集中がどのくらいのレベルにあるのか、細心の注意を払ってください。提案するだけにとどめておいて、決して命令にならないようにしましょう。もしこどもがあなたの提案に興味を持たないなら、決して無理強いしてはいけません。

遊びの中で指示しないほうがよいことは、研究で確かめられています。カナダの調査では過干渉な親のこども達は、こどもに主導権を持たせる親のこども達に比べて、ことばがかなり遅れていました。

◆聞くことを楽しめるようにしましょう

聞くことは心地よく、おもしろいと思える経験を、こどもにたくさんさせましょう。

くり返しや動きのあるわらべ歌が向いています。ことばの響きに気づき、音がどう組み合わさってことばになるかを理解できると、あとで読書に役立ちます。自分の物

聞くことを
楽しめるような
かかわりを
続けましょう

語を替え歌にして歌ってもらえれば、大喜びすることでしょう。

この時期にもうひとつ、とてもお気に入りのおふざけは、せきやくしゃみのたぐいです。大はしゃぎして喜びます。

こどもへの話し方で、あなたができることはたくさんあります。

生き生きしたはずんだ調子で話すことは身についていると思いますが、そのうえにおとなに話すよりゆっくり大きめの声で話してください。これはこどもにとってとても聞き取りやすいので、ずっと続けてください。聞き取りやすくするために、文の切れめにちょっと休みを入れましょう。

こどもが興味を持っているもの、たとえば箱を開けたり閉めたりして音を出してみせ、注意を引きつけて遊ぶのも楽しいものです。

「遊びの音（擬声語・擬態語）」はまだ大好きですから、これもやめたりしないでください。

◆こどもの言いたいことをくり返してあげましょう

こどもは言いたいことがいっぱいあるのに、まだことばが足りません。いままでと同じように、こどもが発音を間違ったときは、そのことばを短い文中で何度も言ってあげます。「そう、あれはゴリラ。ゴリラは大きい。大きなゴリラ」というぐあいです。

もし文が混乱していたり不完全だったりする場合は、言いたいことをかわりに言いましょう。こどもの会話を伸ばすには大きな助けになるので、機会あるごとにそうしてください。

こどもの文が不完全なときはいつでも「そうね」で始まる文で正しく言い返します

これを自然な会話でやることがとても大切です。鉄則はいつでも「そうね」で始めることです。

こどもの言ったことがわからないときは、とてもがっかりしてしまいますね。この場合大切なのは、聞き取れないのはおとなの責任だと、こどもに思わせることです。私はいつも「ごめんね、よく聞こえなかった」というふうに言います。そして必要ならこどもに指さしてもらったりして、こどもの言いたかったことが私にちゃんと伝わるようにしてもらいます。

「ゴリラは大きいね。強いね」こどもの言いたいことを言ってあげましょう。

話しかける
文の内容は
3つ以内に
おさえること

◆「語りかけ育児」の時間には短い文を使いましょう

「語りかけ育児」の時間にこどもに話す方法は、ほかの時間とは違います。こどもはかなりわかるようになってきて、順調なら、この時間のほかでもいくらでもおしゃべりできるでしょう。それでも大切な内容のことばがふたつか3つのごく単純な文を使うでしょうし、発音もまだ未熟です。そのためこの時期のこどもの話は、よく知らない人には理解が難しいのです。

この段階をできるだけ早く通り抜けるには、「語りかけ育児」の時間に話しかける文を短くし、どんどん新しい語を取り入れることです。ことばは3語以内にしておきます。

最近クリニックにやってきたのは、とても利発なメアリーという女の子でした。ことば数も文の組み立てもよいのですが、発音の間違いが多くて、話がなかなかわかりません。お母さんにはよくわかるため、メアリーの話すことが他人に通じにくいことに気づいていませんでした。お母さんがメアリーにとても長い文で話しかけるので、メアリーは話の意味についていくだけでせいいっぱいだったのです。お母さんがメアリーに言いたいことのお手本を示して、短い文で話しかけるようにすると、メアリーの話し方は急にわかりやすくなりました。

◆くり返しを使い続けましょう

くり返しはいまなお役に立ちます。こどもが知らないだろうと思う語を使うときに

こどもの
言ったことを
ふくらませて
返します

は、よけい役立ちます。いろいろ違う短文に使えば、こどもはそのことばを早くわかります。たとえば「薄切りをしているの。じゃがいもを薄く切っているの。はい、じゃがいもの薄切り」というふうに言います。

◆こどもの言うことをふくらませましょう

こどものことばや文がはっきりしていないときに、こどもが言いたいことの手本を聞かせると役立つことを説明してきましたが、これはぜひ続けてください。

前章でも紹介しましたが、こどもが言ったことにもう少しことばを付け加えることは、とても役立ちます。「ママはお買い物」に対して「そう、ママはお買い物に行ったの。新しいくつを買ったのよ」と返事してやります。

こういった返事のしかたは、こどもにとってわかりやすくとてもすばらしいものです。こどもに文法とことばの意味の両方を、いちばん取りこみやすい形で与えます。

どんなときでも、鉄則を忘れないでください。いつも「そうね」で始めましょう。決してこどもの言い方を直しているという感じに、ならないようにしてください。

■この年齢のこどもに、やってはいけないこと

前にひき続き、どんなことがあってもこどもの言い方を直したり、ことばや音をまねして言わせようとしてはいけません。私たちおとなの役目は、最適な方法でこどもに話しかけることだけです。そうすれば、こどもは自分で学びます。こどもにまねをさせる必要はまったくありません。そんなことをすればこどものことばを封じ込めて

しまうだけです。「お母さんは、ぼくの話し方が好きじゃないんだ」などと思わせるのは望ましいことではありません。

■こどもに質問するときには

形だけの質問に加えて、いくつかしていいものもあります。たとえば「おもしろかった、ねえそうでしょ?」というような、こどもに会話のきっかけを与えているのがわかるようなものはよいでしょう。できごとの流れを思い出させるようなものもかま

「薄切りをしているの。じゃがいもを薄く切っているの」などというくり返しは役に立ちます。

いません。「大きな白鳥の後ろに何かがついてきたわね、おぼえている?」と言えば、こどもは白鳥のひなを見たことを思い出せるでしょう。こういう質問はなるべく制限し、こどもが答えないときは、いつでもおとなが自分で答えましょう。

答えさせるための質問は絶対にしないでください。それは自然なコミュニケーションではないことを、こどもはよく知っています。

否定的な言い方も、なるべく少なくしてください。この時期でも、何かを禁止するときは、口先で言うよりはこどもを抱えて移動させてしまいましょう。また、いけない理由を説明する時間をたっぷりとる必要があります。やってはいけないことがあるということ、そして好き嫌いにかかわらずしなければいけないこともあると説明することが必要です。

特に「だめ」ということばはできるだけ使わないようにしましょう。おとなでもこのことばは好きではありません、こどもだってそうです。「だめ」と言わないようにすると、こどもがかんしゃくを起こす回数が減るでしょう。

■「語りかけ育児」の時間以外には

◎こどもに一日の予定を話してやりましょう。
◎やってはいけないこと、やらなければいけないことの理由をしっかり説明しましょう。
◎何について話しているかをはっきりこどもに話して、会話に仲間入りさせましょう。

遊び

この時期、探索遊びとふり遊びが本当に盛んになり、後者は真のごっこ遊びになっていきます。こどもはあなたが遊びにつき合ってくれると大喜びし、遊びが広がるような提案を大歓迎することでしょう。それでもこどもがひとりで遊びたがっているのではないか、と気を配ることも大切です。

探索遊び

遊び道具やおもちゃを探索し、それで何ができるか一生懸命に考えます。からだが思い通りに動かせるようになり、目と手の協調がすすむので大幅な進歩がみられます。

いままでと同じような遊びをひき続き楽しみますが、動きはより細かく器用になります。

大きなボールをけったり受けとめたりできますが、箱のほうがけりやすいかもしれません。この年齢になると、たくさんのこどもが初めて三輪車をこげるようになり、大喜びします。

積み木もうまくバランスを取りながら、最後にてっぺんに8個めを積めます。クレヨンや鉛筆の持ち方が上手になって、筆圧も強くなり、横線をまねて引けます。チョークや絵の具も喜んで使います。穴のあいたビーズをひもや棒に通すのも上手になります。初めてはさみに取り組みます。にぎり方を教えてもらえば、ちゃんと紙を切れます。おもちゃのねじ回しや金づちの扱いもすぐわかり、前より長く遊べます。

にぎり方を教えてあげれば、
はさみで紙を切れます。

　この年齢のこどもは同じものどうしを集めたり、分類したりすることに、とても興味を持ちます。そうやっていろいろなものが世の中にはあると知り、大きさ、形、色を比べてみては「いっぱい」と「からっぽ」「硬い」と「軟らかい」といったことを知ります。違うものを比べるだけでなく、絵に描かれた車や動物などと同じおもちゃを発見すると、絵を確かめて喜びます。
　ほとんどのこどもはパズルが大好きで、前よりずっと長く続けられます。

ふり遊び

　この年齢を通じてふり遊びは盛んです。この年齢になると、見なれている家事や庭仕事といったことにとても興味を持ちます。おとながなぜやるのか、どんなふうにやるのかをすごく知りたがるのです。かなり長い時間じっと見て覚えたことを、うれしそうに遊びに取り入れます。（初めのころは間違えることもあります。私のクリニックで食卓を整えていた小さな女の子は、ナプキンをもったいぶっていすに置いていました）

ふり遊びはとても上手になります。初めのうちはひとつの動作、たとえばブラシは髪をとかすことに、コップは飲むことに使っていましたが、いまでは全体の流れを覚えていて、腰をおろし、眼鏡をかけ、新聞をとりあげるといったふうにやります。水遊びのときは、お皿やフォーク類を洗って、ふいて片づけますし、あるいは人形に帽子をかぶらせ、ベビーカーに乗せて、散歩に出かけるでしょう。

　こういうまね（模倣）は、他人の行動をやってみてどういうふうに感じるかを知り、自分と他人の区別をつけるのを助ける点で、とても大切なのです。

　もうひとつ、ぬいぐるみや人形の役割も変わってきます。初めのうちはぬいぐるみや人形を遊びに取り入れるとしても、受け身の相手としてでした。それが役割を演じるようになります。クマちゃんはもう一杯おかわりとカップをさしだしますし、人形はとび上がってボールを受けとめるのです。

　おとながが手本を見せてくれると、自分の遊びがふくらむので、おとなの参加は大歓迎です。人形はお風呂のあと飲み物がほしいかもしれない、ベッドに入れたあとおやすみを言ってあげたらと、こどもに提案してみましょう。

ごっこ遊び

　ごっこ遊びとは、見たことを再現するだけでなく、それらを組み合わせて物語を作り上げるものですが、それがこの時期の初めに現れてきます。そしてこどもの話に共感してくれるおとながいれば、いっそう豊かになります。

　こどもは一個の人間として経験を積みはじめ、他人の気持ちをわかりはじめています。その結果、自分が違う人になったつもりになり、見たことだけでなく、想像上のできごとを演じ始めます。いちばん多いのは、お母さんやお父さん、あるいは日ごろよく見ている人になりきることで、その場合はぬいぐるみや人形がこどもになります。

　お母さんになっているときなら、買い物かごを持ち、クマちゃんをベビーカーに乗せて、お買い物に行くまねをします。この遊びをすると、ある人になってその人のやることをやってみて、どんな気がするかわかるようになります。

　役割を交代して、売り子になったり、お客になったりするのが大好きです。こどもは違う役割をやってみて、どんなふうかを感じるのです。

　人形とドールハウス、また動物園や農場の動物といった模型なら、長い時間遊べます。絵本の中の人形に食事させたりもするでしょう。この年齢の終わりごろまでには、店に買い物客が来たり、動物園に見物人が現れるかもしれません。

　遊びの組み立てが凝《こ》ったものになってきて、次の日にすぐまた遊べるように、ひと晩そのままにしておいてほしいと言うこともあるでしょう。

お母さんになって、お買い物に行くまねをしたりします。

TOY BOX おもちゃばこ

おもちゃ箱に付け足すものは、探索遊びとごっこ遊びに役立ちそうなものです。以前と同じく、思いがけない遊び方をしてあなたを驚かせるかもしれません。

探索遊び用

◎いろいろなサイズと色の紙
◎絵の具と筆
◎チョーク
◎プラスチック製のはさみ
◎三輪車

◎かるた

◎パズル

◎いろいろな箱

ごっこ遊び用

◎レジスターとお金

◎お鍋や食器、コンロ、まな板、包丁などのいろいろなままごと道具（レタス、きのこ類、こんにゃくなどをちぎったりすると、遊びを兼ねたお手伝いになります）

◎園芸や家事用品

BOOK SHELF 本棚

どうぞ毎日、こどもと一緒に本を見てください。読書が好きになるのは、将来にわたって最高のことです。この年齢ではともかく読むことを教え込もうとしないでください。いちばん大切なことは、本という魔法の世界をこどもに見せてやり、ふたりで一緒に楽しい時を過ごすことです。こどもは大切なことをたくさん知ります。文を読む順番、ことばが絵と関連していること、それに何より本はおもしろいということです。

こどもはまだ日常のよく知っているできごとのお話が大好きです。こういう本は遊びのときと同じように

過去と未来のできごとを話すきっかけとなり、ことばを教えるにはすばらしい機会です。

お話は少し長いものでも大丈夫です。実物そっくりのはっきりした絵がいいでしょう。細かく描きこまれたものを喜ぶと思います。

いくつかの本に出てくる決まった登場人物を、とりわけ好むようになります。仲のいい友だちのようになって、登場人物の気持ちをあれこれ考えて楽しむようになります。

自分が登場するお話が大好きです。写真をもとにあなたがお話を作ってあげるととても喜ぶでしょう。

わらべ歌もあいかわらずお気に入りで、とても役立ちます。わらべ歌は読書への大切な地ならしをします。生き生きした声で、リズムを強調して歌いましょう。

物語の文は3語文ていどのものがよいでしょう。たとえば「**おばあさんは帽子をなくしました**」とか「**男の子はロウソクを消しました**」といったものです。「大きい」と「小さい」、「ひとつ」と「たくさん」といったことにとても興味を持ちますから、それが絵に表現されているものを喜ぶでしょう。


ぴったりな本は数多くあります。いくつかをあげてありますす。（この時期新しい本は、たくさんは必要ありません。こどもは、知っているお話を何度もくり返すのが大好きです）

お気に入りの登場人物が出てくるかもしれません。仲のいい友達のように、彼らの気持ちをあれこれ考えるようになります。

おすすめリスト

『ザザのちいさいおとうと』（偕成社）
『バディ、もうたべた？』（岩崎書店）
『しろくまちゃんのほっとけーき』（こぐま社）
『おおきなかぶ』（福音館書店）
『はけたよはけたよ』（偕成社）
『ねずみのいえさがし』（童話屋）
『めのまどあけろ』（福音館書店）
『たべたのだあれ』（文化出版局）
『ぞうくんのさんぽ』（福音館書店）

TV & VIDEO テレビとビデオ

前と同じ原則を守ってください。

◎テレビやビデオを見る時間を1日30分に制限します。

◎一緒に見て、話題にしましょう。

◎空飛ぶ汽車やお話しする動物といったファンタジーで、こどもを混乱させないようにしましょう。まわりの世界をわかるには、まだ長い時間がかかります。

◎本を選ぶのもテレビやビデオ番組を選ぶのも同じ基準です。こどもはおなじみの登場人物が自分と同じようなことをしてくれるのが大好きで、そのくり返しがとても気に入っています。

◎わらべ歌と音楽には強くひきつけられます。このころならユーモア、特にドタバタも気に入ります。

◎本と同じに、ものの大小や数を取り上げている番組を楽しめます。

◎短いお話も楽しめますし、本を読んでもらうのと同じく、生き生きした声やメリハリのある筋書きを喜びます。

簡単パズル

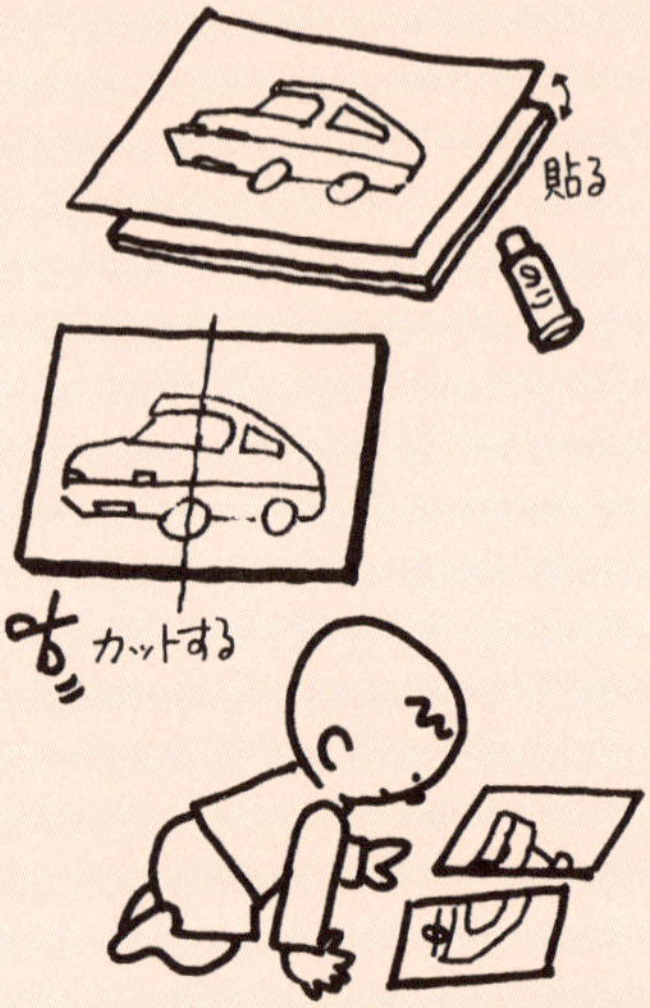

[用意するもの] 絵本やチラシ、厚紙、はさみ。

[作り方] ❶大きめのわかりやすい絵を切り取り、厚紙に貼る。❷縦、横、斜めなどにカットする。始めはふたつに切り、上手になったら切片数を増やしていく。

[遊び方] 簡単に作れるパズルです。好きな食べ物、乗り物など興味のある絵や写真で作りましょう。裏に小さく切った接着剤つきマグネットシート（文房具店で手にはいります）を貼ると、冷蔵庫などにつくので、忙しいお母さんのそばで遊ぶこともできます。

なぞのベロベロマン

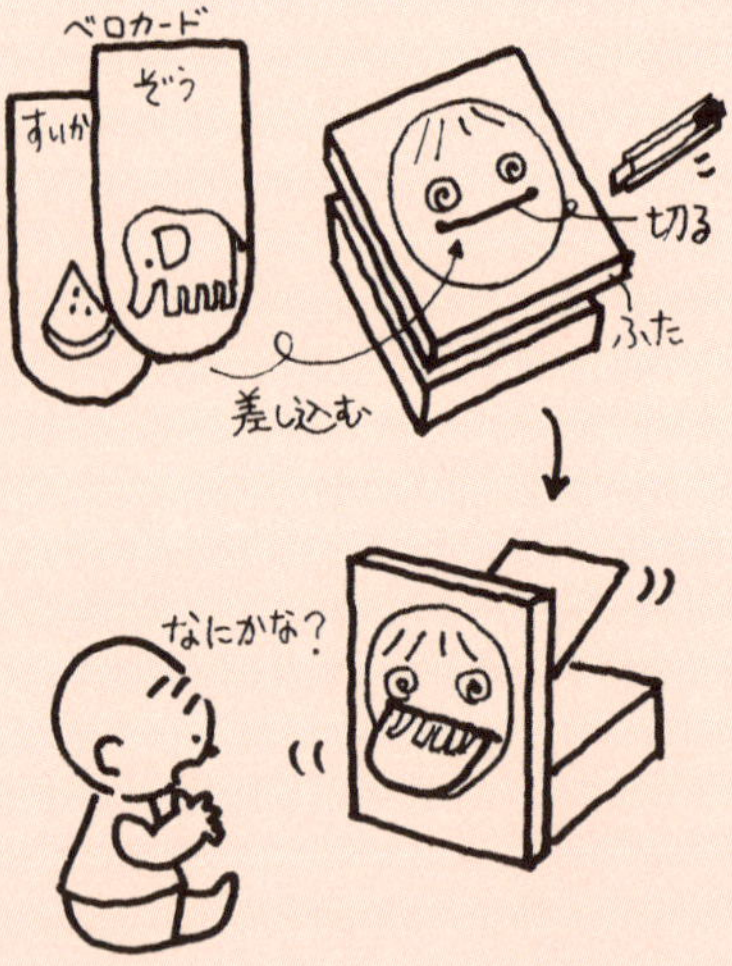

[用意するもの] 空き箱、折り紙や色画用紙、厚紙、雑誌や広告から切り取った大きめの絵や写真、はさみ、カッター、のり。

[作り方] ❶箱のふたに、おかしな顔などの絵を折り紙や色画用紙などで描く。❷①の口の部分を横に細長く、厚紙がきっちりはいるように薄めに切りぬく。❸厚紙をベロ（舌）の形に切り、下のほうに絵や写真をはる。

[遊び方] 箱を支えにふたを立て、裏からベロカードを差し込みます。こどもには口からベロが出てきたように見えます。絵の部分が見え隠れするように、カードを動かします。「何かな？」と当てっこゲームをします。足だけ見てゾウかキリンかわかったり、こどもはよく注目し、わかる喜びを体験できます。

ここに書かれているのは、平均的な発達のようすです。こどもによってそれぞれ発達は異なります。お子さんがここに書かれていることを全部できていなくても心配ありませんが、2歳5か月で、「気がかりなこと」にあてはまる場合は、専門家に相談してみてください。また、こどもについて疑問な点があれば、いつでも保健師や、かかりつけの医師のところに連れて行きましょう。

まとめ

2歳5か月ころの、こどものようす

◎多ければ200語か、それ以上を使います。
◎いま起きていることについて、ひとりごとを言います。
◎「なあに?」や「どこ?」という質問をします。
◎3語文ていどを話します。

気がかりなこと

◎単語一語しか言わない。使うことばの数が増えない。
◎こどもの言っていることがとてもわかりにくい。
◎一緒に遊んでほしがらない。
◎ふり遊びやごっこ遊びをしない。
◎ごく単純な言い方でないと、おとなの言っていることがわからないようにみえる。
◎注意を集中している時間がとても短い。

２歳～２歳５か月までの

参考文献

R. Brown
A First Language- the Early Stages
(Cambridge, Mass. , Harvard University Press, 1973)

R. McConkey, D. Jeffree, S. Hewson
Let Me Play
(London, Souvenir Press, 1964)

D.Jonson
Learning Disabilities
(New York, Grune and Stratton Inc, 1976)

R. Battin
"Psychological and Educational Assessment of Children with Language Learning Problems" in R. Roes & M. Downs (eds)
Auditory Disorders in School Children
(New York, Theime Stratton, 1987)

S. Baron- Cohen and H. Ring
"A Model of the Mind Reading System" in C. Lewis & P. Mitchell (eds)
Children's Early Understanding of the Mind
(Hove Erlbaum, 1994)

おもしろいことはすぐ覚える

2歳6か月から 3歳まで

ことばを聞かせる機会は豊富にあります。
こどもの興味にそって使う限り
こどもはあっという間に理解します。
しかし、まだひとつのことしか
考えられません。
こどもに集中力がないのではなく、
注意の感覚がまだ未発達なのです。
色や形を教えたければ
「あおい車ときいろい車」などと、遊びながら
自然に会話に取り入れましょう。

2歳6か月から2歳8か月まで

ことばの発達

「なぜ」「どうして」という質問が始まります

　この時期になると理解できることばの数が急に増え、さらに複雑な文がわかるようになります。日常使う物の名前や動きのことばだけでなく「あつい、うすい」「たかい、ひくい」といった形容詞までわかるようになります。「上に」「中に」といった場所を表すことばもわかって、言われればちゃんとそちらを見ます。まわりのヒントがなくても、ことばだけで長い複雑な文がわかります。図書館から借りた本を見なくても、お父さんと図書館に行くということがわかります。

　けれどもひとつの文からこどもが取り込めるのは、まだふたつの情報だけです。向こうの部屋から何かひとつ、物を取ってきてとは頼めますが、コップとスプーンを取ってきてと頼めば、どちらかひとつは忘れてしまいます。

　他人が何を知っていて、何を知らないかを考えることができるようになります。このような能力の発達は家族以外のさまざまな人たちと会話する上で、とても大切なことです。牛乳配達のおじさんは、ぼくがミルクとオレンジジュースの両方を好きだと知っている、郵便配達のおじさんは、ぼくがいつもおばあちゃんから絵葉書をもらっていることを知っている、だけどふたりともほかのことは知らない、ということをこどもはわかり始めます。

　この時期、話しことばも急速に発達を見せます。まだあやふやですが、文法的にも正しく使えるようになります。

　代名詞はかなり正しく使うようになります。「できない」といった否定形も使えます。

こういう進歩のおかげでこどもの話す文は、だんだん自然になってきます。また新たに、おもしろい言い方も見られるようになります。「汽車がトンネルから出てきてね、山をのぼってね、ひっくりかえっちゃった」といった、ちょっとしたお話を作ったりします。

いたずら書きを説明してくれるようになります。ぐちゃぐちゃの線にしか見えないものが、こどもの説明では線路だったりします。また、自分の名字と名前も言えるようになりますし、「あなたは男の子？ それとも女の子？」という質問に正しく答えられるようになります。

自分の言ったことが相手にうまく伝わらないときには、くり返して言ったり、言い方を変えたりしてわかってもらおうとします。

この時期の終わりころ、つまり3歳が近づくころ、親が頭を抱えるようなことが起こります。発達が進んで「なぜ」「どうして」という質問ができるようになるからです。「なぜ」「どうして」という短いことばでいろいろな情報を取り入れて、会話を進めることができることに気づいて、ひっきりなしに使うようになります。

「なぜ」「どうして」をひっきりなしに使うようになります。

発育のようす

紙を半分に折れます ボタンも自分ではずせます

ことばとコミュニケーションの発達は、ほかの分野の発達と並行しておきます。

こどもはからだの大きな動きをうまくコントロール

できるようになります。両足をそろえてとび上がれますし、階段の下の段から飛び降りたり、三輪車をこげるようになり、ボールも少し強くけることができるようになります。音楽に合わせて動いたり、楽しいことがいっぱいできるようになります。

目と手の協調が進み手先も器用になるので、探索遊びや手先の遊びがいっそう上手になってきます。三角や四角といった形を合わせたり、紙を半分に折ることもできるようになります。絵の細かいところにも気がつき、おもしろがってくれるおとなに指さして教えます。

こどもが自分でできることも、ぐんと増えます。スプーンとフォークを使えますし、服によっては自分で脱ぎ着ができます。ボタンもおとなの手をわずらわせずに、ほとんど自分ではめたりはずしたりできるようにもなります。

おとながやっている長い動きを全部まねて、しかもちゃんとやれるでしょう。たとえば紅茶をカップにつぎ、ミルクと砂糖を入れて、かきまぜるまねまでできるようになります。

3歳近くになると、ほかのこどもたちとボール遊びや鬼ごっこなどで遊べるようになるでしょう。

注意を向ける力

こどもの注意が向くのを待って口を開き、指示は直前にします

この時期、こどもの注意集中力の発達はあまり変化がありません。自分の興味のある物や活動にとても集中して、おとなの言うことをまったく聞かないことが

紅茶をカップにつぎ、ミルクと砂糖を入れてかきまぜる、といった“一連の”動作ができるようになります。

よくあります。ときにはおとなの声に耳を傾けて、また元へもどることもできますが、すごく集中しているときは絶対に無理です。

いまでもいっときにひとつのことにしか集中できませんし、同時にいくつかのことを考えたりやったりするというような、おとななら無意識にできることが可能になるのは、まだまだ先のことです。

こどもはまだ簡単に気が散ります。やっていることを止めて、あなたに耳を傾けたとしても、音がしたり、誰かが部屋にはいってきたりすれば、すぐに聞くのをやめてしまいます。

こどもがいま注意を向けていないものについて話す場合は、そのタイミングを慎重に選んでください。

できればこどもの注意があなたに向くのを待ってから口を開き、そして指示を与えなければならないときは、直前に言います。たとえばコートを見せながら「コートを着て」と言うようにします。

指示を与えるときは、直前に言います。

聞く力

静かなところでなら、聞くことになにも不自由はありません

いまでは静かな環境なら、聞くのに何の不自由もないことでしょう。それでもまわりがうるさいと、聞くことはおとなよりずっと難しいですから、騒がしい場所ではあまり反応しなくても、驚くことはありません。

2歳9か月から3歳まで

ことばの発達

「そして」「だから」などを使って文をつなぎ合わせます

3歳になるまでに、こどものことばの理解は一段と発達してきます。こどもは動詞や形容詞、助詞をかなりわかるようになり、行動を見て人を認識できるようになります。「どっちの人が眠っている?」といった質問にちゃんと答えられます。「なぜ?」と「どうやって?」などの質問の違いもはっきりわかって、ちゃんと答えられるようになります。

ひとつの文の中に取り込めることばがだんだん増えてきますが、これは大切なことです。2歳9か月までは、まだ、大切な内容がふたつの文章についていくのがやっとでしたが、この時期の終わりには、3つの内容を含んだ文章がわかり、覚えられるようになります。たとえば、「**帽子がほしい**」または「君の**くつ**は**2階**にあるよ」しかわからなかったのが、3歳に近づくと「**大きなボール**を**パパ**に**わたして**」といったような文も覚えられるようになります。

ことばの発達でもうひとつ大切な点は、婉曲《えんきょく》な言い回しの意味がわかるようになることです。これは、知的発達の現れです。3歳になるまでには、こどもは「ちょっと待ってね」と言われたとき、待たなければならない時間はそんなに長くない、とわかるようになります。

こどもは動物や人やおもちゃについてくわしく認識できるようになります。色や形やサイズについてばかりでなく、どういうことをするのか、どうかかわるかという最も重要なことをわかるようになります。

またほかの人たちが何を知っていて、何を知らないかについてもわかるので、知らない人には「あそこにいるのはうちの赤ちゃん。ジョーイっていうんだ」と言ったりします。家族にならこんな説明はいらないとよくわかっています。

質問への答え、特に「どうして？」への答えには、きちんと耳を傾けます。こどもはひとつの「どうして？」の答えが、次の「どうして？」をひきおこし、「なぜ」「どうして？」は延々と長い時間続けられるのだという大発見をします。

こどもの話し方にも大きな変化が起きてきます。3歳までに、こどもは内容が3つから4つあるいはもっとはいった文を使えるようになるでしょう。「お母さんは仕事用のズボンを買いに行った」とか「パパはあとで車でロンドンに行く」といった文です。ふたつの文を組み合わせることもできるようになります。「みんなで公園に行ったよ。そして僕、おもちゃのトラックなくしちゃったんだ」「ぼくがミルクをこぼしたから、パパが怒った」というように、「そして」とか「だから」といったつなぎのことばを使うこともあります。会話もなめらかになってきますが、文法の誤りはまだいくつもあります。なんといってもまだことばを使い慣れていません。動詞も不確かで、「行かないかった」など、活用形の間違いもよくあります。

こういった新しい言い方で、こどもはつい最近のおもしろいできごとを話したり、絵の細かい部分についても話したりするようになります。短いお話もできるようになりますが、この時期ではまだ1文か2文に限られています。たとえば「車は道を走ってて、トラクターとぶつかったんだよ」というような短いお話を作ることができるようになります。

3歳までには、ことばは考えるための手段となり、それは一生続きます。他人と会話していないときはひとり言をたくさん言い、まるで考えをことばにまとめる練習をしているようです。

以前のように行動を表現するというより、3歳ころになると考えをはっきりさせるために言っているようです。たとえば「これはみんな大きいから、ジョニーのだ。こっちはちっちゃいから赤ちゃん用だ」と言ったりします。

してほしいことや気持ちを言う以外に、問題をはっきりさせるためにもことばを使えるようになります。「ぼく、できない」「ボールをなくしちゃった」「びっくりした」などと言ったりします。何かをやりたくないときにも、「ぼく、いやだ」や「やらないよ」というせりふが聞かれます。

ことばは自分の行動や、他人にどう思われたか考えるときにも使われます。認められることには敏感ですから、「これでいい?」といった質問をするでしょう。

3歳までには、知りたいことがあったら質問すればいいとわかるので、ひっきりなしに質問して、おとなをうんざりさせるでしょう。

ユーモアやジョークも出てくるようになります。

発育のようす

カップから上手に飲めます はさみも使えます

からだのコントロールが上手になり、歩いたり走ったりといった動作は、いちいち考えなくてもできるようになるので、会話や質問に注意を注げるようになります。

両足を互い違いに出して階段を上れるようになり、おもちゃを持ったまま後ずさりや横歩きができます。ボールをふりかぶって投げたり、両腕を広げて受けとめたりできます。やっとボールを強くけることができて、自分でもとてもうれしく感じます。

三輪車のペダルをこいで直線だけではなく、角も曲がることができます。まわりと自分のからだの関係がわかってきたようで、どれぐらいのすきまならはいれるかがわかり、柵《さく》の下をくぐったり、低い塀《へい》によじのぼったりします。

手の動きもさらによくなります。鉛筆も親指と2本の指で先のほうを持ち、初めて丸に足のつもりの2本線をつけて人物を描こうとします。円をなぞったり、6色を区別できて色の名前もひとつ言えます。数もそらで5まで順に言えるようになります。

積み木で橋を作れますし、積み木を9つから10個も積めます。紙を2回折りたため、はさみで切るのも上手になり、容器にふたをしたり開けたりもけっこう器用にやってのけます。

遊び道具を組み合わせることもできるようになりま

す。車と積み木を組み合わせて、専用の道やガレージを作ります。機関車に運転手を乗せたり、トラックに荷物を積んだりもするでしょう。

　日常の決まりきったことはよくわかっています。配《はい》膳《ぜん》を手伝い、水差しからこぼさずに水をつぐこともできます。コップからも上手に飲み、手を洗うのもふくのも手助けなしにできます。着がえも上手になりますが、くつはまだ左右反対にはくでしょう。

　ほかのこどもたちとはそばで遊ぶだけのことが多いでしょうが、だんだん興味を持ってきます。少しずつ一緒に遊び始めて、順番のルールに気づき始めます。たとえばブランコやすべり台やボールけりは順番を待たなければいけないことがわかります。

　こどもは短時間ならひとりで遊びますが、おとなが近くにいて見守られていると知っていることが必要です。ごっこ遊びにはおとなが加わってくれるのが大好きです。

注意を向ける力

同時にいくつかのことができるようになるのはまだ先です

2歳〜2歳5か月のころ（293ページ）とほとんど変化がありません。

聞く力

ことばを使って音の意味をどんどん知っていきます

いまでは、聞いた音の意味をたずねられるので、これまでよりまわりの音が何の音か、ずっとよくわかります。

まわりの音を聞き分けられるようになります。

2歳6か月から3歳までの

こどもをしかるのではなく"やったこと"をしかります

1日30分間
語りかけ育児

■毎日、30分間だけは、こどもとしっかり向き合います

30分間の「語りかけ育児」の時間はこどもの成長のほとんどすべての面において、はかり知れない恵みをもたらします。こどもの注意レベルにはまだ気をつけなければなりませんし、遊びの項で見たように、注意の分野の発達に関して、手助けできることはたくさんあります。

とりわけおとなが確実に遊び相手をしてくれることは、こどもにはすばらしい贈り物です。こどもの情緒的な発達は、おとながたえずこどもに心を配り、こどもの冒険を助け、ほめたり励ましたりして自信をつけさせていくことで促されるのです。またこの時間は、日ごろやってはいけないことや確かめておきたいことを話し合う機会にもなります。理由を説明してやるのが、こどものかんしゃくを減らすのにいちばんです。

こどもは、ときにはできることをわざとできないと言ってみたりします。決まりを試してみる年齢なのです。しからなければならないときは、そのふるまいをしかって、

こどものきりのない「なぜ、どうして」に満足するまで答えてあげましょう

こども自身をしからないようにしてください。「そんなことをするのはばかなこと」という言い方のほうが、「あなたはばかな子」というよりよいのです。

ガイは3歳のときに連れてこられました。まもなく参加する保育グループで、話がわかってもらえない心配があったからです。ガイにはすごくおしゃべりなお姉さんが3人もいて、いままでひとりのおとなとだけ過ごす時間がほとんどなかったことがわかりました。そのためしっかり会話をする機会があまりなく、どう会話を始めて、どう順番に話すかといった基本的なルールを学んでいませんでした。しょっちゅう家族の会話に割りこんでは家族を怒らせ、返事を聞かないのでよけい怒らせていました。

お母さんと一対一の「語りかけ育児」の時間をつくるようにすると、ガイはたちまち会話の方法を学んでいきました。3か月後ガイは保育グループにはいりましたが、何の問題も起こりませんでした。

この「語りかけ育児」の時間はまた、こどものきりのない「なぜ、どうして」に、こどもが満足するまで答えてやれる機会です。日ごろの忙しいときにいちいち答えるのはたいへんですが、こどもは心ゆくまで質問することで、たくさんのことを学ぶのです。新しく上達した会話能力をためせる、すばらしい機会でもあります。

さらにこの時間がこどもにとって大切なのは、このころは、下に弟妹ができる年齢でもあるからです。嫉妬や居どころがなくなったようなさびしさは、ひとりのおとな

弟や妹が生まれても「語りかけ育児」の30分間を見つけてください

とずっと一緒にいられる時間があるだけでずいぶんいやされます。なんとかしてこの時間を続けましょう。

下の赤ちゃんに手がかかるようなら、パートナーが帰宅して赤ちゃんを見てくれるまで待つか、1日に30分、友人か親戚に来てもらいましょう。

この時期は、いちばん難しい時期でもありますが、こどもの心に気を配ることが大切です。こどもがふたりいれば、たとえ同じ年齢で同じ発育段階であっても、同時に、しかも同じやり方でふたりにことばを教えるのは困難です。それぞれのこどもが注意を向けているものに合わせる必要があるからです。

ともあれ、こどものこれからの人生にとって、兄弟姉妹を持つよさを過小評価してはいけません。ことばの面からいえば、こどもと親ときょうだいとの間での3方向の

色や数や形はごく自然に会話に取り入れます

会話は、とても大切な能力を育てることになるからです。こどもはいずれ、一対一ではなくて、競いながらコミュニケーションすることを学ばなければなりません。

こどもが色や数、形といった概念に興味を持つので、教えておけば学校で役に立つだろうとおとなは思いがちですが、この「語りかけ」時間を、教え込む時間に変えてしまわないように気をつけてください。

貴重な時間を無駄にしないでください。これらの概念は、教えるのではなくごく自然に会話に取り入れましょう。たとえば車で遊びながら「あおいクルマときいろいクルマ」、積み木をしながら「ながい積み木はみじかい積み木の横にぴったり」というふうです。いままでなかった新しいことば、「でっかい」「ちっぽけ」などもおもしろく感じられるでしょう。

こんなふうに概念を表すことばをこどもに話していけば、こどもの注意しているものに従っていくという鉄則も守れます。こどもにとっておもしろければ、すんなり学べるのです。おとなの都合で教え込もうとすればなかなか覚えてくれず、あなたにとってもこどもにとっても、いらいらの原因となるでしょう。

私が診《み》てきた中には、色や形の名前をたくさん言えたり、アルファベットを機械じかけの人形のように暗唱できるのに、それが何であり、どうするのかわかっていないこどもがたくさんいました。そういう子の親は自然な会話を抜きにして、ものの名前だけを教え込んだのです。

3歳のトビーは、ことばの遅れがひどいため連れてこられました。いちばんよ

遊んだり
会話を楽しめる
ようになる前に
文字や数を教えるのは
害にしかなりません

く言うことばは「ぼく、できない」でした。お母さんはこどもは早く教えれば早く覚えるという考えにとらわれていて、トビーが5か月のときに一日何時間も歩くことを教え、1歳になる前からアルファベットや色や数や形の名前を教え始めました。

トビーはとても攻撃的で欲求不満な子に育ち、ほとんどの分野で発達の遅れがありました。お母さんが自分の目標を捨て、教え込むのでなくこどもの興味にそって話をしてやりはじめると、こどもはすっかりリラックスして学び始めました。トビーのふるまいもすぐよくなり、数か月でことばも追いつきました。

トムを初めて診たのは3歳になろうとするころでした。トムには学習障害のある伯父がいたので、不安にかられた両親はトムがそうならないようにと、あらゆる機会をとらえて数えたりアルファベットを唱えることを教え込みました。

トビーと同じように、トムもそんな文字や数が何を意味するかがまったくわからないうえに、時間をとられて、遊びや会話が少なくなっていました。自分から口をきくことはごく少なく、言われたことも少ししかわからないので、しょっちゅう聞いたことをオウム返しに言っていました。注意散漫で、ごっこ遊びもほとんどしませんでした。

幸いにも、両親が教え込むことをやめ、トムの注意しているものに気をつけるようになると、すぐに進歩を見せました。

自然な会話の中で
こどもは
ことばの役割を
学んでいきます

教え込まずに自然な会話をするようにすれば、こどもはほかの人が何を知っているか、そしてその人が会話に加わるには、何を教えてあげる必要があるか、ということを身につけていきます。

これは会話には欠かせない大切なことです。たとえばあなたが新しい赤ちゃんのことをどんなふうにほかの人に言っているかを聞けば、ほかの人はうちの赤ちゃんを知らないんだなとわかります。水泳を楽しんだ午後のことを、ふたりでどうおばあちゃんに話したかをこどもと話し合えば、こどもはおばあちゃんが何を知っていて何を知らないかを、もう一度思い出せます。うまくコミュニケーションを取ろうと思うなら、私たち全員がこういう情報を必要としています。

自然な会話の中で、コメントしたり質問したり確かめたりと、ことばがさまざまな

両親の離婚や
家族の死などの
悲しみのときには
「語りかけ育児」は
特に大切です
「あなたのせいではない」
と安心させて
あげることが必要です

ふうに使われているのをこどもはわかっていきます。そういう使い方が急に出てきても、こどもは状況を判断してわかるようになります。

新しく赤ちゃんが生まれてあなたが忙しくても、洗濯などの家事をしながら一緒にすばらしい時間を過ごせます。ただし、あなたたちふたりだけで、部屋が静かであるように気をつけてください。

もしこどもが両親の離婚や家族の死といった悲しみを経験していれば、「語りかけ育児」の時間は特に大切なものになります。こどもがそのできごとについてどう思ったかを話し、あなたに質問することができます。こどもは、自分が悪いせいだと思い込むことが多いのですが、こどものせいではないと安心させてあげられます。

こどもがつくった
おもちゃの大作を
ひと晩そのまま置いて
おけるスペースを
つくってあげましょう

■始める前にチェックすること

以前と変わりありません。こどもにはいろいろなおもちゃや遊具が必要です。探索遊び用とごっこ遊び用を用意してください。おもちゃが壊れていたりしないように気をつけて、こどもがすぐ見つけられるところに置きます。いろいろな物を組み合わせて遊びます。たとえば、積み木で車のための道をつくったり、汽車に人を乗せたりします。おもちゃを集める際には、その点を念頭においてください。

遊ぶために十分なスペースをつくってあげましょう。もしできるなら、道路や滑走路といったこどもが作ったものを、ひと晩置いておけるようにしてください。

私の息子が3歳のとき、息子と友達のポールは午後中ずっと農場を作るのに熱中し、動物たちに囲いや家を作って、そのできばえに大喜びでした。まずいことに、ポールのお父さんはとりわけ整理整頓にこだわる人でした。こどもたちにそのままにしておくことを許さないで、できあがったとたんに片づけを命じました。午後遅く私が息子を迎えにいくと、こどもたちはふたりとも涙にくれていました。

■遊びを豊かにしましょう

毎日きちんと時間をとってこどもと遊ぶことが、こどもにとっていちばん助けになります。探索遊びとごっこ遊びがとても盛んになるときなので、手助けできることはたくさんあります。

遊びを豊かにする
手助けをしましょう

探索遊びにまず必要なのは適切な材料です。クレヨンや何種類もの紙といったお絵描き用の道具、水遊びや砂遊び用のおもちゃ、粘土などです。違うサイズ、形の容器や粘土用のへらが必要です。あなたがこんなこともできるのよと、黒い紙に白いクレヨンで描いたり、こどもの手や足の形をなぞって描いてみせると、こどもはとても喜ぶでしょう。もちろんこどもが何かやってほしそうなときをとらえることが大切です。

こどもは紙を切ったり折ったり、こった積み木の積み方といった難しいことをやってみたいので、上手に手助けすれば大歓迎されます。こどもがすでにできることを、伸ばしてあげましょう。はさみでかなりうまく切れるようになっているなら、折ってから切ればおもしろい形になることを教えます。やってみせたら手を引いて、こどもに試させましょう。助けてほしいときは、こどものほうから言ってきます。

遊びの順番を理解させる機会もあるでしょう。3歳になるまでに色合わせのようなゲームを楽しめるようになっているでしょう。こういう遊びは順番がかわることがゲームの一部として自然に学べます。

ごっこ遊びでも同じように手助けができます。服やくつを貸してあげれば、遊びが盛り上がります。こどもがいままでに経験したこと、たとえば歯医者さんや理容師さんに関係する役をやってみせることもできます。こどもは歯医者さんや理容師さんが何をどうするかを知りたいのです。理容師さんがどんなふうに床に落ちた髪の毛を掃除するか、歯医者さんでうがい用の水がどうやって出てくるかなどをおとながやってみせると、こどもは今度は役割を交代して遊びに取り入れることができます。もちろんこどもが興味を持たなければ、決して続けてはいけません。

こどもが農場や動物園の模型で遊ぶときも、同じように、トラクターが壊れたから修理しなくてはといったふうに、遊びを発展させられます。ただし、そういった提案はこども自身が経験していてわかる範囲でないと、意味がありません。

こどもが積み木で車用の道を作るなど、遊び道具を組み合わせはじめたら、信号や横断歩道を作ってあげましょう。

この時期の終わりまでに、こどもは空想の人物を遊びの中に取り入れるかもしれません。おとながその空想につき合ってあげれば大喜びします。そういう人物の性格や行動を想像の中で広げていくことができますし、こどもの空想上の友だちの行動はおとなにとっても、とても興味深いに違いありません。

こどもの注意に
合わせて話しましょう

■話し方

◆こどもの関心の向いているものに気を配りましょう

こどもはうまくいけばあなたの指示に従えますが、「語りかけ育児」の時間にはなるべくこどもの注意に合わせるほうが望ましいのです。こどもと、最近のおもしろいできごとや将来の計画について会話がはずむと思いますが、「いま、ここ」についてのことと、そうでないことについてどれだけ話すかは、完全にこどもに決めさせましょう。どちらにせよ、ことばの発達にはすばらしいことですから、心配することはありません。

会話の途中で、こどもがほかのものに注意をそらしたときは、すぐに話すのをやめます。話の内容が過去や未来についてであっても、現在のことであっても、同じです。こどもはいろいろなことができるようになっていますが、それでも注意はまだひとつの感覚に限られています。おとなら遊び時間中でも「いま、ここ」でないことをいろいろ考えられるのですが、こどもは実際のところ、ひとつのことしか考えられないのです。

実にたくさんの親が、こどもに集中力がないと不満に思っていますが、それはこのことがよくわかっていないからです。

マリアのお母さんは、マリアと遊ぶのにずいぶん時間をさいていましたが、ひとつの遊びを完了させてからでないと、次の遊びへ移りませんでした。ある日、

集中力がないように
見えるのは
ひとつのことしか
考えられないからです

ふたりは楽しそうにままごとをしていました。しばらくしてマリアはその遊びがつまらなくなって、お絵描きのほうに向かいました。

お母さんはもう一度すわってままごとをやらせようとしましたが、マリアは絵の具のほうばかり見て、お母さんの言うことを全然聞いていませんでした。お母さんが問題点に気づいて、マリアに遊びをまかせると、ふたりはまた一緒にいっそう楽しく遊び始めました。

3歳のルーシーの場合は正反対でした。両親はふたりがかりでルーシーと遊び、弟が眠っている限られた時間になるべくたくさんの遊びをしようとしていました。気の毒なことに、ルーシーはひとつの遊びをやり終える間もなく、よくできたなと思う間もなく、さっさと遊びを片づけられてしまっていました。

新しいことばをたくさん使いましょう

この時期、こどもとの会話は、時がたつにつれて楽になってきます。話題も広がって、こどもやほかの人がやったことについてだけではなく、なぜそうしたのか、そのときどう思ったのか、といった内容も含まれるようになります。

ことばを聞かせる機会は豊富にあります。好きなように新しいことばを使ってけっこうです。こわがる必要はありません。

こどもの興味と注意にそって使う限り、こどもはあっという間に理解するでしょう。新しいことばを使うときはくり返しが役立つので、いろいろな短文に入れて使いましょう。

文法も、いろいろ使って大丈夫です。単純な文にこだわらないで、ぴったりだと思う文を使います。こどもは文法もどんどんわかってきていますから、ここでもこどもの注意にそった場面で使うようにすれば、急速に覚えていきます。

◆聞くことを楽しめるように気をつけましょう

こどもが聞くこと、特に声を楽しめる機会をたくさん持つように努めます。くり返しのリズムや動きのあるわらべ歌は、いまなおすばらしいものです。だじゃれなどが

声には
いろいろな調子を
つけてみましょう

はいったことば遊び歌や、せき、くしゃみをしてふざけたりすることなどもおもしろがります。びっくりしたり、怖がったりするおおげさな表現もうけます。

おとなに対してより、少しゆっくり大きな声で話し、いろいろな調子をつけることは続けてください。それがいちばんこどもを引きつける話し方です。車で遊ぶときダダとかブッブーとか、遊びの音も続けます。まだしばらくは、こういう音を楽しめる年齢です。

文が長すぎないように

◆語りかけ育児の時間には、長すぎる文は使いません

こどもはもうあらゆる種類の単語と、たくさんの文法がわかっています。それでもひとつの文から取り入れる情報量には限りがあります。この時期の終わりまでは、まだ1文中に大切なことばは3語までですが、けっこう長い「おばあちゃんはバスでお店に行く」といった文が使えます。これぐらいの長さにしておくと、こどもの理解力はいちばん早く伸びます。

長さを制限するのには、もうひとつ大きな理由があります。こどもは動詞の活用といった文法を使いはじめますが、これは簡単ではありません。

この文法の変化にちゃんと気がつけば、正しく使えるようになります。そのためにはなんといっても短い文を使うのがいちばんです。長い文では、こどもは意味を追いかけるだけで、せいいっぱいになってしまいます。

発音の誤りの直し方
「そうね」で始めて
正しい発音でくり返す

◆こどもの言いたいことを言って返してあげましょう

こどもが文法を使いこなし始めるので、おとなにとってはこどもの話がわかりやすくなってきます。こどもが間違った文の使い方をしたら、おとなが正しい言い方で言ってあげることはとても役立ちます。

こういう場合の鉄則を思い出してください。おとなの言い方はいつでも自然な会話になっていなければなりませんし、こどもの言い方を直しているという感じを与えてはいけません。そのためには「そうね」で会話を始めましょう。

こどもはまだいくつか発音を間違えているでしょう。発音のシステムがすべて完成するには7歳までかかります。

発音を間違えていることばを、短い文の中で正しく言ってあげることは大いに役立ちます。こどもが「おおきなえんとちゅ」と言ったら、「そうね、大きいわね。とても大きなえんとつ。えんとつはお空にとどきそう」と言ってあげます。

こうすればこどもはことばのすべての音を聞き取ることができ、音の順番もわかって、正しく言えるようになります。

ここでも「そうね」で始める鉄則を忘れないでください。

◆こどもの言ったことをふくらませましょう

こどもの言ったことをふくらませてやるのも、とてもいいことです。これをたくさんやりましょう。こどもが「ピエロがおかしなぼうしをかぶってた」と言えば、あなたは「そうね。てっぺんにボンボンがついていたわ。ボンボンがゆれると、みんな笑ったわね」と言えます。こういうふくらませ方が、おもしろい会話になってゆくのです。

■この年齢の子に、やってはいけないこと

こどもの話し方を直さないこと。まわりのおとなもみんな、直さないようにしてください。こどもの発音はまだしばらく未熟です。これはどの音がことばの中のどこにおさまるのかがはっきりわかっていないことに、大きな理由があります。もうひとつの理由は、こどもの舌とくちびるがまだうまく協調して動かないので、難しい発音や混合音を言えないせいです。

色や形や数は
教え込もうとすると
こどもは
なかなか覚えず
かえって混乱します

いちばんよいのは、おとながはっきり発音してこどもに聞かせることです。

私たちのクリニックで診てきた何百人という発音不明瞭《ふめいりょう》なこども達は、自分たちに何か問題があるとは夢にも思っていませんでした。こども達は楽しい遊び時間を過ごすためにやってきたと思っていたのです。

私たちはその子たちに音の違いと順番とが、はっきりわかるような話し方で話しかけました。それがいちばん必要なことだからです。問題があるとすればひとつだけ、終わったあと遊び部屋から出るようにこども達を説得することでした。

◆教え込もうとしないでください

こどもと一緒に過ごし、こどものしたいことをさせれば、こどもはことば、数、文法、概念、人とのかかわり方をごく自然に学びます。

もしおとなが自分流のやり方を押しつけ、あることばや考えを教えようとしても、それはこどもにとって無意味でおもしろくなく、なかなか覚えられません。親が教え込もうとしたばっかりに、色や形や数がめちゃくちゃになっているこどもを、私はたくさん診てきました。親の教え込もうという気持ちを感じ取り、結果的に学ぶことが苦手な子になってしまっています。

一方、2歳前に全部の色を知っているこども達もいました。この子たちは色の名前にとても興味があり、親たちもそのことに気づいていて、こども主導の遊びの中で自然に口にしていたからです。

■こどもに質問するときには

前章で触れたように、こどもにできごとの流れを思い出させるような質問の仕方をしましょう。「いすからおりたあと、歯医者さんが何をしたか覚えている?」といった質問は、できごとをしっかり思い出させるでしょう。

こういう質問は、数を制限すること、こどもが答えないときはおとなが自分で答えることが大切です。こどもが返事をしなかったら、かわりに「先生はコートを取ってくれて、それからコートに貼るシールもくださったわ」と言ってあげます。

こどもに答えさせようと質問してはいけません。このことはとても大切です。

3歳のかわいいマイクがクリニックにやってきました。マイクはまとまった話ができませんでした。お母さんはなんとかマイクにまとまった文を言わせようと、質問をあびせ続けていました。「あれは大きなバス？　それとも小さな車？」「これは黒いソックス？　それとも白い手袋？」といったぐあいです。

マイクは絶対答えるものかと、どんどん内にこもって、ほかの人の存在まで無

あなたが
答えを知らないこと
だけを
質問してください

視するようになりました。お母さんが質問をこどもの注意にそった語りかけに変えたとたんに、マイクは一緒に遊び、とっても楽しい子になりました。マイクは想像力豊かなアイディアやすばらしいユーモアのセンスを持っていました。

「ミルクがいい？　それともジュース？」といったあなたが答えを知りたくて聞く質問は、もちろんかまいません。この種類の質問には「次の番はクマちゃんなの？　それともお母さん？」といったこどもの心にあることをはっきりさせるものもはいります。おとながその答えを実際に知らないことについてたずねる質問は、してかまいません。これが鉄則です。

■「語りかけ育児」の時間以外には

◎こどもができることは、なるべく自分でやらせましょう。そのとき、こどもがいらいらしないように、手助けできるくらいそばにいてやります。
◎なぜそうしなければならないか、あるいはしてはいけないかを説明します。
◎料理や庭仕事といった家事をやっているところを、できるだけ見せます。
◎毎日の暮らしを通していま、何がどうなっているのかを話してきかせます。
◎公園の大きな遊具で遊ばせます。
◎ほかの子のそばで遊ばせます。
◎理容室や歯医者さんに行ったあとなど、経験したことを再現してみる機会を、与えましょう。

遊び

探索遊びもごっこ遊びも、この時期とても盛んになります。

探索遊びでは、からだをコントロールできるようになり目と手の協調がさらによくなるので、いろいろな遊び道具で遊ぶことができます。はさみやお絵描き道具もさらに上手に扱えますし、積み木や、大きな穴あきビーズをひもに通す、といったおもちゃの扱いも器用になります。遊びを通して色、形、サイズ、材質についてたくさん学びます。ごっこ遊びも本当に豊かになり、役割も広がって、おとなと交代で歯医者さんになったり、患者になったりします。

遊んであげるには、いまがいちばん大切なときです。探索遊びではこどもによい材料を与えることが大切ですし、あなたがいろいろなやり方を教えてやれば、遊びがとても豊かになります。

ごっこ遊びも、こどもをお店や公園だけではなく、農場や動物園に連れていっていろいろな経験を積ませることでとても豊かになります。こどもはあとでそれを再現して、たくさんのことを学べます。

こどもにとっては、家庭でお母さんが料理するところや、おじいちゃんが庭仕事をするのを見ることも必要です。こどもがしてほしがるいろいろな役割をおとなが演じてやって、役をふくらませるのもいいでしょう。図書館員がどんなふうに本にスタンプを押すかを見せて、おもちゃのスタンプを与えたりもできます。

同じ人が定期的にずっと遊んであげるのは、こどもにとってはとてもよいことです。前の遊びがどんなふうだったか、遊びがくり返しなのか新しいのか、こどもがどんな経験をして、何をもう一度やってみたいのかがわかっているからです。

探索遊び

三輪車をこいだり、ボールを投げたりけったりと活発な遊びを楽しみます。砂遊びと水遊びはお気に入りです。水や砂そのもので遊ぶというより、遊びの一部として使うような、より複雑な遊び方をします。たとえば水にボートを浮かべたり、砂に車用の道を作ったりします。公園のブランコやすべり台といった大きな遊具も楽しめますが、おとなが見張っている必要があります。ほかのこども達のそばで遊ぶことに興味を持ちはじめます。

色や形、大きさを合わせたり、選《え》り分けたりは大好きで、とても上手になってきます。

遊び道具を器用に扱えるようになります。はさみで

こどもは、いろいろな経験を積むことで、たくさんのことを学べます。

切るのも正確になり、紙を折ってみせるとまねします。縦にも横にも折れますが、まだ斜めに折ることはできません。視覚機能がまだ十分成熟していないためです。

鉛筆、クレヨン、チョーク、絵の具でのいたずら書きも大好きで、何を描いたか説明してくれるでしょう。初めて人物を描こうとします。丸が頭で、2本線が足のつもりです。

大きな連結ブロックなども、道にしたり家にしたり、いろいろな使い方をします。水や砂と同じようにそのもので遊ぶというよりは、何かの手段として使います。

丸が頭で、2本線が足のつもりで、初めて人物を描こうとします。

ふり遊び・ごっこ遊び

実に盛んになります。見ていても一緒にやっても楽しいものです。こどもはおとなのすることをじっと観察して、とても正確にまねて長く遊びます。たとえばクマちゃんの服を洗い、干して、アイロンをかけて、また着せるふり遊びをしたりします。

いろんな人になってみるのが気に入って、服装まで変えて本当にそれらしくします。お母さんになったつもりでハイヒールで歩いてみたり、おじいちゃんになったつもりでパイプをふかしてみたりします。消防官や看護師や郵便配達員などの格好には大喜びします。

散髪に行くといった、あまりひんぱんには経験しないことでも題材にして、細かい点まで再現して遊びます。床屋さんのつもりで誰かの髪をカットするだけでなく、ていねいにブラシをかけて髪を払いケープを払ってからとるところまでやってみます。

こういう遊びは、まわりの世界を知るのにとても役立ちます。記憶をたどり、できごとの流れを理解し、考える力と会話する力を育てます。

ごっこ遊びに使う道具は、それほど本物らしくなくてかまいません。ひもの切れはしが聴診器のかわりになったり、カードが本になったりします。

3歳になるまでに道具を使わずにごっこ遊びができるようになります。ことばの能力が広がって、想像力を働かせることができるようになるからです。

ひもの先には想像上のイヌがいますし、バスを運転しているつもりで、お客さんと話もできます。ときには現実と想像の区別があやふやになります。

私の友人の息子チャールズが自分の作ったお話におびえてしまったという、おもしろいエピソードがあります。

小さな男の子が森へ出かけたら、だんだん暗くなってきて迷子になったというお話を、チャールズは話し始めました。話しながらチャールズがあんまりおびえてしまったので、お母さんは単なるお話よと気づかせて、急いで楽しい結末に切り替えたのでした。

この時期にはたくさんのこどもが、空想の友達を持っています。

こどもはおもちゃがあれば、より想像をふくらませて遊ぶことができます。車用の長い道を作ったり、飛行機の滑走路を作ったり、バスや電車には運転手や乗客を乗せたりもできます。汽車が脱線して助けが必要になったり、こどもが行ったことがあるたくさんの駅に停まるかもしれません。動物たちは動物園から逃げ出していろんな冒険をしたあと、無事に家に帰るというストーリーにするかもしれません。

消防官やお姫さまなどの格好をすることが大好きです

人形やぬいぐるみも長いストーリーの遊びに使うことができ、着がえさせたり、お風呂にいれたり、ご飯を食べさせたり、パジャマを着せたりします。

指人形もとても楽しめます。いろんなキャラクターの人物になって、楽しい冒険をしたりします。

ほかのこども達とはほとんどの場合、そばで遊ぶだけですが、たまにはごっこ遊びの仲間に入れたりして交流が始まります。たとえば、ティーパーティーごっこに、お友達を参加させて紅茶を飲むようにすすめたりします。

TV & VIDEO テレビとビデオ

いままでどおりに、テレビやビデオを見る時間を1日30分に限ってください。そしてなるべく一緒に見て、話し合ったり説明してやってください。

番組を選ぶ基準は、本を選ぶのと同じです。こどもは自分がやるのと同じようなことを登場人物がやってくれるものを喜び、場面も行動もくり返しのあるものを好みます。空想的な物語も好きですが、本と同じく、怖がらないように気をつけてやってください。

ことば遊びと音楽も人気があり、ドタバタ喜劇も好きです。興味を持っていることに関する番組も楽しめるでしょう。

TOY BOX おもちゃばこ

おもちゃは探索遊びとごっこ遊びをするものに分かれますが、ここでもこどもは思いもかけない遊び方をするかもしれません。

探索遊び用

◎小さなボール
◎小さな積み木
◎粘土用のローラーとへら

◎ブランコやすべり台のような戸外の大きな遊具
◎組み木やブロックなど組み立てるもの

ごっこ遊び用

◎水遊び用の船
◎ドールハウスと人形
◎ガレージと車
◎砂場遊びで使う乗り物やお人形
◎農場と動物の模型
◎飛行場と飛行機の模型
◎お姫様ごっこのときに着飾れる服
◎まわりのおとなのくつや服
◎運転手と乗客のいる汽車とトラック
◎クレーン
◎大小の指人形（幼児雑誌から好きなキャラクターを切り抜いて厚紙に貼ったものを、割り箸《ばし》の先にセロハンテープで付ければ、簡単にペープサート（人形）を作ることができます。いくつか作るとお話を作りながら遊べます。テーブルを舞台に見立てれば劇場になります）

BOOK SHELF 本棚

これまでに紹介した本は、まだ楽しめます。同じ絵本を何度もくり返し喜んで見るでしょうから、ここで新しく付け加える必要はありません。

まだ絶対に、読むことを教え込もうとしてはいけません。絵の説明をしてやり、短いお話を読んでやってください。こどもが自分からお話について話し始めたら、本の登場人物やできごとについてこども自身の経験をからめて話してやります。こうした会話の多くは過去や未来についてですから、ことばを覚えるすばらしい機会になります。

大切なのは一緒に本を楽しむことです。前章で言ったように、こどもは、本とはどういう約束ごとのもとに成り立っているかを知っていきます。たとえば字は上から下に読んでいくものだとか、ページに描かれている絵は実物のかわりになっているのだといったことです。

こういった大切な基礎があってこそ、時が来ればこどもはとても早く簡単に読むことを学べるのです。逆に、こうした基礎なしに読むことを教え込まれると、本にそっぽを向き、読むことを学ぶのに四苦八苦するのです。この時期に大切なのは、あなたとこどものふたりが一緒に楽しむことです。

こどもはまだ自分の日常で経験したことを描いた本が好きで、登場人物の気持ちを語るのも好きです。いまとても興味を持っている物の大きさとか数や色といったものがたくさん出てくる本も、とても楽しめるでしょう。

やさしいお話についていけるだけのことばは知っていますし、まわりの世界のできごともかなりわかってくるので、現実と空想の区別をつけて、ファンタジーも十分に楽しめるでしょう。動物や乗り物が自分と同じように歩いたり笑ったりしても、現実はどうかということをちゃんと知っているので、やっと安心して楽しめるのです。

人物ごとに声色を変えたりして、物語に臨場感を出して読んであげましょう。こどもが空想のできごとを怖がらないように気をつけましょう。本当のこととそうでないことを話してやり、もしそれでも怖がったら、筋《すじ》を変えて楽しい結末になるようにしましょう。

すばらしい本がたくさんあります。

おすすめリスト

『どろんこハリー』（福音館書店）
『マーサのいぬまに』（小学館）
『ごろごろにゃーん』（福音館書店）
『からすのぱんやさん』（偕成社）
『ねずみくんのチョッキ』（ポプラ社）
『おだんごぱん』（福音館書店）
『じぶんでひらく絵本』（文化出版局）
『てぶくろ』（福音館書店）

まとめ

ここに書かれているのは平均的な発達のようすです。こどもによってそれぞれ発達は異なります。お子さんがここに書かれていることを全部できていなくても心配ありませんが、満3歳で、「気がかりなこと」にあてはまる場合は、専門家に相談してみてください。また、こどもについて疑問な点があれば、いつでも保健師や、かかりつけの医師のところに連れて行きましょう。

3歳ころの、こどものようす

◎簡単な3つの内容（箱をあけて、車を出して、パパに見せてね　など）を含む指示がわかります。
◎ひとり言で、いま起きていることを長々と話します。
◎起こったできごとについての会話に仲間入りします。
◎名字と名前が言えます。お話をとても喜んで聞きます。

気がかりなこと

◎あなたの言ったことをわからないことがよくある。
◎家族以外はこどもの言うことがよくわからない。
◎ほかの人がわかっていないということに気づかない。
◎よく見当違いのことを言う。物語に興味をもたない。
◎まだ単語がふたつか3つの文しかしゃべらない。質問をまったくしない。
◎ほかの子と遊ぼうとしない。集中していられる時間がごく短い。

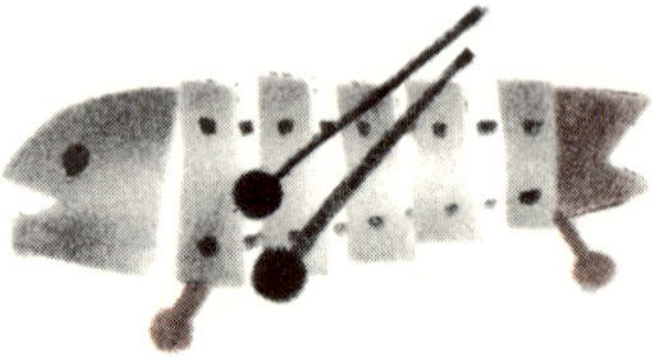

2歳6か月～3歳までの

参考文献

P.Levenstein & J. O'Hara
"The Necessary Lightness of Mother Child Play" in K. Macdonald（ed）
Parent Child Play: Descriptions and Implications
（State University of New York Press,1993）

「語りかけ育児」の時間は、
いつも、こどもに主導権を持たせます。
決して、こどもに教えようとしてはいけません。
興味を持っていることについて話しかければ、
こどもは非常にたくさんのことを学びます。
作った物に感心したり、ほめてあげると、
こどもは想像以上に自信をつけることができます。
壁に掛けられた自分の絵や、
棚に並べられた工作を見て
こどもは本当にうれしいと感じます。

こどもの努力をほめてあげます

3歳から4歳まで

3歳から3歳5か月まで

ことばの発達

「ねえねえ知ってる?」などと質問から会話を始めたりします

3歳になるとこどもは動詞、形容詞、助詞など幅広く理解できるようになり、大切な内容が3つが含まれている文章、たとえば「**クマさんは大きいイスの上**」といった文がわかるようになります。「すぐに」といったあいまいな表現もわかるようになり、ほかの人がすでに知っていることとまだ知らないことの区別もよくつくようになるので、いろいろな人と会話ができるようになります。

3歳半になるまでに、「配達」「ぞっとする」といったあまり使われないことばもわかりますし、「**赤ちゃんの黄色いぼうしは、台所にある**」といった4つの内容を含む文がわかるようになります。大きな前進です。「何々のような」といった直接的な比喩《ひゆ》もわかりますし、もし聞いたことがあれば間接的な比喩もわかります。

しかし、まだこどもは文字どおりに受けとってしまうことがほとんどです。最近友人がこんなおもしろい話をしてくれました。友人が息子のチャールズをおばあさんのところへ連れていくと、おばあさんがドアを開けながら「キルトのコートを着るのに、ひと騒ぎやっていたの」と言いました。チャールズは「コートとひと騒ぎなんかやれないよ」と笑いころげて、次の日もまだくすくす思い出し笑いしていたそうです。

ことばにとても興味を持ち、よくわかるようになっているので、もう歌や物語のことばを勝手に変えることはできません。そんなことをしたら文句を言われてしまいます。

こどもは自分がした質問への答えを、いつもよく聞いているとは限りません。自分の思ったとおりの返事が来るかどうかのほうに気持ちが向いているからです。たとえば球根がどうやって花になるのと聞かれて、くわしく説明してあげても、「公園には、たくさん花があるね」ということばが返ってくるだけだったりします。

この時期の初め、こどもの話す文は大切な内容が3語かそれ以上はいります。たとえば「お母さんは車で仕事にいった」というような文です。ジョークを言えばみんなが笑うとわかって、ユーモラスなことばもしょっちゅう使いますが、いつもわかって言っているとはかぎりません。

「そして」や「だから」で文を結びつけることもします。「買い物に行ったの、それで風船を買ったの」、「熱かったから落とした」といったぐあいです。過去形も正しく使えるようになります。

このころには語順も間違えないようになってきます。否定形の種類も増えてきます。「だけど」「もし」「それから」などを使って、もっと多くの文をつなげることができるようになります。「雨があがったら、外に行こう」「ブランコに乗って、それからすべり台をやろう」などです。

こういった進歩で、ことばを思いどおりに使って表現できるようになり、細かい点まで言えるようになります。「チョコレートが上にのった大きなクッキーがほしい」ことを楽に言えます。

ときには他人の会話にまで興味を持ちます。このあいだスーパーマーケットで、ふたりの買い物客がイヌの話をしているそばで、小さな男の子が聞き耳を立てていました。すれちがうときに、その子は不意に声を張り上げて「ぼくんちにもイヌがいるんだ。ラスティっていうの」と言いました。

この時期、ことばは思考の手段となり、ことばを用いて問題を解決し、計画を立てることができるようになります。

会話を進めることもたいへん上手になり、話を始め、続けて、とぎれた会話をまたうまくつないだりします。3歳半までには、会話の始め方がとても上手になって「ねえねえ、知ってる?」という質問から始めたりします。知らない人やほかのこどもとコミュニケーションを取るのもとても上手になります。他人の知識を推測し、知らないことをどうやって伝えればいいかがわかってきたからです。

会話のルールもよくわかっていて、いつ質問をされるかとか、言ったことをもっとはっきりさせなくてはならないかどうかもわかります。

おもしろいことに、友達と遊んでいるときに、ときたま自分と相手に交互に話しかけることがあります。たとえば自分に向かってまず「わたし、これここに置くんだ」と言い、次に相手に向かって「それからあなたはそこに置いて」と言うのです。

低いしわがれ声で巨人になったり、高い声でこどもになったりと、声色や言い方を変えて、「つもりの会話」もできます。

声の調子を変えて「つもりの会話」もできるようになります。

発育のようす

立ち止まらずに角を曲がることができます

目覚ましい発達を見せるのは、ことばだけではありません。

この年齢のこどもは、活発な外遊びが大好きです。大きなボールもけることができ、小さなボールを1、2メートル投げられます。ぴょんと跳んだり、階段の2段めから飛び降りたりできます。走るのもスムーズになり、角を曲がるのに立ち止まることもありません。

おもちゃを押したり引っぱったりしながらでも走れます。

目と手の協調、手先の器用さが増してくるので、新しくいろいろなことができるようになってきます。3歳半までには、はさみでほとんどまっすぐに切ることができます。また、ダイアモンド形をなぞって描くこともできます。

自分の身のまわりのこともひとりでできるようになり、スプーンとフォークを使って食べることや、手や腕や顔を洗ってふくこともできます。

おとなに認められることがとてもうれしく、おもちゃを片づける、友達におもちゃを貸すなどわが家のルールを守ろうとします。

注意を向ける力

何かをやっていても自分から注意を移せます

この時期の初め、重要な発達が見られます。こどもは何かをやっているときでも、誰かが何か言うと、そちらのほうに自分から注意を移すことができます。おとなが名前を呼んで注意を引きつけなくても、誰かがしゃべると自分から気づいて、それを聞こうとして、やっていたことからそちらに注意を移すのです。

注意を移すことは、すばやくはできません。人が話していることに気づいてから、そのとき自分がやっていることを止めるまで、少し時間がかかります。

やっていることに集中していればいるほどよけい時間がかかりますし、またすぐにやっていたことへ注意をもどします。

聞く力

もう、聞くことで不自由を感じることはありません

「語りかけ育児」を続けてきていれば、聞きたい音を選んで聞き続けるのは、全然難しくないはずです。たとえ過去に聴力が落ちた時期があったとしても、静かな環境で聞く機会をたくさん与え、聞きやすく魅力的な音声を聞かせることで、難聴の影響をできる限り少なくすることができます。

3歳6か月から4歳まで

ことばの発達

こどもは、日常会話のほとんどについていけます

こどもは4歳になるまでに、ことばを基本的に習得してしまいます。これは驚異的なことです。たった4年という短い期間に、何千という単語の意味を理解し、使えるようになりますし、その言語体系の中の基本的な文型もすべて獲得してしまいます。こどもはこの時期すでに完全にことばでのコミュニケーションが可能です。

こどもの言語理解能力は非常に深まってきます。4歳までに名詞、動詞、形容詞、形容動詞、助詞といった基本形をすべて含む、何千という単語の意味を知ります。あまり聞かれない「液体」「ワシ」といったことばもわかります。さらに重要なのは、「大きな積み木はドアの後ろの赤い箱の中にある」というような文が理解できることです。こうなれば毎日の会話でこどもがついていけないものは、ほとんどなくなります。その結果、こどもは直接話しかけられたときだけでなく、ほとんどの時間、新しい語の意味と文法構造を聞きながら学べることになります。

こどもの話しことばの使い方からも、理解がとても進んだことがわかります。4歳までにこどもの話す語《ご》彙《い》数は、約5000語になります。まだときには間違えますが、基本的な文法構造はすべて使えるようになります。

「やらなかった」というような過去の否定文や、「クマちゃんのコート」といった所有形など、さらに成熟した文形を多く使います。

計画を立てたり、問題を解決するためにことばを使えるようになり、「トミーも呼ぼうと思う」や「外で遊びたいけど、雨が降りそう」と言ったりします。

　こどもの話しことばはまだ未熟なところも見られますが、ずいぶんわかりやすくなってきました。難しい音をやさしい音で置きかえたり、省略して言ったりするのは、まだ続きます。こういうことはあと2年かもう少しの間見られるでしょう。難しい音を正しく言えるようになるのに、7歳までかかるこどももいます。

　この時期のこどもは自分でもことばが使えるのがうれしいようで、本当におしゃべりになります。最近のできごとも将来の計画も筋道をたてて言えますし、長い話もできますが、事実と空想の区別が難しく、かなり混じりあっています。すばらしい言い訳や作り話を、自分でも信じてしまいます。巨人が煙突を下りてきて、ジュースを倒したんだと、自信ありげに、話したりします。

　自分の姓名と住所といった、事実に基づいたことも言えます。

　質問は最盛期を迎えます。質問の内容も変わってきます。以前は原因と結果が単純に結びつくような「これはどうしてぬれているの」といった質問をしましたが、次第にもっとまわりの世界を知りたくてする質問が多くなります。「小鳥はどうやって飛ぶの？」といった質問をよくします。

　こどもは社会に関心をもつようになり、とても会話上手になります。名前を呼んだり、「あのね、ちょっと言いたいことがあるんだけど」などと言って巧みに会話を始めたり、話題を変えたり、ほかのことを始めてうまく会話を終わらせることもできます。

　相手がわからないようすを見せればすぐに気づい

自分の名前も、住所も言えるようになります。

て、問い返される前にくり返したり、わかりにくい話や文を表現を変えて言い直したりします。口を開くタイミングをはかるのも、おとな顔負けです。他人の会話に割り込むときも、間合いをはかって待ち、話題についていけます。会話も長く続けられ、相手の言うことにうなずいたり、あいづちをうったりします。

社会性がどんどん出てきて、会話の相手によって口調を変えることもできるようになります。赤ちゃんにはやさしく話して、遊びのリーダーのようなえらい相手にはていねいに「おはようございます」や「ありがとう」や「どうぞ」を使いますが、家の中や、友達と遊んでいるときには忘れたりします。

相手が話題についてどのくらい知っているかは、かなりよくわかるようになってきましたが、まだ完璧というわけにはいきません。たとえば自分が週末に海に行ったことを、保育園の先生は知らないのを忘れて「波がどんどん大きくなったの」と言って、先生をとまどわせたりします。

ことばをさまざまに使います。「きみはすべり台、ぼくはブランコにする」というような取引もできます。「何を作るか決めさせてくれたら、この積み木全部あげる」と交渉もできます。「やらせてくれないなら、これ全部持っていっちゃう」と、おどかしだってできます。「最初はこの四角の上に置くの」と、規則も言えます。さらにはアリバイだって証明します。「きっとジョニーよ。わたしは外にいたもの」

また、自分の行動について考え、それをどう思っているかをことばで言い表します。自分のことを「下手だった」と批判したり、「よくできた」とほめること

人の会話に割り込んで、
話題についていけます。

もできます。

こどもはことばで遊ぶのが大好きになります。ジョークも大好きで、人を笑わせられることに気づいて、意味がわからなくてもしょっちゅう言います。おどけるのも大好きで、シャワーを浴びて腕を振り回しながら「雨、雨、ふれ、ふれ」と歌います。気取った言い方をして大笑いします。

発育のようす スキップやでんぐり返しが得意になります

戸外で活発に遊ぶようになります。走っていってボールをねらった方向へけったり、はずむボールを取ったり、バットも使いはじめます。つま先に重心を置いて走り、走りながら急角度で曲がれます。はしごや木にのぼるのも大好きです。片足で跳ねたり、スキップしたり、腰をかがめて床の上の小さな物を拾えます。立った位置からでも、走りながらでも跳び上がれるし、でんぐり返しまでできます。三輪車乗りも得意で、速さも器用に調節できます。


鉛筆のにぎり方もおとなと同じになり、片手で紙を押さえればいいこともわかってきます。頭、足、腕、目と胴体のある人物を描き、簡単な家の形も描けます。十字形もまねて描けます。紙を三つ折りにして折り目をつけられ、積み木は10個重ねられます。そらで10まで唱えられるかもしれません。もっともまだ3以上の数の概念は理解できません。

毎日、自分でやれることも増えてきます。難しい留め方以外、着がえはほとんどひとりでできます。ジャムをバターナイフでのばせます。歯もひとりでみがけます。ポストに郵便を出しに行くようなお手伝いも喜んでやります。

4歳までに、こどもはエネルギーのかたまりのようになり、じっとしているのが難しくなります。意志がはっきりしてきて、ときには行き過ぎたふるまいに及びます。とても生意気になって「ママなんか大きらい。言いつけなんか聞かない」なんて言いますが、自分を抑えて協力してくれることもあります。

こどもはかなり見栄っぱりで、ものまねや冗談や、ふざけたりして、座の人気をさらうのが大好きです。

注意を向ける力

直前に言われたことはよく聞けます

注意は、まだひとつの感覚回路だけに限られています。4歳近くなって、あるいはもう少しかかって、やっと自分のいまやっていることと関係ないことを、誰かが話しているのを聞けるようになります。（これは学校でうまくやっていくのに必要なことです。学校では勉強しながら、先生の指示を聞かなければなりません）

こどもはいまやっていることから別の活動に移る場合には、まだ、あらかじめ時間をかけて注意を促してもらう必要があります。必要な指示は、その直前に言われると、よく聞けます。

「お昼ご飯の前に手を洗いなさい」という指示は、手を洗わなければならない直前に、言うのがいちばんです。

聞く力

たとえ難聴の時期があっても影響を最小限に抑えられます

3歳5か月までと同じです。「語りかけ育児」を続けてきていれば、聞きたい音を選んで聞き続けるのは、全然難しくないはずです。たとえ過去に聴力が落ちた時期があったとしても、静かな環境で聞く機会をたくさん与え、聞きやすく魅力的な音声を聞かせることで、難聴の影響をできる限り少なくすることができます。

3歳から4歳までの

1日30分間

語りかけ育児

こどもにとって
何でも質問に
答えてくれる
おとながいるのは
すばらしいことです

■毎日、30分間だけは、こどもとしっかり向き合います

ほかのこどもと遊ぶことがとても大切になってきます。遊びのグループや保育園で過ごしたり、うちに遊びにくる友達から学ぶものがとても大きいのです。それでもあなたとだけ過ごす時間も貴重です。どうぞ続けてください。「語りかけ育児」はことばを学ぶのにいちばん適した場ですし、こどもの注意レベルを理解しているおとなと一緒にいることはとても役立ちます。新しい遊びを考え出す手助けをしたり、遊びの幅を広げてあげるなど、多くのことをしてあげられます。

おとなが、いつも自分の言うことに耳を傾けてくれるし、見守っていてくれるという信頼感は、こどもに大きな安心感を与えます。そのときに、やってはいけないことや、やってほしいことを話し合うこともできるので、ふたりともいらいらしなくてすみます。こどもにとって、何でも質問に答えてくれるおとながいるすばらしさは、たとえようもありません。

■始める前にチェックすること

ふたりだけで静かなところであれば、いろいろな場面が使えます。庭仕事をしたり、窓に植木台を置いたり、小鳥のえさ台を作ったり、料理をするといったことをしながら、お母さんと一緒にいたいと思っているでしょう。散歩や外出もすてきです。

家にいるときには、絵の具や粘土のような創作遊びに使える物や、探索遊びやごっこ遊びに役立つような物を用意しておくのもいいでしょう。

■ことばがつっかえる

この時間がこの年齢のこどもにとって大切なのは、もうひとつ理由があります。3歳から4歳の子の半分以上が、同じ音やことばを何回もくり返す時期があるのです。これは頭の中にはいっぱい言いたいことがつまっているのに、それを全部表現するだけのことばを持たないからなのです。言いたいことを言おうと一生懸命になると、くり返しが起きます。

考えることに集中しているため、こども自身はことばをくり返していることにまったく気づいていません。この段階はまったく正常なものですし、こどもの言語能力が発達するにつれて数週間から数か月でおさまっていきます。にもかかわらず、周囲のおとなが不必要に騒ぎ立てたり落胆したりすることが多いのです。こういうとき、どうすればよいかお話ししておきましょう。

知り合いに吃音《きつおん》の人がいたり、特に親戚に吃音の人がいると、親はこどもが吃音に

こどもに自分の話し方を意識させてはいけません

なり始めたと早とちりして、パニックに陥ります。決してよい結果を招かないのに、よくやってしまうのは、こどもを助けるつもりで「もう一度言ってごらん、ゆっくりね」「話す前に深呼吸して」といったことを親が言い、幸いにも何も意識していなかったこどもが、くり返しをやめようと努力し始めることです。これがかえって混乱を、そして吃音を引き起こしかねないのです。

前と同じように、こどもに自分の話し方を意識させないという鉄則が、この時期もとても大切です。

コミュニケーションをとる上で何のストレスもない、という状態を経験させ、この時期をうまく通りぬけるために、「語りかけ育児」の時間はとても大切なのです。

こどもは競って話す必要がなく、話す時間がたっぷりあります。じゃまされることも

なく、質問に答えさせられたり、何かを言わなければならない負担もありません。おわかりのことと思いますが、「語りかけ育児」のとても大切な原則は、一貫してコミュニケーションの負担を感じさせないことです。だからこそ、「語りかけ育児」をやったこどもはコミュニケーション上手になるのです。

マイケルはちぢれ毛のかわいい3歳でした。お母さんが緊急に診てほしいと言ってきました。マイケルが吃音になり始めたので、パニックに陥っていました。お母さんには吃音の兄弟がふたりいて、その大変さをよく知っていましたが、お母さんはしょっちゅうマイケルにゆっくりしゃべってと言っていましたが、マイケマイケルがかえって吃音になるようになったと感じていました。

マイケルはおもちゃ箱にとびつき、ぺちゃくちゃおしゃべりし始めました。言

こどもが早口なら
あなたの
しゃべる速度を
おそくします

いたいことがいっぱいあるのは明らかで、あることばを最大15回もくり返しました。自分では全然気づいていないし、お母さんに比べてまったく緊張もしていませんでした。

マイケルのお母さんは、これは正常な発達段階だと聞いて救われた気持ちでした。数週間後に電話してきて、マイケルはほとんど吃音にならなくなったと言いました。

この時期に有効な方法はもうひとつあります。こどもが早口なら、あなたのしゃべる速度をおそくすることです。そうすればこどももまったく意識することなくゆっくり話すようになります。

■話し方

◆こどもが注意しているものに気づきましょう

こどもが注意を移せるようになっていても、「語りかけ育児」の時間は、いつでもこどもに主導権を持たせることが大切です。会話をするときも、「いま、ここ」について話すか、それとも未来や過去について話すかは、完全にこどもにまかせます。「ここ」や「いま」に関しての話題であれば無理に変えようとしないで、自然な流れの「実況放送」をしましょう。こどもがおもちゃをぐるぐる回していたら「あら、ぐるぐる回っている。押すと回るのね」といったふうに言えばいいでしょう。

親がたくさん
遊んであげたこどもは
早期教育を
受けたこどもより
学校のテストで
よい成績をとります

くり返しますが、こどもに教え込もうとしないでください。ちょうど興味を持っていることについて聞かせてあげれば、こどもは非常に多くのことを学び取ります。こどもが色や数といった概念に興味を持ち始めたことも、こどもの本の選び方や会話でわかります。親がたくさん遊んであげたこどもは、早期教育を受けたこどもより、学校のテストでよい成績を取ることが明らかになっています。

3歳のベンは2語文か3語文しか話さないうえに、ことばがはっきりしないので、クリニックに連れて来られました。お父さんはベンに教え込むのをなかなかやめられなくて、私とずいぶん議論になりました。

3週間後、私はふたりがとても楽しく遊んでいるのを見ていました。ベンはいろいろな形の大きな積み木を選んで、曲がりくねった道を作ろうとしていました。お父さんはベンのやっていることを見て「いい考えだ。四角い積み木は長四角の横にぴったり合うよ。丸いのは信号にちょうどいいね」とたまたま積み木の形のことを言いました。形の名前がずっとめちゃくちゃだったベンですが、1時間もしないうちに正しい名前を覚えました。

◆聞くことを楽しみ続けるように気を配りましょう

聞くことがすごく楽しいと思う経験をたくさんすることが大切です。こどもは音楽に合わせて歌ったり、踊ったり、手拍子を打ったりして楽しめるようになります。くり返しのある歌も大好きです。

本を読んでもらう時間も、人の声を聞くというすばらしく楽しい経験になります。グループがつくれれば、「いす取りゲーム」のような、聞きながら遊ぶゲームも楽しめます。

書くときにも楽しい音をつけてみます。円を描きながら「グルグル」、ジグザグなら「ジグザグ、ジグザグ」。水遊びや乗り物遊びの音も、まだ十分楽しめる年齢です。「シューシュー」と水が出て、「ザーザー」と流れていくのはおもしろいものです。

◆文の長さ

もう文の長さについて考えなくてけっこうです。気楽にどんどんおしゃべりしましょう。こどもは、知らないことばがあったらその意味をたずね、もう一度言ってほし

聞くことがまだまだ
楽しめるように
しましょう

いときは、そう言えるようになっています。

新しいと思うことばもどんどん使いましょう（こどもはいつだって学んでいるので、新しいかどうかはわかりませんが）。もうことばの知識が広がっているので、こどもの注意にそってさえいれば簡単に学習します。

こどもにとって新しいと思われる単語は、いくつかの文の中で使ってみせると理解しやすくなると思います。「これはオランウータンよ。オランウータンは、さるの仲間よ。オランウータンはとてもやさしい顔をしているわね」というふうにです。

こどもが吃音になりやすい時期でない限り、特別にゆっくりしゃべる必要もなく、声を大きくすることも、調子をつけることもありません。こどもはすっかりことばに慣れて興味を持ち、聞くことは楽しいと気づいています。

まだ文法の間違いがあり、発音にも未熟な点はあるでしょう。そのときはこどもの

言ったことを、はっきりくり返してあげるとよいのです。それでも鉄則は絶対に忘れないでください。自然な会話として返すこと、「そうね」で始めることです。

◆こどもの言ったことをふくらませてやりましょう

たいていの場合、あなたはこのやり方を考えなくてもやれるようになっていることでしょう。これまでしてきたように、こどもが言ったことにもう少し情報を付け加えて会話をふくらませましょう。こどもが「はずむお城へ行ったね」と言ったら、「そうね、行ったね。そしてクマちゃんがころんで鼻をぶつけちゃったね。かわいそうなクマちゃん、ほんとうにドーンとぶつけちゃったね」というふうに付け加えてみます。

質問の答えにも、もっといろいろ付け加えます（こどもの興味が続いているか気を配るのはもちろんです）。「どうして小鳥が小枝を運んでいるの？」と聞かれれば、巣づくりについて説明できます。こういう会話はこどものほうでどんどん進めるようになります。次から次へと質問をして、説明が十分でないと、はっきりわかるまで納得しません。

■遊びを豊かにしましょう

探索遊びを助けるには、適当なおもちゃや遊び道具を用意していろいろな使い方を見せてあげるのがいちばんです。しばらく興味を持ってやっていた遊びに新しい材料を加えてやると、もっとおもしろくなります。たとえば書くためにはフェルトペン、絵を描くためにはスポンジなどです。絵の具に糊《のり》を加えれば違う質感になり、小枝や

遊びの主導権は
いつも
こどもにあります

くしや歯ブラシを使うのもとてもおもしろいでしょう。

プラスチック粘土を使って、いろいろな種類の型におしつけて、さまざまな形を作ってみるのも気に入るでしょう。また、木の皮や別の材料の上に紙をあてて上からクレヨンでこすり、すり写しを作る遊びもなかなか目新しく、楽しめると思います。雑誌から写真を切り抜いてスクラップブックを作ったり、ティッシュペーパーをちぎってくしゃくしゃにしたものを色紙に貼りつけてコラージュを作る方法なども教えてみてはどうでしょう。

このように、材料をそろえてあげることは本当に大切です。

適当な遊びの材料を与えるだけで、幼児期後半にさらに大きな発達が促されるという研究もあります。

さらにあなたが、いろいろな材料をどうやって使うのかやってみせ、うまく使える

音の出る
おもちゃやわらべ歌は
聞いて
楽しいものです

よう手伝ってやると、その効果ははかり知れないものになります。ふたりで実験や創造的な遊びを大いに楽しめます。こどもにとっては一緒にやることを楽しめ、しかもたくさんのことばが聞けるすばらしい機会です。たとえば木肌をこするときには「破片」「はげやすい」「浮き出る」「突き出る」「浮き彫り」といったことばが使えます。

以前にもやったように、こどもがすでにできることを伸ばします。プラスチック粘土が扱えるようになったら、物を押しつけて型を取ってみます。はさみが上手に使えるようになれば、形を切り抜くことを教えます。

こどもが作ったものに感心したり、ほめてやったりすれば、こどもは驚くほど自信をつけます。自分の絵が壁に掛けてあったり、工作が窓辺に並べてあったりしたら、こどもはどんなにうれしいでしょう。

簡単な盤ゲームやカード遊びの相手をするのもいいでしょう。ほかの子と遊ぶ前に、おとながルールを説明しておけば大いに助かります。

ごっこ遊びでもおとなは同じぐらい手助けしてやれます。古いスカートやくつを出してやれば衣装にできますし、大きな箱や筒を出してきて家や消防署やガレージに見立てることもできます。

こどもにおもしろい体験をたくさんさせることも大切です。あとで再現してみて、それがどういうことなのか自分なりにわかってきます。

前と同じように、あなたが遊びをふくらます提案をすれば、こどもは歓迎します。こどもが消防士のつもりになっていたら、ポールをすべり下りて消防車に乗りこんだり、ホースを巻いたりするのをやってみせます。お店やさんごっこでは、商品を店の

裏に積み上げたり、商品を取ってきて棚に並べてみせます。
　あなたにどんなにすてきな考えがいっぱいあっても、遊びを乗っ取ってはいけません。こどもに主導権があるという鉄則を忘れないでください。こどもの遊びに干渉しすぎる親は、こどもの成長を遅らせるという米国の研究もあります。
　もし遊び仲間がいるなら、少なくとも30分間は遊べるようにします。遊びにちょうどいい空間をつくって、その子たちにも手助けしてやれます。箱や積み木といった材料をたくさん用意して、ボートや飛行機などを作れるようにすれば楽しめます。
　こどもたちで意見が分かれたら、間にはいってあげましょう。まだこどもたちはあまり上手に相談できません。

■こどもに質問するときには

　この段階のこどもには、注意深く選んだ質問をしてやると、ものごとをよく考えて取り組む助けになります。パズルで悩んでいたら「逆さにしたらどうなるかな？」と言ってやれますし、積み木をやっていたら「大きいほうをこの小さいほうの下に置いたらどうなるかやってみる？」と言います。

　たくさん質問しないことと、こどもが答えないときは、かわりにあなたが答えることを忘れないように。

　同じ原則が生きています。答えさせるための質問はしないこと。こどもはことばの発達がどうであれ、あなたの考えていることをわかっていて、すぐに引っ込み思案になってしまいます。

先日ニコラスがお茶にやってきたときのことです。遊んでいるニコラスにちょっと声をかけてみました。ふたりのおしゃべりがどんどんはずみ、ニコラスのすばらしいことばの発達ぶりがわかりました。ニコラスのお母さんはびっくりしてしまいました。いつもは知らないおとなに慣れるのにすごく時間がかかるので、恥ずかしがり屋だとばかり思っていたのです。

私はごく簡単な秘密をお母さんに教えてあげました。いま起きていることについて話すだけで、何も質問はしなかったのです。お母さんは親戚のあるお年寄りのことを思い出しました。いつも腕を組んで、じっと顔を見て「さて何かニュースは？」と話を始める人でした。お母さんはそのとき自分がどう感じたかを思い出し、質問されるのがいやなわけをさとったのです。

■この年齢でやってはいけないこと

以前からの「やってはいけないこと」のいくつかがまだあてはまります。

◎絶対にこどもの話し方を直してはいけません。

これはとても大切なことです。もしこどものことばや文がはっきりしないなら、あなたがはっきり言って聞かせるのがいちばんです。

◎こどもに話し方を意識させないようにしてください。

吃音になりやすい時期を通り過ぎようとしているときには、とりわけ大切です。こどもが伝えようとしている内容に応えるのが大切なのであって、伝え方に気をとられる必要はありません。

■「語りかけ育児」の時間以外には

◎こどもに遊べる時間と場所を与えます。

◎やりたいときにはたくさん自分でやらせます。

◎注意レベルに気をつけましょう。

◎ほかの子と遊ぶ機会をたくさんつくります。

◎もしできるなら、たくさん外で遊ばせましょう。

◎自然に親しませ、新しいことをたくさん発見させましょう。

遊び

遊びは、協力して行う社会的活動になり、遊び方がすばらしく豊かになってきます。そばで遊んでいるだけのときもありますが、こどもは友達と遊ぶのを喜ぶようになります。ことばの発達によって、計画を練ったり、規則を決めたりできるようになり、しだいに他人と協力することを学んでいきます。順番を守り、自分の考えを説明し、人の言うことを聞いて交渉したり、理解することを学びます。すべてが人生には大切な能力です。

遊びにもそれぞれの好みが強く出てきて、おとなになってからの興味がうかがえます。美術、音楽、科学といった、生涯を通しての楽しみに興味を持つのは、この時期に始まるのかもしれません。

もうひとつ大切なことですが、創造的な遊びがいよいよ盛んになります。これはこどもがおもちゃや遊び道具の特性をよく知ったうえに、ことばでこうしよう、ああしようと創造性豊かに考えられるようになったからです。

遊びに好みが出てきます。美術や音楽、科学などへの興味はこの時期に始まるのかもしれません。

3歳から3歳5か月まで

探索遊び

こどもは外遊びが大好きです。三輪車に乗ったり、走ったり、跳んだり、ボールをけるのも大好きです。

水遊び、砂遊びもあいかわらず大好きで、いろいろな容器に注いだり、こぼしたりして遊びます。容器はほかのおもちゃ、たとえばトラックを使った遊びのときにも使われ、遊びは複雑さを増します。こどもはこういう材料の大きさ、重さ、材質、容量といったことについて、たくさん学びます。

粘土のような形を作る材料も楽しめるようになり、ままごとの食べ物や、動物の家を作ったりします。何かを押しつければ型が取れるといったこともわかり、いろいろ試してみます。

がらくたの中でも、箱やたらいは屋内でも戸外でもすばらしい建築材料になります。

こどもは庭仕事や料理といった、実際の仕事をやってみて大喜びします。ビスケットを作ったり、植えた球根の花を見る喜びは、たとえようもありません。カイコやアオムシに感心し、オタマジャクシがカエルになるのには本当にびっくりします。

ごっこ遊び

ごっこ遊びは、こども達がそれぞれの役割をする社会的な遊びになっていきます。たとえば店員とお客を交互に演じて買い物ごっこをします。まだどういうふうに遊べばいいのか、わからないことがたくさんあるので、最初は短時間だけです。協力は始まったばかりです。まだ筋書きもあまりありません。筋書きが出てくるのはもっと後になってからです。

遊べる仲間がいないときは、こどもは以前と同じように〝お医者さんごっこ〟などを再現して遊び、おとながはいってくれると喜びます。物語やテレビ番組で知った、汽車や怪物になって遊んだりもします。買い物袋やおもちゃのお金といった本物っぽい材料は大歓迎です。

道路やガレージ、農場や動物園を使ったごっこ遊びは、だんだんこったものになってきて、複数のこどもが一緒に楽しめます。ひとりが農夫になってトラクターを操り、もうひとりが家畜の世話をしたりします。

この年齢のこどもは、ごく簡単なトランプ遊びや数あわせのような競技ゲームも、楽しめるようになります。ルールを学ぶことにも興味を持ち、守ろうとします。

簡単なトランプ遊びや、かるたなどで楽しめるようになります。

3歳6か月から4歳まで

探索遊び

活発な外遊びは大好きです。4歳までに、自分の力を試すのが好きになり、できる限り高く跳んでみたり、三輪車の立ちこぎといった離れ業をやってみます。

さまざまな材料を使っていろいろな創作活動がどんどんできるようになります。塗ったり、描いたりすることも大好きですが、いままでと違った材料を使うことに興味を持ってきます。イモ判や貼り合わせ（コラージュ）、石ずりといったものをやってみます。

ヨーグルトのびんや箱などごみとしか思えないものを使って、消防署やお城のような立派な建築物を作ります。料理や庭仕事にもあいかわらず関心をもっています。

パズルは以前より難しいものに挑戦します。連結ブロックではより複雑な形を作ります。小さな材料を使って、細かい物も作ります。

積み木のような、形を作るもので遊ぶときにも、協同作業を行うためのしっかりとした計画を立てるようになり、数人の子が協力しあって、線路を作ったりします。

いつも仲よくできるわけではなく、口げんかもしょっちゅうです。この年齢はこどもどうしでもおとなに対しても、協力的かと思えば攻撃的になったりします。それでも思いやりの気持ちが出てきて、幼い子や元気のない仲間には特にやさしくできます。

簡単なトランプや盤ゲームなど、みんなでやるゲームも人気があります。

大きな箱や積み木は大歓迎で、それらが店や飛行機など何にでもなります。

3歳ころから見られた自然への興味は続きます。豆から発芽するようす、球根から花が咲くようす、オタマジャクシやチョウをながめるのに夢中です。小鳥がえさ台からえさをついばむのを見るのも大好きですし、ケムシやクモにもとても興味を持ちます。

ごっこ遊び

集団ごっこ遊びが盛んになります。こどもは社会的に成長して、長時間遊んできちんと結末をつけて終わります。これはおそらく医者や理容室へ行くといった実際の経験から考えるのでしょうが、本やテレビ番組からも影響を受けるようになってきます。

ドラゴンや怪物といった空想の主役も出てきます。火事のつもりで、建物の中の人々を助け出し、消火するといったこともやれます。ごっこ遊びが発展して、消防車が空から救助にかけつけるといったようなファンタジーになることもあります。

こういう劇的な遊びは、衣装があればいっそうおもしろく、こどもは声色を使ったり動作を変えて、演ずるおもしろさを学びます。

おもちゃの小屋も出番です。演じる遊びの中で、基地になったり、山になったり、怪物の家になったりとさまざまな役割として使われます。

ダンゴムシやアリをあきずにずっとながめていたりします。

TOY BOX おもちゃばこ

おもちゃは遊びの種類によって分けられていますが、思いがけない使われ方があるかもしれません。

探索遊びと創作遊び用

◎工作用粘土

◎びん、びん洗い、くつひもといったがらくた
◎苗と球根
◎小鳥のえさ台
◎戸外用の大きな箱
◎筒、箱、ヨーグルトのあきびん
◎絵の具
◎フェルトペン（ソフトタイプのクリアファイル〔A3やB4サイズ〕の中に迷路の下絵などを入れます。ケースの上から水性ペンで描けば、ティッシュでふきとれるのでくり返し使え、ごみも出ません。やがて文字のなぞりにも使えるでしょう）
◎お絵描き用スポンジ
◎版画用スタンプなど
◎ティッシュペーパー
◎難しいパズル

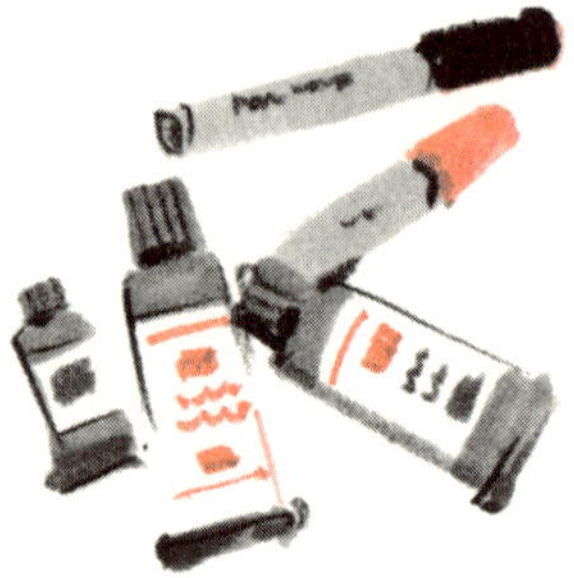

ごっこ遊び用

◎長い物語に使える本物に似せた人形
◎おもちゃの小屋
◎砂遊び用の模型の家、木、人
◎消防士や医者などの衣装
◎木馬
◎農場や動物園の模型
◎床に置く地図

社会的な遊び用

◎すごろくなどの盤ゲーム
◎カードゲーム
◎ボウリングゲーム

BOOK SHELF 本棚

本を読むのにすばらしい時期です。いろいろなことを教えてくれたり、空想をかきたててくれたりする、おもしろいものとして、こどもが本の楽しみを知る時期です。

本選びにはこどもの好みが強く出るので、本を買う前に図書館で下見して、好みを知るのもいいでしょう。私の娘と上の息子は私が読んでやるものなら何でも喜びましたが、下の息子は好みがはっきりしていて、同じ本ばかりくり返し読まされるのに驚いたものです。

日常生活と結びついたお話がまだとても好きですが、空想的な物語も楽しめるようになります。ただし、この年齢のこどもは、まわりの世界のさまざまなできごとについての経験が少ないので、事実と空想の区別がまだ難しいことを知っておいてください。

怖い話を読むときにはおとなの助けがいります。こどもはことばがわかりはじめたばかりなので、文字通りに受け取ります。よくわからないたとえには混乱してしまいます。「雪の毛布」というような文は、お気に入りの毛布と寒い戸外の関係がわからなくて、こどもは首をかしげるでしょう。

本を買う前に図書館へ出かけ、こどもの好みを知るとよい。

『3匹のこぶた』のような昔からのお話は、とても楽しめます。こどもはくり返しの文句とリズムが大好きです。こういったお話には、驚いたり、笑ったりする要素が何回もくり返し出てきます。ちょうどおとなが好きな音楽をくり返し聞くようなもので、聞けば聞くほどおもしろくなります。

こどもは次に何が来るか予測するのが大好きですから、おとながほんの少しでもことばづかいを変えようものならただではすみません。お話を知りつくすと、こどものほうがあなたに話して聞かせようとするかもしれません。

自然のできごとで、よく知っていることを書いた本も楽しめるでしょう。カエルを見たことがあれば、オタマジャクシがカエルになる本が大好きでしょう。

このころのこどもは、とても細かく描かれた絵を見るのが好きで、中でもある一部分にこだわります。色や数、似ているものと違うもの、といった概念についての本にも興味をもつでしょう。わらべ歌の本も大いに楽しめます。

活字にも興味を持ち始めます。ページの中のことばが、話していることばと実際につながっているとわかってきたからです。さらに特定の文字が特定の音を表す、と気づきます。もしこどもが自然に文字に気づいて、これは何という字と聞いてきたら、それはそれですばらしいことです。でもここで、絶対に教え込もうとしないでください。この時期は読書は楽しい、と伝えるだけで十分です。

昔からこどもに愛されてきたお話には、くり返しの文句とリズムがあり、何回も驚いたり笑ったりできます。聞けば聞くほどおもしろいのです。

毎日一緒に本を見ることを続けるのが大切です。この年齢には向いた本がたくさんあります。次にあげられているのはごく一部ですし、この年齢のこどもは、すでにはっきりとした好みを持っています。

おすすめリスト

『あなたってほんとにしあわせね！』（童話館）
『あのおと なあに？』（評論社）
『スノーマン』（評論社）
『ねむれないの？　ちいくまくん』（評論社）
『くまさん』（小学館）
『もものき なしのき プラムのき』（評論社）
『あおくんときいろちゃん』（至光社）
『もりのなか』（福音館書店）
『しょうぼうじどうしゃじぷた』（福音館書店）
『木のうた』（ほるぷ出版）
『三びきのやぎのがらがらどん』（福音館書店）
『おさるのジョージ』（岩波書店）
『ゴリラにっき』（小学館）
『どろんここぶた』（文化出版局）
『おおかみと七ひきのこやぎ』（福音館書店）
『わたしのワンピース』（こぐま社）
『ガンピーさんのふなあそび』（ほるぷ出版）
『ももたろう』（福音館書店）
『くんちゃんはおおいそがし』（ペンギン社）
『まりーちゃんとひつじ』（岩波書店）
『ぐりとぐら』（福音館書店）

TV & VIDEO テレビとビデオ

こどもはテレビの中で話されていることに十分ついていけるようになり、テレビはいよいよ大きな存在になってきます。テレビはよい情報源であり、学習や楽しみの材料であり、そして空想の糧《かて》にもなります。

こどもはテレビにも好みを示しますが、とても引きつけられる決まった番組があるようです。

こどもはシリーズ番組で、なじみの人物が登場するお話が大好きです。次々に事件が起こり、しかもこの先どうなっていくか予測がつくようなお話はとりわけ大好きです。空想的なできごとも大いに楽しめますが、現実と区別するのが難しいことは覚えておいてください。おとなの助けが必要かもしれません。「つもり」ということばはとても役に立ちます。こどもは文字どおりに受け取ることも忘れないでください。「巨人の足は木の幹のようでした」というようなセリフに、とまどうでしょう。

わらべ歌や音楽も楽しめますし、ジョークやドタバタも好きです。

こどもはこの時期、自然にとても興味を持ちます。テレビやビデオは、こういう点では本当に役立ちます。普通の生活や本や人の話では見ることのできない、たくさんのすばらしいものをテレビやビデオを通して体験できるからです。花が開くようすや、サナギがチョウに生まれ変わるところを高速で見ることができます。世界中の動物の生態を見ることもできます。一緒に見て、何でも質問に答えてやりましょう。

この点でテレビやビデオは大きな価値がありますが、見る時間を制限することはとても大切です。一日1時間が限度です。テレビの刺激的な画面は長時間こどもを引きつけますが、テレビは質問には答えてくれません。ことばの意味も説明してくれません。ましてどれが本当でどれが空想なのかをこどもに教えてはくれないのです。


普通の生活では見られない、自然などをテレビで一緒に見て、質問に答えてあげましょう。

ここに書かれているのは平均的な発達のようすです。こどもによってそれぞれ発達は異なります。お子さんがここに書かれていることを全部できていなくても心配ありませんが、満4歳で、「気がかりなこと」にあてはまる場合は、専門家に相談してみてください。また、こどもについて疑問な点があれば、いつでも保健師や、かかりつけの医師のところに連れて行きましょう。

まとめ

4歳ころのこどものようす

◎よく知らない人にも言っていることが通じるようになります。
◎最近のできごとについてお話しします。
◎長い話に耳を傾け、また自分でも話し、きりなく質問します。
◎ことばで交渉や取引をします。住所と名前が言えます。
◎「どうぞ」や「ありがとう」といったあいさつことばを使います。

気がかりなこと

◎あなたが言ったことをわかっていないように見えることがある。
◎頼んだことをやらない。あまり質問しない。数分以上集中することがない。
◎話しことばがはっきりせず、動詞の活用形などの文法をあまり使わない。
◎あなたがいないところで起きたできごとについて、はっきり説明できない。
◎ほかのこどもと遊ぼうとしない。
◎ことばを話そうと苦労しているように見える。

3歳から4歳までの

参考文献

M. Tomasello
Joint Attention as Social Cognition: Origins and Role in Development
(Hillsdale NJ Erlbaum, 1995)

H. Gottfried & I. Caldwell (eds)
Play Interaction
(Lexington Mass. , Lexington Books)

D. Singer & J. Singer
The House of Make- Believe
(Harvard University Press, 1990)

M. Bornstein, "Maternal Responsiveness; Characteristics and Consequences"
New Directions for Child Development, 43
(1989)

こどもは会話の達人です

4歳になりました

この時期には、一緒に公園へ行ったり
図書館へ行ったりするときに、
生活の中のことについて話し合ってみましょう。
これは、両親の離婚やペットの死といった
不幸なできごとがあった場合には
とりわけ大切です。
こどもの思いを吐き出させてあげて、
こどもには何の責任もないことを
しっかりわからせてやることが
こどものために大切なのです。

４歳になりました

ことばの発達

相手によって話し方を変えられます

ここまで見てきたように、こどもは４歳までに基本的なことばを獲得します。語彙《ごい》と文法についての知識は増え続けて、さらにうまくことばを使えるようになります。

木の上の小屋にたどりつくにはどうすればよいかとか、自分と友達のための遊びの計画といったことも、ことばを使ってよく考えます。役を割りふったり、空想的な物語も発展させます。考えを伝えるだけでなく、主役をやる順番を決める交渉や相談も上手になっていきます。自分の経験を話すのも、そのときどう考え何を感じたかを表現するのも巧みになってきます。

長くこみいった会話にも加われますし、状況や話す相手によって話し方を変えることができます。先生と話すときと小さな弟に話すときとで、口調を使い分けることができるのです。礼儀もわきまえてきて、「どうぞ」や「ありがとう」を言いなさいと注意されることも少なくなってきます。話したいときはおとなの注意を引きつけるようにがんばります。

他人の会話に加わろうとするときも話の腰をおって割りこんだりしないで、会話の流れの合間を上手にはかってはいることができます。

なぞなぞやジョークも大好きですし、長くて入り組んだ物語を聞くのも好きです。

こんなすばらしい進歩をとげてはいますが、話せるようになってからまだ日が浅いので、未熟な点もいろいろあります。５歳になっても文法を間違えるのは当たり前ですし、未熟な発音も見られます。自分の話題をほかの人がどのくらい知っているかについて、いつもわかっているわけではないので、ときどき聞く人は、こどもが何の話をしているのかととまどってしまうこともあります。ときにはほかのことを考えていて、話しかけられても知らんぷりのこともあります。

発育のようす

ブランコやすべり台で上手に遊べます

この1年で他の分野にもかなり成長が見られます。活発で生き生きとして、ブランコやすべり台といった大きな遊具もとても上手に使います。5歳までに、音楽に合わせて踊ったり、ボールを機敏に扱うことができるようになります。

体の動きを自由にコントロールできるようになると、手に物を持って階段を下りることもできます。絵を描いても、何を描いたのかわかりやすくなります。

この年齢で自分から字を書き出す子もいます。縫い物という新しい能力も身につけて、大きな針目でチクチクやってみせます。仲間と遊ぶことも、ますます好きになって、互いに協力できるようになってきます。

注意を向ける力

ふたつの感覚で注意を集中することができます

4歳になるまでに、自分から注意を移せるようになっています。この1年では、さらに大きな一歩を踏み出します。ついに、ふたつの感覚で注意を集中できる

ブランコやすべり台のような、大きな遊具も得意になります。

ようになるので、誰かから話しかけられても、いまやっていることの手を止めたり、話し手を見たりしなくても話が聞けるようになります。

　最初は短い時間だけですが、だんだんと長くなります。これができるということは、こどもが学校へ行く用意ができたということです。教室での勉強には、自分のやっていることについての指示を聞けることが、絶対に欠かせません。(完全にできるようになるまで、もう1年かかります)

遊び

ごっこ遊びは、友達と協力し合う社会的活動です

　活発な遊びが大好きで、自転車もボールも上手に扱えます。3歳ころに始まった創造的な遊びも大好きで、積み木などの材料を使ってこったものを作ります。

　ほかの子と遊ぶことも非常に大切です。ごっこ遊びは、一緒に計画を立てたり、協力しあう立派な社会的活動なのです。決まりをつくり、守ります。空想はあふれんばかりで、本やテレビ番組で見た物語を演じたりします。

語りかけ育児

毎日の体験をよく理解していくことが必要です

　毎日こどもと一緒に過ごすこのひとときがとても楽しみになっていて、改めてずっと続けてくださいと言う必要のないことを願っています。必ずしも特別の時

ほかの子と遊ぶことはとても大切です。

間をつくらなくても、料理や片づけといった家事を一緒にしたり、あるいはプールに連れていく、図書館へ本を読みに行くといったことでいいのです。

こういう時間は、こどもの質問に答えたり、生活の中のいろいろなできごとについて話してみて、そのときどんなふうに感じたかを知るすばらしい機会になります。これは両親の離婚や家族の死、かわいがっていたペットの死といった不幸なできごとがあった場合には、とりわけ大切です。こどもの思いを吐き出させてやり、起こったことを説明して、こどもには何の責任もないことをしっかりわからせてやることが、こどものために大切です。

料理や片づけといった家事を一緒にして、たくさん話しましょう。

毎日一緒に本を読むことは、ぜひ続けてください。これもやめられない楽しい習慣になっていることを願っています。もう本にも好みがはっきりしているでしょうから、図書館の本を選ぶのも、この年齢ではこどもにまかせましょう。

こどものことばの発達はどんどん進み続けていて、あなたが手助けできることはたくさんあります。これまでのように、使うことばや文の複雑さなどに気を使わなくても大丈夫です。わからないならわからないと、こどもが言ってくれます。

こどもの言ったことをどんどんふくらませてあげましょう。「おひるごはんのあと、公園へ行く」とこどもが言えば、あなたは「そうね。ウイリアムとお父さんも来るし、そのあとうちで一緒におやつにしましょう」と、自然に応じられるでしょう。

もし文法の間違いに気づいたら、これまでのように、あなたが会話の中で正しい形を使ってみせてください。

まだまだ多い発音の間違いも同じです。

こどもが、ほかの人がもっと知っているだろうと勘違いしたときには、気を配ってやりましょう。私の小さな友達のチャールズは、このあいだジョーがどうやって水たまりに落ちたかを話してくれました。チャールズのお母さんは、ジョーが友達なのかペットなのか私にはわかっていないことを、チャールズに注意してくれました。

ほかのこども達と遊ぶ機会も増やしていきましょう。テレビを見るのは、まだ一日1時間に制限してください。こども番組は楽しめますし、ためになります。空想を刺激したり、現実には見られない自然のすばらしさを経験できます。

それでもこどもはもっと遊び、人と交流し、会話し、毎日のできごとを実地に体験してよく理解していくことがどうしても必要なのです。テレビのためには1時間しかさけません。

一緒にテレビを見て質問に答え、わからないことを説明してやり、いま見たことを話題にしていくと、得るものももっと多くなります。

集団保育へ

幼稚園や保育園についてたくさん話してあげましょう

この年でいちばん大きなできごとは、多くのこどもが、幼稚園などの集団保育へ参加し始めることでしょう。「語りかけ育児」をやってきていたら、こどもは注意を集中する力、聞く力、言語能力を十分発達させており、集団生活をとても楽しみ、すべての活動に喜んで参加できることでしょう。

現在、正式に読み書き計算を教えるのにいちばんよい時期はいつごろなのかということについて、大論争があります。私の経験からは、多くのこどもにとって遅ければ遅いほどいいと思います。

親として心がけるべきことは、こどもを家庭でしっかり遊ばせ、プールや公園や図書館へ行くといった経験をたくさんさせることです。こどもはこの時期、家で読んだり書いたり計算をしたがるでしょうし、それには何の問題もありません。こどもには選択の自由があるということだけは覚えておいてください。

集団保育に参加するという大冒険に際して、あなたがしてやれることはたくさんあります。入園前にこどもと一緒に見学をさせてくれる園もあります。これはなかなか役立ちます。

幼稚園や保育園についてたくさん話してやり、たっぷり時間をとってすべての質問に答えてあげてください。あなたが入園したときの話を聞くのも、喜ぶでしょう。

こどもは生活の中のできごとすべてに対して、あなたの気持ちを感じ取ります。このことを決して忘れないでください。あなたが入園はこどもにとって前向きで楽しい経験になると信じていれば、こどもも同じように思うでしょう。


こどもは無力な新生児からあっという間に〝会話の達人〟になりました。この急速な進歩は親として喜ばしい驚きだったと思いますし、そう願っています。

こどもにどういうふうに話しかけ、かかわれば、こどもの可能性を最大限に引き出せるのかを知り、楽しんでいただけたでしょうか。ふたりで一緒にいるのが楽しいという関係が築かれたなら、何よりの喜びです。

それはこれから一生の間、役に立つことです。

「語りかけ育児」はふたりにとって楽しかったでしょうか。答えがイエスなら、私がこの本を書いた目的は果たされました。

これから先、よいことがありますように。

言語発達と知的能力は密接に関係しています

サリー・ウォード

生まれたばかりのときには何もできない赤ちゃんが、生後たった4年の間に、どうやってことばを覚えるのか、それはいまだに謎のままです。

赤ちゃんが出すでたらめな音にまわりのおとなが応じると、赤ちゃんはだんだんことばを覚える、というのが言語発達に関する初期の学説でした。たとえば、「ママ」に似た音を出すたびにお母さんが来てくれると、赤ちゃんは「ママ」という音と、「お母さん」を関係づけるようになる、というのです。

しかし1950〜60年代、言語学者のチョムスキーはこの説を否定しました。彼の主張は、こどもは言語習得するための能力を生まれたときから持っており、ことばを聞くとその「言語獲得装置」が作動して、聞いたことばを意味づけしたり、文章を作ったりできるようになるというものでした。

別の高名な言語学者ピンカーは、最近の著書の中で、こどもは単語には名詞、動詞などの種類があり、それぞれ文の中で違った役割を果たすこと、そしてそれはすべての国のことばに共通するということを生まれたときから知っている、との立場を取っています。ネコのミーコが花びんを倒してしまったときにお母さんが「ミーコったら！」と言うのを聞けば、事件を起こしたのはミーコで、ミーコが文の主語であることがすぐにわかるというのです。

言語知識がこのように生まれつき内在するのかどうか、意見がなお分かれるところです。しかし、人間の赤ちゃんが、生後、驚くべき速さでことばを覚えるわけを説明するには、赤ちゃんが何らかの知識またはメカニズムをもともと持って生まれてくると考える必要がありそうです。このことについては、学者の間でもおおむね意見が一致しています。

ことばを覚えていく上で、まわりからの働きかけは、どの程度影響するでしょうか。言語発達のいくつかの重要なポイントは、たしかに環境からの影響をほとんど受けません。高度難聴のこどもも聴力正常のこどもと同じ時期に喃語《なんご》を言い始めますし、初めてことばを言う（初語）時期は、その子のおかれた環境にかかわらず一定です。ただし、その先の言語発達や社会性の発達が、環境しだいで大きく変わることは間違いありません。

共同研究者のディアドリと私の臨床経験からわかったのは、こどもに対する親の接し方を望ましいものに変えると、こどもは大きく変化するということです。これが「語りかけ育児」のとても重要な部分です。

つまり、ことばを身につけるための機能を生まれつき持っているとしても、話しかけ方しだいでこどものことばの発達には大きな影響が出るのです。このことは「語りかけ育児」を体験するにつれておわかりになると思います。

こどもの理解レベルに合わせて話をする

ことばを使ってコミュニケーションすること。これは、人間と他の生き物との大きな違いです。こどもがすぐれたコミュニケーション能力を身につけられるようにおとなが気をつけてあげたいものです。

幼児期にことばが遅れている子はとても多く、7歳児では10パーセント以上です。何らかの神経系や機能面の問題から起きている場合もありますが、大半のことばの遅れは、おとなが話しかけることばと、こどもが理解できることばのレベルがうまく合っていないために起きているようです。

おとなは、自分の話しかけ方をこどもの年齢に合わせて上手に変えていくものなのですが、こどものことばの理解度が年齢よりも遅れ気味の場合、おとなの話しかけ方とこどもの理解度との間にずれが起こりやすくなります。

こどもの理解度が遅れる理由はいろいろです。鼻の病気や中耳炎は赤ちゃんや幼児にはありふれたことですが、炎症などによって聞こえにくくなると、赤ちゃんはてきめんに聞こうとしなくなり、結果として理解が遅れることがあります。

赤ちゃんかお母さんが長い間病気だったり、遠くへ引っ越したりして家族の手助けが受けられないといった、生活上の避けられない事情やストレスによっても問題は起こりえます。

ことばの遅れには、さまざまな要因がからむので、虐待とか重大な育児放棄といっためったにない深刻な場合以外には、こどものことばが遅れたのは自分のせいだ、と親が自分を責める必要はありません。

まわりからの刺激が知的な力を伸ばす

知能は生まれつき決まっているのか、それとも生まれた後に決まるのか。これも、18世紀以来いろいろ議論されてきました。今のところ、研究者の間で一致しているのは、赤ちゃんはあらかじめ決められたプログラムどおりに自動的に進んでゆく機械とはちがう、ということです。

妊娠12週には早くも神経細胞の協調的な動きがはじまり、それによって、脳の形態が変わっていきます。

新生児の脳細胞は、数だけはそろっていますが、お互いをつなぐ回路がまだできあがっていません。生まれてすぐから、赤ちゃんの感覚を通してはいってくる感覚情報（刺激）が神経を活動させ、無数の神経のつなぎ目（シナップス）をつくります。

生後3年間くらいで脳は大きな発達をとげます。この時期、脳の中の神経回路をつくりあげるためにはまわりからの適切な刺激が必要です。

2歳前後のこどもは、脳の中におとなの脳の2倍の数の神経のつなぎ目（シナップス）を持っていて、情報を伝えるためには、おとなの場合の2倍のエネルギーを使います。この時期につくられたもののあまり使われないシナップス結合は10歳を過ぎるとだんだんなくなっていってしまいます。

周囲からの刺激が不足すると、発達上の問題を引き起こすというさまざまな研究の結果に基づいて、アメリカ合衆国やイギリスでは、文化的に貧しい環境のこどもたちに、3歳児から豊かな遊びや十分な語りかけを行って豊富な刺激を与えようとする保育プログラムを行い、大きな成果をあげました。

人は生まれたときから知的な能力に差があります。私たちみんながアインシュタインになれるわけではありません。けれども、知能指数は固定していて絶対変わらないというものでもありませんし、特に発達初期の環境しだいで大きく変化する可能性もあるのです。

ことばが発達すれば、知的能力も伸びる

こどもは、周囲のものやできごとや人について、探索したり経験したりしながらことば（言語）や知的な力を発達させてゆくのですが、知的な力と言語とは深く関係しています。

物の名前を言えるようになるには、あるものが見えなくなっても、そのものは存在しつづけるということがわかるだけの知的発達が必要です。

赤ちゃんは最初、自分のうちのネコだけを指して「ネコ」と言います。けれども他の場面でおとなが「ネコ」ということばを使うのを聞いているうちに、どんな場面にも「ネコ」は「ネコ」として一般化できるようになります。ことばによって整理してもらうことで、概念形成は大いに進むのです。

ジグソーパズルをしているこどもに、おとなが「向きを変えてごらん」とか「それは小さすぎるよ」と話しかけてあげます。ことばによって整理してもらうと、こどもはそこで学んだことをほかのときにも応用できるようになります。

4歳半までに、こどもはすっかり言語を身につけ、おとなと同じように使いこなせるようになります。たとえば、ジグソーパズルをうまく完成させるには、ピースをどんなふうに並べたり動かしたりすればいいか、あらかじめ頭の中で言語を使って予想したりやってみたりできるようになります。実際に身体を動かしてやってみるまでもなく、問題を解決できるようになるのです。

「君が先にやっていいよ、その次が僕だ」などと事前に計画したり、話しあったりもできるようにもなります。

知的な力は言語の発達と切り離しては考えられません。「語りかけ育児」は、その点について大きな意味を持つのです。

解説

親子でゆったり楽しく過ごす

中川信子◎言語聴覚士

STという仕事と日本のSTの現状

この本の著者サリー・ウォードさんはイギリスのST《エスティー》（言語治療士）です。STはことばの障害を対象とする専門職ですが、国によって少しずつちがいがあり、サリーさんの国イギリスでは、話しことばと言語とを扱うSpeech and Language Therapist（ST、言語治療士）と、聴覚障害を対象とするAudiologist（オージオロジスト）と呼ばれる資格とに分かれています。

日本のSTは、言語障害と聴覚障害との両分野をカバーするのがふつうで、言語療法士、聴能言語士、言語治療士、臨床言語士などさまざまな名称が混在しています。平成9年に「言語聴覚士」という名称で懸案の国家資格が成立しました。今後は徐々にこの「言語聴覚士」という職名が広がってゆくと思われます。

日本のSTは、その多くがリハビリテーション分野で成人の失語症の訓練にあたっています。そのため、こどものことばの遅れについて、的確なアドバイスをしてくれるSTの数は大幅に不足しており、ことばの遅い子や障害のあるこどもを持つ親ごさんたちは、ことばの発達を促す方法はないか、ことばを診てくれるSTのいる相談機関はないかと必死で探さなければならないのが現状です。

イギリスやアメリカにおけるSTは、ことばの発達や発音に心配なことがあったらすぐに相談できる、なじみの多い、どこにでもいる職種です。日本も早くそういうふうになるべきだと思いますし、そのための努力が必要です。（本文の中でイギリスのSTについては「言語治療士」の用語をあてました）

STが書いた「語りかけ育児」の特徴

こどもを対象とするSTは、発音やことばの発達、理解のようすなど、調べられるもの、目に見えるものを扱いますが、そのことを通して、人と人とのコミュニケーションのあり方、人と人との関係性を問いつづけざるを得ません。この本の著者もたぶんそうなのだろうと思います。

この「語りかけ育児」はふつうの赤ちゃんの発達をテーマとする育児書でありながら、障害のあるこども、発達の遅いこどもなど、すべてのこどもにあてはまる普遍性と深さとを持っています。年齢が小さくても、動きが幼くても、これから成長してゆくひとりのこどもをいつくしみ、おとなにとって対等な仲間として、大切に見守り育ててゆこうとする態度が、その底に流れています。

人間の行動を生理的に裏づけ、極力科学的に客観的にとらえようとするのもＳＴの職種としての特徴です。この本にも、そういう姿勢を感じ取っていただけるかと思います。こどもの発達の姿を整理した上で、毎日できること、できそうなことを、具体的に述べてあります。

「あたたかく見守る」とか「愛情をもって育てる」といった、ともすれば抽象的な心がまえ論だけではどうしていいかわからなかった親ごさんたちへのよい案内書になることと思います。

「こどもには、たくさんことばをかけてあげよう」とはよく言われますが、実は、こどもの状態をじょうずに読み取ることこそ最初にすべきことである、という貴重な発見ももたらしてくれます。

また、注意集中が育つための静かな環境の必要性、こどもの興味におとなが合わせていくことの大切さ、テレビやビデオ以前に身体を使って実際の人間と触れ合うことが大切である、といったサリーさんのＳＴとしての主張には、日本の私たちも、しっかり耳を傾ける必要があります。

じょうずにこどもに合わせてゆく具体的な方法を学びましょう

本文にくりかえし出てきますが、こどもは自分から育つ力を持っています。まわりのおとなにできるのは、その力が最大限まで伸びるように手助けすることです。

そのためには、赤ちゃんのころから、視線の方向や声の出し方など、こどもの行動を注意深く観察し、その行動の底にある意味（興味や気持ちのありよう）を読み取り、こどもの気持ちに沿った対応をしてゆくことが大事です。

この「語りかけ育児」は、実際にやれそうな、具体的方法の提示という点で、親ごさんだけでなく、こどもにかかわる多くの人たちの役に立つでしょう。

昨今いろいろ取りざたされる思春期の問題も、乳幼児期からこどもに合わせた対応をすれば、その幾分かを、減らすことができるのではないか、とすら思います。

また、この本は、言語発達の全体像をSTの視点から整理することによって、ことばの仕事についているST、あるいはつこうとしているST学生にも、興味深い視点を与えてくれます。この本をきっかけに、こどもの発達の領域に興味を持つSTがふえてくれることを期待します。

用語等のチェックについては多くのSTの仲間の協力を得ました。重要な専門語は極力かっこで表しましたが、育児書としての分かりやすさを優先するために言い換えてしまったものもあります。また、英語での文法的な発達や、わらべ歌など、日本語におきかえるのがむずかしいものはあえて省略しました。speech、language、wordなど、日本語で「ことば」としてしまうと不正確になるものもありますが、煩雑になるためかっこには示しませんでした。

しあわせな人生の基礎をつくるために大切な乳幼児期。親子ともに、ゆっくり、楽しく過ごすことができたらいいですね。

J. Bruner
Child's Talk
(New York, Norton, 1983)
『乳幼児の話しことば』J. ブルーナー
寺田晃・本郷一夫訳
(新曜社　1988)

K.Kaye
The Mental and Social Life of Babies
(University of Chicago Press, 1982)
『親はどのようにして赤ちゃんをひとりの人間にするか』ケネス　ケイ　鯨岡俊・鯨岡和子訳
(ミネルヴァ書房　1993)

S. Bochner, P. Price & J. Jones
Child Language Development
(London, Whurr, 1997)

幼児の認知と発達について

J. D. Osofsky (ed)
Handbook of Infant Development
(New York, Wiley, 1987)

C.Grmrud (ed)
Visual Perception and Cognition in Infancy (1985)

J. Mehler & E. Dupoux
What Infants know:the New Cognitive Science of Infant Behaviour
(Cambridge Mass. , Blackwell, 1944)

R. Feldman & B. Rune (eds)
Fundamentals of human Behaviour
(New York, Cambridge University Press, 1985)

R. Griffiths
The Abilities of Babies
(University of London Press,1954)

C.Bremner, A. Slater & L.Butterworth
Infant Development: Recent Advances
(Psychological Press, Taylor & Francis, 1997)

A. Gesell
The First Five Years of Life
(London, Methuen, 1966)

P. Mussen (ed)
Carmichael's Manual of Child Psychology
(New York, Wiley, 1989)

遊びについて

D. Singer & J. Singer,
The House of Make- Believe
(Harvard University Press, 1990)

E. Matterson
Play with a Purpose for the Under Sevens
(third edition)
(London, Penguin, 1989)

K. Macdonald (ed)
Parent- Child Play
(State University of New York Press, 1993)

R. McConkey, D. Jeffree & S. Hewson
Let Me Play
(London, Souvenir Press, 1964)

サリー・ウォードさんの論文

An Investigation Into the Effectiveness of an Early Intervention Method for Language Delayed Children
(*International Journal of Disorders of Language and Communication, 34 vol. 3, pp. 243-264, 1999*)

The Predictive Accuracy and Validity of a Screening Test for Language Delay and Auditory Perceptual Disorder
(*European Journal of Disorders of Communication, 27, pp. 55-72, 1992*)

もっと詳しく知りたいときの、参考図書目録

言語について

E. Lenneberg,
The Biological Foundations of Language
(New York, Wiley, 1967)
『言語の生物学的基礎』E.H. レネバーグ
佐藤方哉・神尾昭雄訳
(大修館書店 1974)

S. Pinker,
Language Development and Language Learnability
(Cambridge Mass. , MIT Press, 1984)

N. Chomsky,
Aspects of the Development of Syntax
(Cambridge Mass., MIT Press, 1965)
『文法理論の諸相』N. チョムスキー
安井稔訳（研究社出版）

G. Altmann,
The Ascent of Babel
(Oxford University Press,1997)

D. Crystal (ed) ,
The Cambridge Encyclopedia of Language
(Cambridge University Press, 1997)

S. Pinker,
The Language Instinct- the New Science of Language and Mind
(London, Penguin, 1994)
『言語を生み出す本能』S. ピンカー
椋田直子訳
(日本放送出版協会　1995)

言語発達について

C. Snow & C. Ferguson (eds)
Talking to Children
(Cambridge University Press, 1977)

J. Bloom
Stability and Change in Human Characteristics
(New York, Wiley, 1964)

H. R. Shaffer (ed)
Studies in Mother-Child Interaction
(London, Academic Press, 1977)

C. Gallaway & B.Richards (eds)
Input and Interaction in Language Acquisition
(Cambridge University Press, 1994)

D. Messer
The Development of Communication
(Chichester, Wiley, 1994)

E. Bates, I. Brotherton & L. Snyder
From First Words to Grammar
(Cambridge University Press, 1988)

K, Nelson
The Acquisition of a Shared Meaning System
(New York, Academic Press)

M. Bullowa (ed)
Before Speech
(Cambridge University Press, 1979)

著者
サリー・ウォード
イギリスの言語治療士の第一人者。国営医療サービス事業所で言語障害児を担当する言語治療士のチーフ。言語治療士としての20年間の研究から考えられた、『語りかけ育児』（Baby Talk program）が、乳幼児の心と知能を無理なく伸ばし、コミュニケーション能力を育てる21世紀の新しい知育方法としてイギリスをはじめ世界各国で注目を集める。2002年6月急逝。

翻訳
槙　朝子
翻訳家。主な翻訳作品に『あなたが生まれるまで』『神々と英雄』（以上、小学館）など。

監修
汐見稔幸
白梅学園大学名誉学長、東京大学名誉教授。臨床育児・保育研究会主宰。教育学・人間学専攻。教育研究者として、幼児教育関係者の研修や親向けの育児講演会など、幅広い活動をしている。主な著書に『0～3才　能力を伸ばす　個性を光らせる』（主婦の友社）、『父子手帳』（大月書店）、『はじめて出会う育児の百科』（小学館）など。

指導
中川信子
言語聴覚士、子どもの発達支援を考えるＳＴの会代表。乳幼児健診や幼児期のことばの相談、特別支援教育巡回事業などに従事。主な著書に『ことばをはぐくむ（新装版）』『1・2・3歳　ことばの遅い子』『保育園・幼稚園のちょっと気になる子』（以上、ぶどう社）、『はじめて出会う育児の百科』『発達障害とことばの相談』（以上、小学館）、『ことばの不自由な人をよく知る本』（監修　合同出版）など。

0～4歳 わが子の発達に合わせた
1日30分間
「語りかけ」育児

2001年 7 月20日　初版第1刷発行
2025年 4 月14日　　第40刷発行

著者
サリー・ウォード

訳者
槙 朝子

発行者
石川和男

発行所
株式会社小学館
〒101-8001 東京都千代田区一ツ橋2-3-1
電話／編集 03-3230-5450
販売 03-5281-3555
印刷所
共同印刷株式会社

製本所
牧製本印刷株式会社

ISBN4-09-311251-7　Printed in Japan

妊娠中〜6歳までの

おすすめ書籍